PC111 + LET

LETTERATURA AL NATURALE

Susanna Buttaroni

LETTERATURA AL NATURALE

Autori italiani contemporanei con attività di analisi linguistica

Bonacci editore

L'editore è a disposizione degli aventi diritto con i quali non gli è stato possibile comunicare nonché per eventuali involontarie omissioni o inesattezze nella citazione delle fonti dei brani riprodotti nel presente volume.

I diritti di traduzione, di memorizzazione elettronica, di riproduzione e di adattamento totale o parziale, con qualsiasi mezzo (compresi i microfilm e le copie fotostatiche), sono riservati per tutti i paesi.

Bonacci editore
Via Paolo Mercuri, 23 - 00193 Roma
(ITALIA)
Tel. 06/68300004 - Telefax 06/6540382

© Bonacci editore, Roma 1989
ISBN 88-7573-244-2

INDICE

INFORMAZIONI NECESSARIE
AL LETTORE-INSEGNANTE E AL LETTORE-STUDENTE

Quest'antologia si rivolge a studenti d'italiano di livello medio e avanzato, che vogliano fruirne in lezioni di gruppo o anche anche al di fuori della classe, in forma autonoma.

In quest'introduzione vengono fornite informazioni in merito alle tecniche di lettura e alle modalità d'uso delle parti grammaticali. Si prega pertanto gli insegnanti e gli studenti di leggere attentamente queste pagine introduttive prima di passare all'uso dell'antologia.

FINALITA' DELL'OPERA

Il progetto di quest'antologia nasce da molteplici propositi.

a) **Arricchire la fonte linguistica** dello studente: rispetto al parlato di situazioni quotidiane o allo stile della stampa periodica, la letteratura offre uno spettro di tematiche e di registri che con lo stile quotidiano s'intreccia, a volte superandolo.

b) Fornire alcuni esempi di **differenti generi, tendenze e stili** nella produzione letteraria del Novecento italiano a partire dal secondo dopoguerra, spaziando dalla narrativa alla poesia al teatro alla saggistica. L'offerta di brani letterari per studenti d'italiano finora è stata infatti per lo più limitata ad un ristretto repertorio letterario, comprendente essenzialmente prosa "leggera" (brevi brani umoristici o feuilletons) o per l'infanzia (pur rivolgendosi ad un pubblico adulto).

c) Dare accesso ad una **fonte di informazioni sull'Italia contemporanea.** Certamente la letteratura riporta della storia e della società un'eco a volte indiretta o filtrata da un atteggiamento lirico, emozionale e, in ogni caso, soggettivo: in tal senso la letteratura non può certo sostituire i trattati specialistici. È certamente vero che questi ultimi hanno dalla loro l'abbondanza e la quantificabilità dei dati (ma non necessariamente l'oggettività); mi sembra tuttavia altrettanto legittimo considerare l'interpretazione in chiave letteraria di situazioni storiche e sociologiche come una parte del quadro culturale di un Paese.

d) Le informazioni sulla realtà storica, geografica, economica e sociale di una nazione vengono generalmente isolate dall'insegnamento della lingua e talora delegate ad una branca a se stante (detta "*Landeskunde*" nei Paesi germanofoni). È piuttosto difficile, a volte, trattando simili argomenti in forma teorica e nello stesso tempo discorsiva, evitare di scivolare nei clichées e nelle generalizzazioni, che mai possono rendere giustizia ad una realtà multiforme e dinamica. In questo libro si è scelto perciò di **far parlare direttamente i protagonisti** di storie che, anche se frutto di fantasia, sono pure rappresentazioni *made in Italy* della realtà del Paese.

Tali propositi comportano naturalmente l'adozione di certi criteri nella selezione dei brani. Il primo e piú importante è l'**autenticità**, criterio applicato a due livelli:
  – autenticità **all'interno del testo**: i brani non hanno subíto interventi di riduzione all'interno (omissione di parti) o semplificazione (lessicale o delle strutture);
  – autenticità **rispetto alla tipologia della lingua attualmente in uso**: la lingua che compare oggi nella letteratura italiana va ben oltre la conclamata "neutralità dello stile scritto" (ma *quale* stile scritto?). Grazie ai media e ad una sempre crescente mobilità culturale, nella lingua nazionale scritta vengono assorbiti sempre piú regionalismi, che riguardano sia il lessico che le strutture. Perciò non si è ritenuto qui opportuno censurare espressioni regionali e le rare espressioni dialettali, considerando anzi un arricchimento culturale e linguistico le testimonianze di "slittamenti" dall'italiano standard.

Per quanto riguarda la distribuzione dei testi, il criterio cronologico mi è sembrato il piú rispondente alle succitate finalità di informazione linguistica e culturale, proprio in quanto i temi proposti dagli autori rispondono generalmente agli interessi di un determinato periodo storico. D'altra parte si è voluto rappresentare alcuni autori con piú di un'opera, per esemplificare – sia pure nella misura limitata imposta dalle dimensioni dell'antologia – certe variazioni tematiche o formali nel corso della loro attività letteraria.

È forse inutile aggiungere che i criteri ultimi di scelta corrispondono ad un gusto personale: la redattrice spera tuttavia, in tanta varietà di tematiche e di stili, di poter incontrare i gusti del lettore, come nel caso degli studenti d'italiano che hanno sperimentato i brani qui raccolti.

STRUTTURA DELL'OPERA

L'opera è ripartita in cinque sezioni:

– la sezione antologica vera e propria
– informazioni bio-bibliografiche sugli autori
– la sezione di riflessione linguistica, dedicata all'analisi di aspetti linguistici di carattere lessicale, morfosintattico, semantico, pragmatico e stilistico
– la sezione di esercitazione, riguardante aspetti linguistici precedentemente analizzati
– soluzioni delle attività di lettura analitica e di esercitazione, affinché il controllo possa essere svolto in forma autonoma dallo studente.

La tripartizione in sezioni distinte per la lettura, l'analisi e l'esercitazione deriva dall'**indipendenza e priorità della fase di lettura** rispetto alle fasi di analisi linguistica e di esercitazione. Nulla impedirebbe di adottare a fini di studio esclusivamente la parte antologica, trascurando la sezione grammaticale: quest'ultima è da considerarsi come uno strumentario aggiuntivo a disposizione di coloro che inclinano ad un approccio analitico alla lingua ed aspirano a curare la produzione orale e scritta anche oltre i fini immediatamente comunicativi della conversazione quotidiana.

SEZIONE ANTOLOGICA: LA LETTURA

La lettura dei testi assume in questa raccolta il ruolo primario: le esclusive finalità d'uso di questa sezione sono da un lato informazione – nei termini spiegati piú sopra – e dall'altro il piacere della lettura.

A rendere una lettura piacevole contribuiscono in modo fondamentale un tema o un'impostazione testuale attraente, ma anche, per lo studente straniero come per il lettore di madrelingua, un adeguato rapporto tra il gusto della scoperta ed il quantitativo di energie spese nel processo di lettura. Una lettura impegnativa può essere affascinante per chi cerca stimoli intellettuali, una lettura con grossi problemi di decodificazione riesce faticosa e scoraggiante. Come prevedere, dunque, il limite tra impegno e fatica, quando si offrono testi autentici? Quale competenza linguistica dovrebbe possedere il pubblico per poter gustare l'autenticità in forma letteraria?

Il pubblico di quest'antologia è stato genericamente definito "medio" e "avanzato". Bisogna tener conto, tuttavia, della estrema differenziazione delle competenze linguistiche degli studenti: fattori di differenziazione sono, tra i tanti, il tipo di contatto avuto sinora con la lingua, l'ambiente in cui tale contatto ha avuto luogo, gli scopi per cui si è studiato, l'approccio intellettuale ed emozionale all'apprendimento linguistico (importanza data alla comunicazione e alla correttezza, grado individuale di perfezionismo, bisogni comunicativi particolari, etc.).

Senza voler imporre una generalizzazione poco realistica si

voleva qui offrire al lettore un orientamento che favorisse l'equilibrio ottimale tra impegno e piacere: per far ciò non si è trovato di meglio che l'adozione non strettamente normativa dei tradizionali asterischi in "progressione", basandosi essenzialmente sulla lunghezza del testo e in parte anche sul grado di complessità lessicale-stilistica, commisurata al pubblico italiano medio. Quindi un asterisco in piú non significa certo che prima di un certo numero di ore d'insegnamento sia "impossibile" capire un testo, né un asterisco in meno dovrà offendere la dignità di studenti progrediti: semplicemente, un testo con piú asterischi risponderà meglio alle fasi di maggior slancio intellettuale, mentre i testi poveri di stelline offriranno momenti di relax letterario, in cui il contenuto arriverà piú direttamente nell'animo del lettore, con meno ostacoli linguistici e in un tempo piú breve.

Il testo autentico, d'altronde, offre comunque – anche al lettore "medio" e "avanzato" – un certo impatto con il nuovo, che rappresenta sempre un'occasione di progresso. E qui veniamo alla questione di *come affrontare il nuovo.*

Alla base delle considerazioni che seguiranno c'è il presupposto che per la lettura piacevole di un brano letterario non sia necessario capire tutto. Naturalmente non si è voluto dimenticare che un testo con ambizioni estetiche rende piú urgente, rispetto ad un testo meramente informativo, il chiarimento di lacune lessicali.

Nelle note a pie' di pagina sono stati chiariti essenzialmente i termini regionali, dialettali, gergali o desueti che risultano poco accessibili al lettore italiano medio o che non vengono riportati da dizionari bilingue (si è pensato anche allo studente autodidatta), nonché le allusioni ad elementi della realtà italiana che difficilmente sono noti all'estero.

Tenuto conto che l'aspettativa di capire il piú possibile vale particolarmente per la poesia, per le proposte di genere poetico si è adottato, oltre agli altri, anche il criterio della brevità. (Per questo motivo i testi poetici sono stati esentati dalla "classifica" di complessità.)

Certamente non si vuole escludere per la lettura dei brani qui presentati l'uso di **sussidi d'informazione lessicale** – sia un dizionario della lingua italiana o bilingue o anche un buon informante. L'uso di tali strumenti dovrebbe tuttavia essere "autolimitato" dal lettore, per due ordini di motivi: a) per non allontanarsi dall'ambito della lettura-piacere; b) per intensificare l'attività autonoma di integrazione del nuovo nelle conoscenze presenti. Progredire in una lingua non significa, infatti, addizionare elementi in liste mentali di vocaboli e di regole, ma soprattutto **sviluppare l'abilità** di integrare lacune linguistiche, facendo uso di tutte le risorse cognitive a disposizione. Come l'esperienza di lettura dimostra anche nel caso della madre-lingua, un vocabolo "X" non coscientemente noto a chi legge può illuminarsi di significato grazie alle informazioni che giungono dal contesto linguistico della frase, del periodo, del brano intero nonché dalle "conoscenze del mondo" del lettore. Se quindi lo studente manterrà un **approccio attivo**, cioè **interpretativo**, al testo, scoprirà da sé una quantità di informazioni, di cui il contesto autentico è sempre generoso.

Lo studente di un gruppo potrà inoltre adottare la semplice tecnica delle letture alternate allo scambio d'informazioni – a livello di contenuto o anche lessicale – con uno o piú partner: una verifica con i colleghi produrrà conferme, smentite o anche ipotesi nuove rispetto alla propria interpretazione, costituendo in ogni caso uno stimolo a successive, piú approfondite letture.

PER IL PROGRESSO NELLA CORRETTEZZA: LE ATTIVITÀ DI GRAMMATICA

Leggendo un testo in una lingua straniera, molto spesso lo si capisce, ma non si è poi in grado di adottare nella produzione il lessico o le strutture che nel testo ricorrono: caso emblematico sono le persone di madrelingua affine alla lingua straniera o studenti progrediti con problemi morfologici o di "fossilizzazione" di errori. Le **attività analitiche** proposte hanno la funzione di evidenziare certi aspetti linguistici, per facilitare l'uso attivo di determinati elementi lessicali e strutturali. Queste attività di grammatica devono **seguire** la lettura, in una fase da questa nettamente separata. Non è raro constatare, infatti, come una struttura linguistica presentata al di fuori del contesto – magari "in preparazione" alla lettura – perda di senso o ne assuma troppi.

Dopo aver analizzato un certo aspetto della grammatica, non ci si deve tuttavia aspettare che quest'ultimo venga attivato senza piú produrre errori. La mente umana non funziona come un computer, dove basta immettere dati per ritrovarli il giorno dopo: anche se la nostra epoca sempre piú esige dall'uomo un efficientismo di tipo meccanicistico, a cui si può in parte giungere con uno strenuo allenamento, dobbiamo pagare in termini di memoria la nostra ineguagliata capacità di affrontare una realtà complessa e modificarla secondo facoltà creative che alle macchine sono sconosciute. La lingua ha bisogno di tempo e di "nutrimento" per svilupparsi: se questa raccolta offre con materiali autentici naturalmente complessi una certa dose di nutrimento, starà allo studente e anche all'insegnante che lo accompagna tener sempre presente nell'apprendimento la variabile tempo, senza porsi degli obiettivi temporali poco realistici in termini di correttezza grammaticale.

Ciò vale anche nei casi in cui, dopo l'attività di analisi o in alternativa ad essa, è stato proposto un esercizio scritto. Le **attività di esercitazione** potrebbero svolgersi anche una settimana dopo la lettura o dopo la lettura analitica[1]. Scopo di queste attività di produzione orientata alla correttezza non è infatti costringere lo studente ad uno sforzo mnemonico per ottenere una copia del testo originale. Qui si tratta piuttosto di ricostruire certe parti del testo, cosa che richiede sempre: a) rilettura e comprensione del contesto, b) riflessione sulla funzione dell'elemento mancante e c) scelta dell'elemento appropriato in base alle variabili linguistiche presenti nel singolo contesto. L'esercizio cosí non sarà un'at-

[1] La lettura analitica che precede l'esercitazione può essere stata svolta anche su un altro testo: l'importante è che in precedenza su un certo aspetto grammaticale si sia riflettuto.

tività meccanica e, a volte, presenterà soluzioni multiple, a seconda delle varianti interpretative. In questi casi si offrirà un'ulteriore spunto di riflessione linguistica.

La **verifica** dei risultati delle attività analitiche viene proposta nella forma di confronto dei risultati tra due o piú colleghi di studio. Al confronto in classe può seguire il controllo con le "chiavi", che saranno naturalmente lo strumento unico dell'autodidatta. Per quanto riguarda gli esercizi scritti, la verifica si può svolgere quasi sempre sul testo originale.

Un settore per cui non è prevista analisi grammaticale è la poesia. Il lettore di poesia cerca essenzialmente emozioni, in una tensione verso l'unisono con l'autore. Proporre un approccio analitico a brani poetici mi sarebbe sembrato - come mi è stato confermato da studenti - un negare in seconda istanza l'atteggiamento che il rapporto di comunicazione tra poeta e lettore richiede: pura risonanza e consonanza di sentimenti. Immaginate una donna straniera innamorata che si senta finalmente dire dall'italiano dei suoi sogni: "*Ti amo dal primo momento che ti ho vista!*" Vi sembrerebbe realistica una reazione del tipo: "*Perché concordi il participio passato con il pronome oggetto, se usi come ausiliare il verbo 'avere'?*" ?

A proposito di participi e di pronomi, qualche parola va spesa sulla questione della **terminologia** nelle attività analitiche e negli esercizi. Da uno studente d'italiano non ci si aspettano interessi linguistici di tipo teorico, neanche limitatamente alle definizioni delle categorie grammaticali: tale interesse teorico è presente solo in una parte del pubblico adulto e non rappresenta una condizione necessaria al progresso linguistico nella lingua straniera. Ogni compito grammaticale è perciò accompagnato da esempi, che eliminano il problema della definizione.

Tuttavia non ho voluto rinunciare *a priori* alla terminologia grammaticale. Il concetto linguistico ("nome", "soggetto", etc.), infatti, <u>non può</u> essere ritenuto "difficile" in sé: lo studente d'italiano che capisce o sa dire "*Mi sono sbagliato*" o "*Non mi ricordo*", se non ripete pappagallescamente delle formule, adotta un "pronome clitico di prima persona singolare, accusativo, riflessivo inerente" (e forse ne fa uso da sempre nella sua madrelingua, pur non conoscendone la definizione grammaticale).

Inoltre ho supposto che qualche espressione dal suono tecnico non provochi choc in lettori scaltriti e già avanzati in italiano (anche il termine "rovescio" appartiene ad un registro tecnico, ma nessuno rimprovera di eccessiva difficoltà chi lo usa parlando di tennis o di lavori a maglia). Il termine tecnico è arbitrario e convenzionale quanto ogni nome rispetto alla cosa che designa. Se un bel giorno ci si mettesse tutti d'accordo, invece di "soggetto" si potrebbe cominciare a dire "Giggetto", che suona forse piú inoffensivo, e ognuno saprebbe comunque di cosa si parla.

Lo stesso discorso vale per le **regole** che si è voluto fornire nella sezione delle chiavi. Dopo aver osservato dei fenomeni ed averne constatato certe regolarità, lo studente può voler sapere in quale quadro grammaticale rientrano: solo per soddisfare tali curiosità - non rare, peraltro -, nelle soluzioni si è aggiunta alla serie dei dati qualche risposta a dei possibili "perché?" a livello teorico.

Non rientra negli scopi di questo libro fornire occasioni per la produzione libera in forma di riassunto o commento orale o scritto. Se il brano "parlerà" agli studenti, sarà spontaneo per loro commentarlo, con una parte o con la totalità del gruppo; se li lascerà indifferenti, un commento forzoso non sarà attività piacevole e perciò neanche molto produttiva. La costrizione al riassunto o al commento del testo ha già guastato a troppe generazioni di studenti di lingua straniera il gusto di leggere, creando in loro una tensione, estremamente molesta durante la lettura, che deriva dal dover incasellare vocaboli e strutture. Tale atteggiamento durante la lettura è del tutto estraneo alla naturale comunicazione linguistica tra testo e lettore.

A questo riguardo, secondo me, il compito dell'insegnante consisterebbe piuttosto nel raccogliere le reazioni spontanee degli studenti, invitandoli magari ad esprimerle in italiano. Importante sarebbe comunque rimanere disposti a passare ad un'altra attività didattica, qualora il brano non suscitasse nessuna risonanza nella classe.

In qualche caso ho proposto invece di **creare letteratura** in italiano. Proponendo un impegno di scrittura creativa si deve ovviamente offrire una tematica che trovi un'eco intellettuale e/o emozionale nell'individuo. Con valutazione assolutamente personale, ho ritenuto che certi brani costituissero, per tema o struttura narrativa, uno stimolo adeguato alla produzione scritta. L'insegnante che conosce il suo gruppo di studenti o l'autodidatta sapranno accettare o trascurare queste proposte, per elaborarne forse delle altre, piú consone agli interessi del singolo discente.

Anche per quest'attività non esiste una "necessità didattica", che sia dettata da un qualsivoglia criterio di stretta progressione. Ogni studente scriverà sui temi proposti come meglio potrà.

Gli scritti prodotti dagli studenti potranno essere letti in classe, se i rispettivi autori lo gradiranno: per gli studenti sarà un modo di avvicinarsi alla personalità e alla sensibilità dei colleghi. Per questo stesso motivo, una correzione grammaticale dei testi è piuttosto sconsigliabile (cfr. quanto detto a proposito della poesia): per trattare la grammatica ci saranno sempre delle altre ottime occasioni.

Agli studenti la redattrice augura piacevoli ore di lettura e di scoperte linguistiche, restando grata per ogni commento e suggerimento che le perverrà in merito alla presente opera.

Si ringraziano per le cortesi consulenze ed i concreti contributi allo svolgimento pratico del lavoro il Prof. Corrado Grassi, Alfred Knapp, Sandra Montali, Claudia Provenzano Cagol, Marcella Tenaglia, Stefano Urbani.

Un ringraziamento particolare va alle case editrici che hanno concesso l'autorizzazione a riprodurre i brani qui presentati.

Susanna Buttaroni

La data che compare tra parentesi per le rispettive opere corrisponde a quella della prima edizione.

Al titolo dell'opera prosastica da cui il brano è tratto segue un sottotitolo per i relativi brani. Quest'ultimo a volte è virgolettato, a volte no: non virgolettato appare quello che era il titolo originale del relativo racconto o del capitolo del romanzo, mentre le virgolette corrispondono ad un titolo attribuito al brano dalla redattrice. L'indicazione "[...]" è stata usata per introdurre brani che portano il titolo del racconto intero, nonché testi che iniziano nel corso di un periodo grammaticale.

I testi poetici compaiono sempre in forma integrale. Le poesie non titolate dall'autore vengono identificate – com'è d'uso – con il primo verso in carattere corsivo.

Al termine dei brani di prosa compare l'indicazione della pagina della relativa Lettura Analitica o Esercizio o Produzione Libera, secondo il modello:

L.A.: pag. XX.
E.: pag. XY.
P.L.: pag. XZ.

SEZIONE ANTOLOGICA

Carlo Levi
Cristo si è fermato a Eboli (1945)

"INFRASTRUTTURE"

✻

Dopo la piazza, la strada risaliva, superava un costone, e ridiscendeva in un'altra minuscola piazzetta, circondata di case basse. In mezzo alla piazza si ergeva uno strano monumento, alto quasi quanto le case, e, nell'angustia del luogo, solenne ed enorme. Era un pisciatoio: il più moderno, sontuoso, monumentale pisciatoio che si potesse immaginare; uno di quelli di cemento armato, a quattro posti, con il tetto robusto e sporgente, che si sono costruiti soltanto in questi ultimi anni nelle grandi città. Sulla sua parete spiccava come una epigrafe un nome familiare ai cuori dei cittadini: «Ditta Renzi-Torino». Quale bizzarra circostanza, o quale incantatore o quale fata poteva aver portato per l'aria, dai lontani paesi del nord, quel meraviglioso oggetto, e averlo lasciato cadere, come un meteorite, nel bel mezzo della piazza di questo villaggio, in una terra dove non c'è acqua né impianti igienici di nessuna specie, per centinaia di chilometri tutto attorno? Era l'opera del regime, del podestà[1] Magalone. Doveva essere costato, a giudicare dalla sua mole, le entrate di parecchi anni del comune di Gagliano. Mi affacciai al suo interno: da un lato un maiale stava bevendo l'acqua ferma nel fondo del vaso, dall'altra due ragazzi ci buttavano barche di carta. Nel corso di tutto l'anno non lo vidi mai adibito ad altra funzione, né abitato da altri che non fossero maiali, cani, galline, o bambini; se non la sera della festa della Madonna di settembre, in cui alcuni contadini si arrampicarono sul suo tetto per meglio godere, da quell'altezza, lo spettacolo dei fuochi artificiali. Una sola persona lo usò spesso per l'uso per cui era stato co-

---

[1] Il podestà rivestiva le funzioni di sindaco sotto il regime fascista.

struito; e quella persona ero io: e non l'usavo, debbo confessarlo, spinto dal bisogno, ma mosso dalla nostalgia.

L.A.: pag. 237

"DESTINO"

*

I signori erano tutti iscritti al Partito[1], anche quei pochi, come il dottor Milillo, che la pensavano diversamente, soltanto perché il Partito era il Governo, era lo Stato, era il Potere, ed essi si sentivano naturalmente partecipi di questo potere. Nessuno dei contadini, per la ragione opposta, era iscritto, come del resto non sarebbero stati iscritti a nessun altro partito politico che potesse, per avventura, esistere. Non erano fascisti, come non sarebbero stati liberali o socialisti o che so io, perché queste faccende non li riguardavano, appartenevano a un altro mondo, e non avevano senso. Che cosa avevano essi a che fare con il Governo, con il Potere, con lo Stato? Lo Stato, qualunque sia, sono «quelli di Roma», e quelli di Roma, si sa, non vogliono che noi si viva da cristiani. C'è la grandine, le frane, la siccità, la malaria, e c'è lo Stato. Sono dei mali inevitabili, ci sono sempre stati e ci saranno sempre. Ci fanno ammazzare le capre, ci portano via i mobili di casa, e adesso ci manderanno a fare la guerra. Pazienza!

Per i contadini, lo Stato è più lontano del cielo, e più maligno, perché sta sempre dall'altra parte. Non importa quali siano le sue formule politiche, la sua struttura, i suoi programmi. I contadini non li capiscono, perché è un altro linguaggio dal loro, e non c'è davvero nessuna ragione perché li vogliano capire. La sola possibile difesa, contro lo Stato e contro la propaganda, è la rassegnazione, la stessa cupa rassegnazione, senza speranza di paradiso, che curva le loro schiene sotto i mali della natura.

Perciò essi, com'è giusto, non si rendono affatto conto di che

[1] È il Partito Nazionale Fascista.

cosa sia la lotta politica: è una questione personale di quelli di Roma. Non importa ad essi di sapere quali siano le opinioni dei confinati, e perché siano venuti quaggiú: ma li guardano benigni, e li considerano come propri fratelli, perché sono anch'essi, per motivi misteriosi, vittime del loro stesso destino. Quando, nei primi giorni, mi capitava d'incontrare sul sentiero, fuori del paese, qualche vecchio contadino che non mi conosceva ancora, egli si fermava, sul suo asino, per salutarmi, e mi chiedeva: – Chi sei? *Addò vades?* (Chi sei? Dove vai?) – Passeggio, – rispondevo, – sono un confinato. – Un esiliato? (I contadini di qui non dicono confinato, ma esiliato). – Un esiliato? Peccato! Qualcuno a Roma ti ha voluto male –. E non aggiungeva altro, ma rimetteva in moto la sua cavalcatura, guardandomi con un sorriso di compassione fraterna.

Questa fraternità passiva, questo patire insieme, questa rassegnata, solidale, secolare pazienza è il profondo sentimento comune dei contadini, legame non religioso, ma naturale. Essi non hanno, né possono avere, quella che si usa chiamare coscienza politica, perché sono, in tutti i sensi del termine, pagani, non cittadini: gli dèi dello Stato e della città non possono aver culto fra queste argille, dove regna il lupo e l'antico, nero cinghiale, né alcun muro separa il mondo degli uomini da quello degli animali e degli spiriti, né le fronde degli alberi visibili dalle oscure radici sotterranee. Non possono avere neppure una vera coscienza individuale, dove tutto è legato da influenze reciproche, dove ogni cosa è un potere che agisce insensibilmente, dove non esistono limiti che non siano rotti da un influsso magico. Essi vivono immersi in un mondo che si continua senza determinazioni, dove l'uomo non si distingue dal suo sole, dalla sua bestia, dalla sua malaria: dove non possono esistere la felicità, vagheggiata dai letterati paganeggianti, né la speranza, che sono pur sempre dei sentimenti individuali, ma la cupa passività di una natura dolorosa. Ma in essi è vivo il senso umano di un comune destino, e di una comune accettazione. È un senso, non un atto di coscienza; non si esprime in discorsi o in parole, ma si porta con sé in tutti i momenti, in tutti i gesti della vita, in tutti i giorni uguali che si stendono su questi deserti.

– Peccato! Qualcuno ti ha voluto male –. Anche tu dunque sei soggetto al destino. Anche tu sei qui per il potere di una mala volontà, per un influsso malvagio, portato qua e là per opera ostile di magía. Anche tu dunque sei un uomo, anche tu sei dei nostri. Non importano i motivi che ti hanno spinto, né la politica, né le leggi, né le illusioni della ragione. Non c'è ragione né cause ed effetti, ma soltanto un cattivo Destino, una Volontà che vuole il male, che è il potere magico delle cose. Lo Stato è una delle forme di questo destino, come il vento che brucia i raccolti e la febbre che ci rode il sangue. La vita non può essere, verso la sorte, che pazienza e silenzio. A che cosa valgono le parole? E che cosa si può fare? Niente.

Corazzati dunque di silenzio e di pazienza, taciturni e impenetrabili, quei pochi contadini che non erano riusciti a fuggire nei campi stavano sulla piazza, all'adunata; ed era come se non udissero le fanfare ottimistiche della radio, che venivano di troppo lontano, da un paese di attiva facilità e di progresso, che aveva dimenticato la morte, al punto di evocarla per scherzo, con la leggerezza di chi non ci crede.

L.A.: pag. 237

"MORALE SESSUALE"
✻

La casa era in ordine, la roba era a posto, e ora dovevo risolvere il problema di trovare una donna che mi facesse le pulizie, che andasse a prendermi l'acqua alla fontana e mi preparasse da mangiare. Il padrone, l'ammazzacapre, donna Caterina e le sue nipoti furono concordi: – Ce n'è una sola che fa per lei. Non può prendere che quella! – E donna Caterina mi disse: – Le parlerò io, la farò venire. A me dà retta; e non dirà di no –. Il problema era piú difficile di quanto non credessi: e non perché mancassero donne a Gagliano, che anzi, a decine si sarebbero contese quel lavoro e quel guadagno. Ma io vivevo solo, non avevo con me né moglie né madre né sorella; e nessuna donna poteva perciò entrare, da sola, in casa mia.

Lo impediva il costume, antichissimo e assoluto, che è a fondamento del rapporto fra i sessi. L'amore, o l'attrattiva sessuale, è considerata dai contadini come una forza della natura, potentissima, e tale che nessuna volontà è in grado di opporvisi. Se un uomo e una donna si trovano insieme al riparo e senza testimoni, nulla può impedire che essi si abbraccino: né propositi contrari, né castità, né alcun'altra difficoltà può vietarlo; e se per caso effettivamente essi non lo fanno, è tuttavia come se lo avessero fatto: trovarsi assieme è fare all'amore. L'onnipotenza di questo dio è tale, e cosí semplice è l'impulso naturale, che non può esistere una vera morale sessuale, e neanche una vera riprovazione sociale per gli amori illeciti. Moltissime sono le ragazze madri, ed esse non sono affatto messe al bando o additate al disprezzo pubblico: tutt'al piú troveranno qualche maggior difficoltà a sposarsi in paese, e dovranno accasarsi nei paesi circostanti, o accontentarsi di un marito un po' zoppo o con qualche altro difetto corporale. Se però non può esistere un freno morale contro la libera violenza del desiderio, interviene il costume a rendere difficile l'occasione. Nessuna donna può frequentare un uomo se non in presenza d'altri, soprattutto se l'uomo non ha moglie: e il divieto è rigidissimo: infrangerlo anche nel modo piú innocente equivale ad aver peccato. La regola riguarda tutte le donne, perché l'amore non conosce età.

Avevo curato una nonna, una vecchia contadina di settantacinque anni, Maria Rosano, dagli occhi azzurri chiari nel viso pieno di bontà. Aveva una malattia di cuore, dai sintomi gravi e preoccupanti, e si sentiva molto male. – Non mi alzerò piú da questo letto, dottore. È arrivata la mia ora, – mi diceva. Ma io, che mi sentivo aiutato dalla fortuna, l'assicuravo del contrario. Un giorno, per farle coraggio, le dissi: – Guarirai, sta' sicura. Da questo letto scenderai, senza bisogno di aiuto. Tra un mese starai bene, e verrai da sola, fino a casa mia, in fondo al paese, a salutarmi –. La vecchia si rimise davvero in salute e, dopo un mese, sentii battere alla mia porta. Era Maria, che si era ricordata delle mie parole, e veniva a ringraziarmi e a benedirmi, con le braccia cariche di regali, fichi secchi, e salami, e focacce dolci fatte con le sue mani. Era una donna molto simpatica, piena di buon senso e di tenerezza materna, saggia nel parlare e con un certo ottimismo paziente e comprensivo nell'antica faccia rugosa. Io la ringraziai dei suoi doni e la trattenni a conversare; ma mi accorgevo che la contadina stava sempre piú a disagio, ritta ora su un piede ora sull'altro, e lanciava delle occhiate alla porta come se volesse scappare e non osasse. Dapprincipio non ne capivo la ragione: poi mi avvidi che la vecchia era entrata da me da sola, a differenza di tutte le altre donne che venivano a farsi visitare o a chiamarmi, e che arrivavano sempre in due o almeno accompagnate da una bambina, che è un modo di rispettare il costume e di ridurlo insieme a poco piú di un simbolo; e sospettai che fosse questa la ragione della sua inquietudine. Lei stessa me lo confermò. Mi considerava il suo benefattore, il suo salvatore miracoloso: si sarebbe buttata nel fuoco per me: non avevo soltanto guarito lei, che aveva un piede nella fossa, ma anche la sua nipotina prediletta, malata di una brutta polmonite. Le avevo detto di venire sola a trovarmi, quando fosse stata bene. Io intendevo che non avrebbe avuto bisogno di nessuno per darle il braccio: ma la buona vecchia aveva presa la cosa alla lettera e non aveva osato infrangere il mio ordine. Perciò non si era fatta accompagnare; aveva fatto per me davvero un grosso sacrificio; e ora era inquieta perché essere con me, a malgrado dell'evidente innocenza, era tuttavia di per sé una grossa infrazione al costume. Mi misi a ridere, e anche lei rise, ma mi disse che l'uso era piú vecchio di lei e di me, e se ne andò contenta.

L.A.: pag. 237

"DOPPIE NATURE"

*

Che ci fossero, da queste parti, dei draghi, nei secoli medioevali (i contadini e la Giulia, che me ne parlavano, dicevano: – In tempi lontani, piú di cent'anni fa, molto prima del tempo dei briganti –)

non fa meraviglia: né farebbe meraviglia se ricomparissero ancora, anche oggi, davanti all'occhio atterrito del contadino. Tutto è realmente possibile, quaggiú, dove gli antichi iddii dei pastori, il caprone e l'agnello rituale, ripercorrono, ogni giorno, le note strade, e non vi è alcun limite sicuro a quello che è umano verso il mondo misterioso degli animali e dei mostri. Ci sono a Gagliano molti esseri strani, che partecipano di una doppia natura. Una donna, una contadina di mezza età, maritata e con figli, e che non mostrava, a vederla, nulla di particolare, era figlia di una vacca. Cosí diceva tutto il paese, e lei stessa lo confermava. Tutti i vecchi ricordavano la sua madre vacca, che la seguiva dappertutto quando era bambina, e la chiamava muggendo, e la leccava con la sua lingua ruvida. Questo non impediva che fosse esistita anche una madre donna, che ora era morta, come da molti anni era morta anche la madre vacca. Nessuno trovava, in questa doppia natura e in questa doppia nascita, nessuna contraddizione: e la contadina, che anch'io conoscevo, viveva, placida e tranquilla come le sue madri, con la sua eredità animalesca.

Alcuni assumono questa mescolanza di umano e di bestiale soltanto in particolari occasioni. I sonnambuli diventano lupi, licantropi, dove non si distingue piú l'uomo dalla belva. Ce n'era qualcuno anche a Gagliano, e uscivano nelle notti d'inverno, per trovarsi con i loro fratelli, i lupi veri. – Escono la notte, – mi raccontava la Giulia, – e sono ancora uomini, ma poi diventano lupi e si radunano tutti insieme, con i veri lupi, attorno alla fontana. Bisogna star molto attenti quando ritornano a casa. Quando battono all'uscio la prima volta, la loro moglie non deve aprire. Se aprisse vedrebbe il marito ancora tutto lupo, e quello la divorerebbe, e fuggirebbe per sempre nel bosco. Quando battono per la seconda volta, ancora la donna non deve aprire: lo vedrebbe con il corpo fatto già di uomo, ma con la testa di lupo. Soltanto quando battono all'uscio per la terza volta, si aprirà: perché allora si sono del tutto trasformati, ed è scomparso il lupo e riapparso l'uomo di prima. Non bisogna mai aprire la porta prima che abbiano battuto tre volte. Bisogna aspettare che si siano mutati, che abbiano perso anche lo sguardo feroce del lupo, e anche la memoria di essere stati bestie. Poi, quelli non si ricordano piú di nulla.

La doppia natura è talvolta spaventosa e orrenda, come per i licantropi; ma porta con sé, sempre, una attrattiva oscura, e genera il rispetto, come a qualcosa che partecipa della divinità.

L.A.: pag. 238
E.: pag. 259

Salvatore Quasimodo
Con il piede straniero sopra il cuore (1946)

ALLE FRONDE DEI SALICI

E come potevamo noi cantare
con il piede straniero sopra il cuore,
fra i morti abbandonati nelle piazze
sull'erba dura di ghiaccio, al lamento
d'agnello dei fanciulli, all'urlo nero
della madre che andava incontro al figlio
crocifisso sul palo del telegrafo?
Alle fronde dei salici, per voto,
anche le nostre cetre erano appese,
oscillavano lievi al triste vento.

ELEGIA

Gelida messaggera della notte,
sei ritornata limpida ai balconi
delle case distrutte, a illuminare
le tombe ignote, i derelitti resti
della terra fumante. Qui riposa
il nostro sogno. E solitaria volgi
verso il nord, dove ogni cosa corre
senza luce alla morte, e tu resisti.

UOMO DEL MIO TEMPO

Sei ancora quello della pietra e della fionda,
uomo del mio tempo. Eri nella carlinga,
con le ali maligne, le meridiane di morte,
– t'ho visto – dentro il carro di fuoco, alle forche,
alle ruote di tortura. T'ho visto: eri tu,
con la tua scienza esatta persuasa allo sterminio,
senza amore, senza Cristo. Hai ucciso ancora,
come sempre, come uccisero i padri, come uccisero
gli animali che ti videro per la prima volta.
E questo sangue odora come nel giorno
quando il fratello disse all'altro fratello:
«Andiamo ai campi». E quell'eco fredda, tenace,
è giunta fino a te, dentro la tua giornata.
Dimenticate, o figli, le nuvole di sangue
salite dalla terra, dimenticate i padri:
le loro tombe affondano nella cenere,
gli uccelli neri, il vento, coprono il loro cuore.

Primo Levi
Se questo è un uomo (1947)

I SOMMERSI E I SALVATI

* * *

Questa, di cui abbiamo detto e diremo, è la vita ambigua del Lager. In questo modo duro, premuti sul fondo, hanno vissuto molti uomini dei nostri giorni, ma ciascuno per un tempo relativamente breve; per cui ci si potrà forse domandare se proprio metta conto, e se sia bene, che di questa eccezionale condizione umana rimanga una qualche memoria.

A questa domanda ci sentiamo di rispondere affermativamente. Noi siamo infatti persuasi che nessuna umana esperienza sia vuota di senso e indegna di analisi, e che anzi valori fondamentali, anche se non sempre positivi, si possano trarre da questo particolare mondo di cui narriamo. Vorremmo far considerare come il Lager sia stato, anche e notevolmente, una gigantesca esperienza biologica e sociale.

Si rinchiudano tra i fili spinati migliaia di individui diversi per età, condizione, origine, lingua, cultura e costumi, e siano quivi sottoposti a un regime di vita costante, controllabile, identico per tutti e inferiore a tutti i bisogni: è quanto di piú rigoroso uno sperimentatore avrebbe potuto istituire per stabilire che cosa sia essenziale e che cosa acquisito nel comportamento dell'animale-uomo di fronte alla lotta per la vita.

Noi non crediamo alla piú ovvia e facile deduzione: che l'uomo sia fondamentalmente brutale, egoista e stolto come si comporta quando ogni sovrastruttura civile sia tolta, e che lo «Häftling»[1] non sia dunque che l'uomo senza inibizioni. Noi pensiamo piuttosto che, quanto a questo, null'altro si può concludere,

[1] Häftling: (tedesco) prigioniero.

se non che di fronte al bisogno e al disagio fisico assillanti, molte consuetudini e molti istinti sociali sono ridotti al silenzio.

Ci pare invece degno di attenzione questo fatto: viene in luce che esistono fra gli uomini due categorie particolarmente ben distinte: i salvati e i sommersi. Altre coppie di contrari (i buoni e i cattivi, i savi e gli stolti, i vili e i coraggiosi, i disgraziati e i fortunati) sono assai meno nette, sembrano meno congenite, e soprattutto ammettono gradazioni intermedie piú numerose e complesse.

Questa divisione è molto meno evidente nella vita comune; in questa non accade spesso che un uomo si perda, perché normalmente l'uomo non è solo, e, nel suo salire e nel suo discendere, è legato al destino dei suoi vicini; per cui è eccezionale che qualcuno cresca senza limiti in potenza, o discenda con continuità di sconfitta in sconfitta fino alla rovina. Inoltre ognuno possiede di solito riserve tali, spirituali, fisiche e anche pecuniarie, che l'evento di un naufragio, di una insufficienza davanti alla vita, assume una anche minore probabilità. Si aggiunga ancora che una sensibile azione di smorzamento è esercitata dalla legge, e dal senso morale, che è legge interna; viene infatti considerato tanto piú civile un paese, quanto piú savie ed efficienti vi sono quelle leggi che impediscono al misero di essere troppo misero, e al potente di essere troppo potente.

Ma in Lager avviene altrimenti: qui la lotta per sopravvivere è senza remissione, perché ognuno è disperatamente ferocemente solo. Se un qualunque Null Achtzehn[2] vacilla, non troverà chi gli porga una mano; bensí qualcuno che lo abbatterà a lato, perché nessuno ha interesse a che un «mussulmano»[3] di piú si trascini ogni giorno al lavoro; e se qualcuno, con un miracolo di selvaggia pazienza e astuzia, troverà una nuova combinazione per defilarsi dal lavoro piú duro, una nuova arte che gli frutti qualche grammo

---

[2]Null Achtzehn: (tedesco) Zero Diciotto: appellativo, tratto dalle ultime tre cifre del suo numero di matricola, di un giovanissimo compagno di prigionia dell'autore, incapace di qualsiasi reazione alle violenze del Lager.
[3]Con tale termine, «Muselmann», ignoro per qual ragione, i vecchi del campo designavano i deboli, gli inetti, i votati alla selezione (N.d.A.).

di pane, cercherà di tenerne segreto il modo, e di questo sarà stimato e rispettato, e ne trarrà un suo esclusivo personale giovamento; diventerà piú forte, e perciò sarà temuto, e chi è temuto è, ipso facto[4], un candidato a sopravvivere.

Nella storia e nella vita pare talvolta di discernere una legge feroce, che suona «a chi ha, sarà dato; a chi non ha, a quello sarà tolto». Nel Lager, dove l'uomo è solo e la lotta per la vita si riduce al suo meccanismo primordiale, la legge iniqua è apertamente in vigore, è riconosciuta da tutti. Con gli adatti, con gli individui forti e astuti, i capi stessi mantengono volentieri contatti, talora quasi camerateschi, perché sperano di poterne trarre forse piú tardi qualche utilità. Ma ai mussulmani, agli uomini in dissolvimento, non vale la pena di rivolgere la parola, poiché già si sa che si lamenterebbero, e racconterebbero quello che mangiavano a casa loro. Tanto meno vale la pena di farsene degli amici, perché non hanno in campo conoscenze illustri, non mangiano niente extrarazione, non lavorano in Kommandos[5] vantaggiosi e non conoscono nessun modo segreto di organizzare. E infine, si sa che sono qui di passaggio, e fra qualche settimana non ne rimarrà che un pugno di cenere in qualche campo non lontano, e su un registro un numero di matricola spuntato. Benché inglobati e trascinati senza requie dalla folla innumerevole dei loro consimili, essi soffrono e si trascinano in una opaca intima solitudine, e in solitudine muoiono o scompaiono, senza lasciar traccia nella memoria di nessuno.

Il risultato di questo spietato processo di selezione naturale si sarebbe potuto leggere nelle statistiche del movimento dei Lager. Ad Auschwitz, nell'anno 1944, dei vecchi prigionieri ebrei (degli altri non diremo qui, ché altre erano le loro condizioni), «kleine Nummer», piccoli numeri inferiori al centocinquantamila, poche centinaia sopravvivevano; *nessuno* di questi era un comune Häftling, vegetante nei comuni Kommandos e pago della normale razione. Restavano solo i medici, i sarti, i ciabattini, i musicisti, i

[4]Ipso facto: (latino) per questo stesso fatto.
[5]Kommandos: (tedesco) squadre di lavoro.

cuochi, i giovani attraenti omosessuali, gli amici o compaesani di qualche autorità del campo; inoltre individui particolarmente spietati, vigorosi e inumani, insediatisi (in seguito a investitura da parte del comando delle SS, che in tale scelta dimostravano di possedere una satanica conoscenza umana) nelle cariche di Kapo[6], di Blockältester[7], o altre; e infine coloro che, pur senza rivestire particolari funzioni, per la loro astuzia ed energia fossero sempre riusciti a organizzare con successo, ottenendo cosí, oltre al vantaggio materiale e alla reputazione, anche indulgenza e stima da parte dei potenti del campo. Chi non sa diventare un Organisator, Kombinator, Prominent (truce eloquenza dei termini!) finisce in breve mussulmano. Una terza via esiste nella vita, dove è anzi la norma; non esiste in campo di concentramento.

Soccombere è la cosa piú semplice: basta eseguire tutti gli ordini che si ricevono, non mangiare che la razione, attenersi alla disciplina del lavoro e del campo. L'esperienza ha dimostrato che solo eccezionalmente si può in questo modo durare piú di tre mesi. Tutti i mussulmani che vanno in gas hanno la stessa storia, o, per meglio dire, non hanno storia; hanno seguito il pendio fino al fondo, naturalmente, come i ruscelli che vanno al mare. Entrati in campo, per loro essenziale incapacità, o per sventura, o per un qualsiasi banale incidente, sono stati sopraffatti prima di aver potuto adeguarsi; sono battuti sul tempo, non cominciano a imparare il tedesco e a discernere qualcosa nell'infernale groviglio di leggi e di divieti, che quando il loro corpo è già in sfacelo, e nulla li potrebbe piú salvare dalla selezione o dalla morte per deperimento. La loro vita è breve ma il loro numero è sterminato; sono loro, i Muselmänner, i sommersi, il nerbo del campo; loro, la massa anonima, continuamente rinnovata e sempre identica, dei non-uomini che marciano e faticano in silenzio, spenta in loro la scintilla divina, già troppo vuoti per soffrire veramente. Si esita a chiamarli vivi: si esita a chiamar morte la loro morte, davanti a cui essi non temono perché sono troppo stanchi per comprenderla.

[6]Kapo: (tedesco) sorvegliante addetto ad una squadra di lavoro.
[7]Blockältester: (tedesco) capo-baracca. In una baracca dormivano da 200 a 250 prigionieri.

Essi popolano la mia memoria della loro presenza senza volto, e se potessi racchiudere in una immagine tutto il male del nostro tempo, sceglierei questa immagine, che mi è familiare: un uomo scarno, dalla fronte china e dalle spalle curve, sul cui volto e nei cui occhi non si possa leggere traccia di pensiero.

Se i sommersi non hanno storia, e una sola e ampia è la via della perdizione, le vie della salvazione sono invece molte, aspre ed impensate.

La via maestra, come abbiamo accennato, è la Prominenz. «Prominenten» si chiamano i funzionari del campo, a partire dal direttore-Häftling (Lagerältester) ai Kapos, ai cuochi, agli infermieri, alle guardie notturne, fino agli scopini delle baracche e agli Scheissminister e Bademeister (sovraintendenti alle latrine e alle docce). Piú specialmente interessano qui i prominenti ebrei, poiché, mentre gli altri venivano investiti degli incarichi automaticamente, al loro ingresso in campo, in virtú della loro supremazia naturale, gli ebrei dovevano intrigare e lottare duramente per ottenerli.

I prominenti ebrei costituiscono un triste e notevole fenomeno umano. In loro convergono le sofferenze presenti, passate e ataviche, e la tradizione e l'educazione di ostilità verso lo straniero, per farne mostri di asocialità e di insensibilità.

Essi sono il tipico prodotto della struttura del Lager tedesco: si offra ad alcuni individui in stato di schiavitú una posizione privilegiata, un certo agio e una buona probabilità di sopravvivere, esigendone in cambio il tradimento della naturale solidarietà coi loro compagni, e certamente vi sarà chi accetterà. Costui sarà sottratto alla legge comune, e diverrà intangibile; sarà perciò tanto piú odioso e odiato, quanto maggior potere gli sarà stato concesso. Quando gli venga affidato il comando di un manipolo di sventurati, con diritto di vita o di morte su di essi, sarà crudele e tirannico, perché capirà che se non lo fosse abbastanza, un altro, giudicato piú idoneo, subentrerebbe al suo posto. Inoltre avverrà che la sua capacità di odio, rimasta inappagata nella direzione degli oppressori, si riverserà, irragionevolmente, sugli oppressi: ed egli si troverà soddisfatto quando avrà scaricato sui suoi sottoposti l'offesa ricevuta dall'alto.

Ci rendiamo conto che tutto questo è lontano dal quadro che ci si usa fare, degli oppressi che si uniscono, se non nel resistere, almeno nel sopportare. Non escludiamo che ciò possa avvenire quando l'oppressione non superi un certo limite, o forse quando l'oppressore, per inesperienza o per magnanimità, lo tolleri o lo favorisca. Ma constatiamo che ai nostri giorni, in tutti i paesi in cui un popolo straniero ha posto piede da invasore, si è stabilita una analoga situazione di rivalità e di odio fra gli assoggettati; e ciò, come molti altri fatti umani, si è potuto cogliere in Lager con particolare cruda evidenza.

Sui prominenti non ebrei c'è meno da dire, benché fossero di gran lunga i piú numerosi (nessuno Häftling «ariano» era privo di una carica, sia pure modesta). Che siano stati stolidi e bestiali è naturale, a chi pensi che per lo piú erano criminali comuni, scelti dalle carceri tedesche in vista appunto del loro impiego come sovrintendenti nei campi per ebrei; e riteniamo che fosse questa una scelta ben accurata, perché ci rifiutiamo di credere che gli squallidi esemplari umani che noi vedemmo all'opera rappresentino un campione medio, non che dei tedeschi in genere, anche soltanto dei detenuti tedeschi in specie. È piú difficile spiegarsi come in Auschwitz i prominenti politici tedeschi, polacchi e russi, rivaleggiassero in brutalità con i rei comuni. Ma è noto che in Germania la qualifica di reato politico si applicava anche ad atti quali il traffico clandestino, i rapporti illeciti con ebree, i furti a danno di funzionari del Partito. I politici «veri» vivevano e morivano in altri campi, dal nome ormai tristemente famoso, in condizioni notoriamente durissime, ma sotto molti aspetti diverse da quelle qui descritte.

Ma oltre ai funzionari propriamente detti, vi è una vasta categoria di prigionieri che, non favoriti inizialmente dal destino, lottano con le sole loro forze per sopravvivere. Bisogna risalire la corrente; dare battaglia ogni giorno e ogni ora alla fatica, alla fame, al freddo, e alla inerzia che ne deriva; resistere ai nemici e non aver pietà per i rivali; aguzzare l'ingegno, indurare la pazienza, tendere la volontà. O anche, strozzare ogni dignità e spegnere ogni lume di coscienza, scendere in campo da bruti contro gli altri bruti, lasciarsi guidare dalle insospettate forze sotterranee che sorreggono le stirpi e gli individui nei tempi crudeli. Moltissime sono state le vie da noi escogitate e attuate per non morire: tante quanti sono i caratteri umani. Tutte comportano una lotta estenuante di ciascuno contro tutti, e molte una somma non piccola di aberrazioni e di compromessi. Il sopravvivere senza aver rinunciato a nulla del proprio mondo morale, a meno di potenti e diretti interventi della fortuna, non è stato concesso che a pochissimi individui superiori, della stoffa dei martiri e dei santi.*

* Per questo brano non sono previste attività grammaticali.

Eduardo De Filippo
Le bugie con le gambe lunghe (1947)

"IL MATRIMONIO IDEALE"

✳

ROBERTO [...] Il matrimonio è una cosa molto seria. Prima di fare questo passo, bisogna ponderare, riflettere: piedi e mani di
piombo. Sono sei mesi, da quando vi parlai delle mie intenzioni, dell'amore che sentivo per voi, che tutte le sere vengo a
trovarvi, per parlarvi, conoscervi e farmi conoscere. Voi non
ve ne accorgete; ma io, piano piano, vi sto trasformando. Voi
già non siete la stessa di sei mesi fa. Poco per volta state diventando la donna che io desideravo al mio fianco. Vi pare niente
questa goccia continua, questo mio lavoro tenace, penetran-
te?... Sono noioso, lo so, ma se non si semina non si può raccogliere. Di solito accade che il fidanzamento è tutte rose,
mentre il matrimonio tutte spine.

LIBERO Già.

ROBERTO *(a Costanza)* Voi, ormai, conoscete molte mie abitudi-
ni, ma non tutte.

COSTANZA Il mio desiderio è di accontentarvi.

ROBERTO Non basta il desiderio. È la buona volontà, è l'indole
che conta. La natura: uno nasce 'e na manera[1] e uno nasce 'e
n'ata[2]. *(Fingendo di ricordare sul momento qualche cosa a cui
vuol dare ad intendere di attribuire relativa importanza)* A
proposito, mo' me scurdavo[3]... *(Disfacendo il pacchetto che
aveva con sé e traendone una logora camicia bianca)* Ho portato questa camicia. Volete essere gentile, Costanza, di farci[4]

---

[1] 'e na manera: (napoletano) in una
[2] 'e n'ata: (napoletano) in un'altra.
[3] mo' me scurdavo: (napoletano) ora mi dimenticavo.
[4] gentile [...] di farci: (napoletano) così gentile [...] da farci.

un rammendo? (*Indicando il punto sdrucito*) Qua, sotto il colletto. Vediamo come rammenda Costanza. E pure ai gomiti. Sarebbe un peccato buttarla via.

COSTANZA (*prende la camicia dalle mani di Roberto e osservandola*) Ma certo, ci penso io.

ROBERTO E stiratela pure, vi dispiace?

COSTANZA No.

ROBERTO (*sorridendo furbo*) Quante cose dovrà fare Costanzuccia, quando saremo sposati! Non avrà mai tempo. La cameriera, come vi dissi, ci sarà, ma la dovrete sorvegliare voi. Senza contare che certe determinate cose le dovrete fare materialmente voi. Per esempio, sono stato un appassionato compratore di scarpe. Ne posseggo piú di trentacinque paia di tutte le forme. A parte il fatto che oggi trentacinque paia di scarpe rappresentano un capitale, ma le posso mai affidare ad una persona estranea? A chella che lle mporta?[5] O ci mette il lucido cattivo, o dice che le ha ingrassate e non è vero... che succede? Che un bel giorno, Roberto Perretti trova 'e scarpe schiattate![6] Ci sta attenta. Non che le debba pulire tutti i giorni, ma un paio di volte al mese le spolvera, le lucida, le sistema con quella manutenzione che le fa durare cento anni.

COSTANZA (*ingoiando la pillola, paziente*) Certo.

ROBERTO So che cucinate benissimo e questo è un grande vantaggio. Poi tengo nu difetto[7]. È meglio parlare chiaro. La sera vado a letto presto. 'E nnove stongo dint' 'o lietto[8]. Però, siccome da accordi già presi, dormiremo in due camere separate, io vado a letto e voi per qualche altra mezz'ora dovrete stare sveglia nell'altra camera. Insomma, mi piace di sentire in casa, quando mi sto *appapagnando*[9], il movimento di una persona

---

[5] A chella che lle mporta?: (napoletano) A quella, che le importa?
[6] 'e scarpe schiattate: (napoletano) le scarpe spaccate.
[7] nu difetto: (napoletano) un difetto.
[8] 'E nnove stongo dint' 'o lietto: (napoletano) Alle nove sto a letto.
[9] mi sto *appapagnando*: (napoletano) mi sto appisolando.

che traffica... Il silenzio mi mette tristezza. Voi, dopo dieci minuti che sono andato a letto, cautamente, aprite la porta della camera mia e vi venite ad assicurare. Se dormo, vi coricate pure voi, se sono ancora sveglio, seguitate a dare segni di vita, fino a quando mi addormento.

LIBERO Ho capito.

ROBERTO Poi, c'è l'ora dei *piselli*.

LIBERO L'ora dei piselli?

ROBERTO E mi spiego. L'ora dei *piselli* sarebbe dopo la seconda tazza di caffè, perché io la mattina prendo due tazze di caffè. Una alle sei e un'altra alle sette e mezzo. Siccome io, la sera, torno a casa dopo aver fatto i conti col ragioniere, allo studio, e porto con me la borsa dei soldi, che sarebbero i *piselli*... mentre, dopo la prima tazza di caffè, quella delle sei, mi fa piacere che Costanza resti un poco con me, per dirci[10]: «Buongiorno...», «Come hai dormito?», «Che tempo fa?», «Che vuoi cucinare?», «Che vuoi scendere a comprare?»; dopo la seconda tazza, invece, quella delle sette e mezzo, voglio rimanere solo, perché conto i *piselli*. Non per sfiducia, ma quando conto i soldi voglio rimanere solo.

LIBERO *(cercando reprimere lo sdegno)* Certo, quando si conta il danaro, basta una distrazione.

ROBERTO Proprio cosí. Quando i patti sono chiari, non si possono avere sorprese. Come vedete, piano piano, possiamo raggiungere l'accordo perfetto. *(Alzandosi)* E per questa sera, basta. Me ne vado perché è l'ora di cena per voi e per me.

COSTANZA *(timida, preoccupata)* Se volete rimanere a cena con noi, non vi possiamo offrire gran che...

LIBERO Una scodella di brodo...

ROBERTO Grazie no. Arrivederci Costanza. Domani sera, dopo un altro discorsetto che vi terrò, forse, stabiliremo la data. A domani sera. E sappiate che vi voglio bene e che siete la donna che sognavo. *(Pausa)* E voi, Costanza, non mi dite niente?

[10] per dirci: (regionale) per dirle.

COSTANZA   *(senza convinzione)* Siete l'uomo che aspettavo.
ROBERTO   Buonasera.
COSTANZA   Buonasera.
LIBERO   A domani.
ROBERTO   A domani. *(Esce per la comune).*

L.A. pag. 238

Salvatore Quasimodo
La vita non è sogno (1949)

ANNO DOMINI MCMXLVII

Avete finito di battere i tamburi
a cadenza di morte su tutti gli orizzonti
dietro le bare strette alle bandiere,
di rendere piaghe e lacrime a pietà
nelle città distrutte, rovina su rovina.
E piú nessuno grida: «Mio Dio,
perché m'hai lasciato?». E non scorre piú latte
né sangue dal petto forato. E ora
che avete nascosto i cannoni fra le magnolie,
lasciateci un giorno senz'armi sopra l'erba
al rumore dell'acqua in movimento,
delle foglie di canna fresche tra i capelli,
mentre abbracciamo la donna che ci ama.
Che non suoni di colpo avanti notte
l'ora del coprifuoco. Un giorno, un solo
giorno per noi, o padroni della terra,
prima che rulli ancora l'aria e il ferro
e una scheggia ci bruci in piena fronte.

Cesare Pavese
Verrà la morte e avrà i tuoi occhi (1951)

PASSERÒ PER PIAZZA DI SPAGNA

Sarà un cielo chiaro.
S'apriranno le strade
sul colle di pini e di pietra.
Il tumulto delle strade
non muterà quell'aria ferma.
I fiori spruzzati
di colori alle fontane
occhieggeranno come donne
divertite. Le scale
le terrazze le rondini
canteranno nel sole.
S'aprirà quella strada,
le pietre canteranno,
il cuore batterà sussultando
come l'acqua nelle fontane –
sarà questa la voce
che salirà le tue scale.
Le finestre sapranno
l'odore della pietra e dell'aria
mattutina. S'aprirà una porta.
Il tumulto delle strade
sarà il tumulto del cuore
nella luce smarrita.

Sarai tu – ferma e chiara.

(1950)

✦ ✦ ✦

I mattini passano chiari
e deserti. Cosí i tuoi occhi
s'aprivano un tempo. Il mattino
trascorreva lento, era un gorgo
d'immobile luce. Taceva.
Tu viva tacevi; le cose
vivevano sotto i tuoi occhi
(non pena non febbre non ombra)
come un mare al mattino, chiaro.

Dove sei tu, luce, è il mattino.
Tu eri la vita e le cose.
In te desti respiravamo
sotto il cielo che ancora è in noi.
Non pena non febbre allora,
non quest'ombra greve del giorno
affollato e diverso. O luce,
chiarezza lontana, respiro
affannoso, rivolgi gli occhi
immobili e chiari su noi.
È buio il mattino che passa
senza la luce dei tuoi occhi.

(1950)

Italo Calvino
Il visconte dimezzato (1952)

"I TURCHI"
✻ ✻

La battaglia cominciò puntualmente alle dieci del mattino. Dall'alto della sella, il luogotenente Medardo contemplava l'ampiezza dello schieramento cristiano, pronto per l'attacco, e protendeva il viso al vento di Boemia, che sollevava odor di pula come da un'aia polverosa.

– No, non si volti, indietro, signore –, esclamò Curzio che, col grado di sergente, era al suo fianco. E, per giustificare la frase perentoria, aggiunse, piano: – Dicono porti male, prima del combattimento.

In realtà, non voleva che il visconte si scorasse, avvedendosi che l'esercito cristiano consisteva quasi soltanto in quella fila schierata, e che le forze di rincalzo erano appena qualche squadra di fanti male in gamba.

Ma mio zio guardava lontano, alla nuvola che s'avvicinava all'orizzonte, e pensava: «Ecco, quella nuvola è i turchi, i veri turchi, e questi al mio fianco che sputano tabacco sono i veterani della cristianità, e questa tromba che ora suona è l'attacco, il primo attacco della mia vita, e questo boato e scuotimento, il bolide che s'insacca in terra guardato con pigra noia dai veterani e dai cavalli è una palla di cannone, la prima palla nemica che io incontro. Cosí non venga il giorno in cui dovrò dire: "E questa è l'ultima"».

A spada sguainata, si trovò a galoppare per la piana, gli occhi allo stendardo imperiale che spariva e riappariva tra il fumo, mentre le cannonate amiche ruotavano nel cielo sopra il suo capo, e le nemiche già aprivano brecce nella fronte cristiana e improvvisi ombrelli di terriccio. Pensava: «Vedrò i turchi! Vedrò i turchi!»

Nulla piace agli uomini quanto avere dei nemici e poi vedere se sono proprio come ci s'immagina.

Li vide, i turchi. Ne arrivavano due proprio di lì. Coi cavalli intabarrati, il piccolo scudo tondo, di cuoio, la veste a righe nere e zafferano. E il turbante, la faccia color ocra e i baffi come uno che a Terralba era chiamato «Miché il turco». Uno dei due turchi morí e l'altro uccise un altro. Ma ne stavano arrivando chissà quanti e c'era il combattimento all'arma bianca. Visti due turchi era come averli visti tutti. Erano militari pure loro, e tutte quelle robe erano dotazione dell'esercito. Le facce erano cotte e cocciute come i contadini. Medardo, per quel che era vederli, ormai li aveva visti; poteva tornarsene da noi a Terralba in tempo per il passo delle quaglie. Invece aveva fatto la ferma per la guerra. Cosí correva, scansando i colpi delle scimitarre, finché non trovò un turco basso, a piedi, e l'ammazzò. Visto come si faceva, andò a cercarne uno alto a cavallo, e fece male. Perché erano i piccoli, i dannosi. Andavano fin sotto i cavalli, con quelle scimitarre, e li squartavano.

Il cavallo di Medardo si fermò a gambe larghe. – Che fai? – disse il visconte. Curzio sopraggiunge indicando in basso: – Guardi un po' lì –. Aveva tutte le coratelle digià in terra. Il povero animale guardò in su, al padrone, poi abbassò il capo come volesse brucare gli intestini, ma era solo uno sfoggio d'eroismo: svenne e poi morí. Medardo di Terralba era appiedato.

– Prenda il mio cavallo, tenente, – disse Curzio, ma non riuscí a fermarlo perché cadde di sella, ferito da una freccia turca, e il cavallo corse via.

– Curzio! – gridò il visconte e s'accostò allo scudiero che gemeva in terra.

– Non pensi a me, signore, – fece lo scudiero. – Speriamo solo che all'ospedale ci sia ancora della grappa. Ne tocca una scodella a ogni ferito.

Mio zio Medardo si gettò nella mischia. Le sorti della battaglia erano incerte. In quella confusione, pareva che a vincere fossero i cristiani. Di certo, avevano rotto lo schieramento turco e aggirato certe posizioni. Mio zio, con altri valorosi, s'era spinto fin sotto le batterie nemiche, e i turchi le spostavano, per tenere i cristiani sotto il fuoco. Due artiglieri turchi facevano girare un cannone a ruote. Lenti com'erano, barbuti, intabarrati fino ai piedi, sembravano due astronomi. Mio zio disse: – Adesso arrivo lí e li aggiusto io –. Entusiasta e inesperto, non sapeva che ai cannoni ci s'avvicina solo di fianco o dalla parte della culatta. Lui saltò di fronte alla bocca da fuoco, a spada sguainata, e pensava di fare paura a quei due astronomi. Invece gli spararono una cannonata in pieno petto. Medardo di Terralba saltò in aria.

Alla sera, scesa la tregua, due carri andavano raccogliendo i corpi dei cristiani per il campo di battaglia. Uno era per i feriti e l'altro per i morti. La prima scelta si faceva lí sul campo. – Questo lo prendo io, quello lo prendi tu –. Dove sembrava ci fosse ancora qualcosa da salvare, lo mettevano sul carro dei feriti; dove erano solo pezzi e brani andava sul carro dei morti, per aver sepoltura benedetta; quello che non era piú neanche un cadavere era lasciato in pasto alle cicogne. In quei giorni, viste le perdite crescenti, s'era data la disposizione che nei feriti era meglio abbondare. Cosí i resti di Medardo furono considerati un ferito e messi su quel carro.

La seconda scelta si faceva all'ospedale. Dopo le battaglie l'ospedale da campo offriva una vista ancor piú atroce delle battaglie stesse. In terra c'era la lunga fila delle barelle con dentro quegli sventurati, e tutt'intorno imperversavano i dottori, strappandosi di mano pinze, seghe, aghi, arti amputati e gomitoli di spago. Morto per morto, a ogni cadavere facevan di tutto per farlo tornar vivo. Sega qui, cuci là, tampona falle, rovesciavano le vene come guanti, e le rimettevano a suo posto, con dentro piú spago che sangue, ma rattoppate e chiuse. Quando un paziente moriva, tutto quello che aveva di buono serviva a racconciare le membra di un altro, e cosí via. La cosa che imbrogliava di piú erano gli intestini: una volta srotolati non si sapeva piú come rimetterli.

Tirato via il lenzuolo, il corpo del visconte apparve orrendamente mutilato. Gli mancava un braccio e una gamba, non solo, ma tutto quel che c'era di torace e d'addome tra quel braccio e quella gamba era stato portato via, polverizzato da quella cannonata presa in pieno. Del capo restavano un occhio, un orecchio, una guancia, mezzo naso, mezza bocca, mezzo mento e mezza fronte: dell'altra metà del capo c'era piú solo una pappetta. A farla breve, se n'era salvato solo metà, la parte destra, che peraltro era perfettamente conservata, senza neanche una scalfittura, escluso quell'enorme squarcio che l'aveva separata dalla parte sinistra andata in bricioli.

I medici: tutti contenti. – Uh, che bel caso! – Se non moriva nel frattempo, potevano provare anche a salvarlo. E gli si misero d'attorno, mentre i poveri soldati con una freccia in un braccio morivano di setticemia. Cucirono, applicarono, impastarono: chi lo sa cosa fecero. Fatto sta che l'indomani mio zio aperse l'unico occhio, la mezza bocca, dilatò la narice e respirò. La forte fibra dei Terralba aveva resistito. Adesso era vivo e dimezzato.

E.: pag. 260

"RIUNIFICAZIONE"

✳ ✳ ✳

Non c'è notte di luna in cui negli animi malvagi le idee perverse non s'aggroviglino come nidiate di serpenti, e in cui negli animi caritatevoli non sboccino gigli di rinuncia e dedizione. Cosí tra i dirupi di Terralba le due metà di Medardo[1] vagavano tormentate da rovelli opposti.

Presa entrambe la propria decisione, al mattino si mossero per metterla in pratica.

La mamma di Pamela, andando a attinger acqua, cadde in un trabocchetto e sprofondò nel pozzo. Appesa ad una corda, urla-

---

[1] Le due metà di Medardo: durante una battaglia contro i Turchi il visconte Medardo di Terralba era stato colpito da una cannonata, che l'aveva diviso in due. Un'operazione chirurgica aveva reso vitali le due metà del corpo, che erano tornate separatamente in patria. La metà cattiva è detta «il Gramo», la metà buona «il Buono».

va: – Aiuto! – quando vide nel cerchio del pozzo, contro il cielo, la sagoma del Gramo che le disse:

– Volevo solo parlarvi. Ecco quanto io ho pensato: in compagnia di vostra figlia Pamela si vede spesso un vagabondo dimezzato. Dovete costringerlo a sposarla: ormai l'ha compromessa e se è un gentiluomo deve riparare. Ho pensato cosí; non chiedete che vi spieghi altro.

Il babbo di Pamela portava al frantoio un sacco di olive del suo olivo, ma il sacco aveva un buco, e una scia d'olive lo seguiva pel sentiero. Sentendo alleggerito il carico, il babbo tolse il sacco dalla spalla e s'accorse che era quasi vuoto. Ma dietro vide che veniva il Buono: raccoglieva le olive una per una e le metteva nel mantello.

– Vi seguivo per parlarvi e ho avuto la fortuna di salvarvi le olive. Ecco quanto ho in cuore. Da tempo penso che l'infelicità altrui ch'è mio intento soccorrere, forse è alimentata proprio dalla mia presenza. Me ne andrò da Terralba. Ma solo se questa mia partenza ridarà pace a due persone: a vostra figlia che dorme in una tana mentre le spetta un nobile destino, e alla mia infelice parte destra che non deve restare cosí sola. Pamela e il visconte devono unirsi in matrimonio.

Pamela stava ammaestrando uno scoiattolo quando incontrò sua mamma che fingeva d'andar per pigne.

– Pamela, – disse la mamma, – è giunto il tempo che quel vagabondo chiamato il Buono ti debba sposare.

– Donde viene quest'idea? – disse Pamela.

– Lui t'ha compromessa, lui ti sposi. È tanto gentile che se gli dici cosí non vorrà dir di no.

– Ma come ti sei messa in testa questa storia?

– Zitta: sapessi chi me l'ha detto non faresti piú tante domande: il Gramo in persona, me l'ha detto, il nostro illustrissimo visconte!

– Accidenti! – disse Pamela lasciando cadere lo scoiattolo d'in grembo, – chissà che tranello vuole preparare.

Di lí a poco, stava imparando a fischiare con una foglia d'erba tra le mani quando incontrò suo babbo che faceva finta d'andare per legna.

– Pamela, – disse il babbo, – è ora che tu dica di sí al visconte Gramo, al solo patto che ti sposi in chiesa.

– È un'idea tua o qualcuno te l'ha detto?

– Non ti piace diventare viscontessa?

– Rispondimi a quello che t'ho domandato.

– Bene; pensa che lo dice l'anima meglio intenzionata che ci sia: il vagabondo che chiamano il Buono.

– Ah, non ne ha piú da pensare, quello lí. Vedrai cosa combino!

Andando con il magro cavallo per le fratte, il Gramo rifletteva sul suo stratagemma: se Pamela si sposava col Buono, di fronte alla legge era sposa di Medardo di Terralba, cioè era sua moglie. Forte di questo diritto, il Gramo avrebbe potuto facilmente toglierla al rivale, cosí arrendevole e poco combattivo.

Ma s'incontra con Pamela che gli dice: – Visconte, ho deciso che se voi ci state, ci sposiamo.

– Tu e chi? – fa il visconte.

– Io e voi, e verrò al castello e sarò la viscontessa.

Il Gramo questa non se l'aspettava, e pensò: «Allora è inutile montare tutta la commedia di farla sposare all'altra mia metà: me la sposo io e tutto è fatto».

Cosí, disse: – Ci sto.

E Pamela: – Mettetevi d'accordo con mio babbo.

Di lí a un po', Pamela incontrò il Buono sul suo mulo.

– Medardo, – disse lei, – ho capito che sono proprio innamorata di te e se vuoi farmi felice devi chiedere la mia mano di sposa.

Il poverino, che per il bene di lei aveva fatto quella gran rinuncia, rimase a bocca aperta. «Ma se è felice a sposare me, non posso piú farla sposare all'altro», pensò, e disse: – Cara, corro a predisporre tutto per la cerimonia.

– Mettiti d'accordo con mia mamma, mi raccomando, – disse lei.

Tutta Terralba fu sossopra, quando si seppe che Pamela si sposava. Chi diceva che sposava l'uno, chi diceva l'altro. I genitori di lei pareva facessero apposta per imbrogliar le idee. Certo, al castello stavano lustrando e ornando tutto come per una gran festa. E il visconte s'era fatto fare un abito di velluto nero con un grande sbuffo alla manica e un altro alla braca. Ma anche il vagabondo aveva fatto strigliare il povero mulo e s'era fatto rattoppare il gomito e il ginocchio. A ogni buon conto, in chiesa lucidarono tutti i candelieri.

Pamela disse che non avrebbe lasciato il bosco che al momento del corteo nuziale. Io facevo le commissioni per il corredo. Si cucí un vestito bianco con il velo e lo strascico lunghissimo e si fece corona e cintura di spighe di lavanda. Poiché di velo le avanzava ancora qualche metro, fece una veste da sposa per la capra e una veste da sposa anche per l'anatra, e corse cosí per il bosco, seguita dalle bestie, finché il velo non si strappò tutto tra i rami, e lo strascico non raccolse tutti gli aghi di pino e i ricci di castagne che seccavano per i sentieri.

Ma la notte prima del matrimonio era pensierosa e un po' spaurita. Seduta in cima a una collinetta senz'alberi, con lo strascico avvolto attorno ai piedi, la coroncina di lavanda di sghimbescio, poggiava il mento su una mano e guardava i boschi intorno sospirando.

Io ero sempre con lei perché dovevo fare da paggetto, insieme a Esaú che però non si faceva mai vedere.

– Chi sposerai, Pamela? – le chiesi.

– Non so, – lei disse, – non so proprio che succederà. Andrà bene? Andrà male?

Dai boschi si levava ora una specie di grido gutturale, ora un sospiro. Erano i due pretendenti dimezzati, che in preda all'eccitazione della vigilia vagavano per anfratti e dirupi del bosco, avvolti nei neri mantelli, l'uno sul suo magro cavallo, l'altro sul suo mulo spelacchiato, e mugghiavano e sospiravano tutti presi nelle loro ansiose fantasticherie. E il cavallo saltava per balze e frane, il mulo s'arrampicava per pendii e versanti, senza che mai i due cavalieri s'incontrassero.

Finché, all'alba, il cavallo spinto al galoppo non si azzoppò giú per un burrone; e il Gramo non poté arrivare in tempo alle nozze. Il mulo invece andava piano e sano, e il Buono arrivò puntuale in chiesa, proprio mentre giungeva la sposa con lo strascico sorretto da me e da Esaú che si faceva trascinare.

A veder arrivare come sposo soltanto il Buono che s'appoggiava alla sua stampella, la folla rimase un po' delusa. Ma il matrimonio fu regolarmente celebrato, gli sposi dissero sí e si scambiarono l'anello, e il prete disse: – Medardo di Terralba e Pamela Marcolfi, io vi congiungo in matrimonio.

In quella dal fondo della navata, sorreggendosi alla gruccia, entrò il visconte, con l'abito nuovo di velluto a sbuffi zuppo d'acqua e lacero. E disse: – Medardo di Terralba sono io e Pamela è mia moglie.

Il Buono arrancò di fronte a lui. – No, il Medardo che ha sposato Pamela sono io.

Il Gramo buttò via la stampella e mise la mano alla spada. Al Buono non restava che fare altrettanto.

– In guardia!

Il Gramo si lanciò in un a-fondo, il Buono si chiuse in difesa, ma erano già rotolati per terra tutti e due.

Convennero che era impossibile battersi tenendosi in equilibrio su una gamba sola. Bisognava rimandare il duello per poterlo preparare meglio.

– E io sapete cosa faccio? – disse Pamela, – me ne torno al bosco –. E prese la corsa via dalla chiesa, senza piú paggetti che le reggessero lo strascico. Sul ponte trovò la capra e l'anatra che la stavano aspettando e s'affiancarono a lei trotterellando.

Il duello fu fissato per l'indomani all'alba al Prato delle Monache. Mastro Pietrochiodo inventò una specie di gamba di compasso, che fissata alla cintura dei dimezzati permetteva loro di star ritti e di spostarsi e pure d'inclinare la persona avanti e indietro, tenendo infissa la punta nel terreno per star fermi. Il lebbroso Galateo, che da sano era stato un gentiluomo, fece da giudice d'armi; i padrini del Gramo furono il padre di Pamela e il capo-sbirro; i padrini del Buono due ugonotti. Il dottor Trelawney assicurò l'assistenza, e venne con una balla di bende e una damigiana di balsamo, come avesse da curare una battaglia. Buon per me, che dovendo aiutarlo a portar tutta quella roba potei assistere allo scontro.

C'era l'alba verdastra; sul prato i due sottili duellanti neri erano fermi con le spade sull'attenti. Il lebbroso soffiò il corno: era il segnale; il cielo vibrò come una membrana tesa, i ghiri nelle tane affondarono le unghie nel terriccio, le gazze senza togliere il capo di sotto l'ala si strapparono una penna dall'ascella facendosi dolore, e la bocca del lombrico mangiò la propria coda, e la vipera si punse coi suoi denti, e la vespa si ruppe l'aculeo sulla pietra, e ogni cosa si voltava contro se stessa, la brina delle pozze ghiacciava, i licheni diventavano pietra e le pietre lichene, la foglia secca diventava terra, e la gomma spessa e dura uccideva senza scampo gli alberi. Cosí l'uomo s'avventava contro di sé, con entrambe le mani armate d'una spada.

Ancora una volta Pietrochiodo aveva lavorato da maestro: i compassi disegnavano cerchi sul prato e gli schermidori si lanciavano in assalti scattanti e legnosi, in parate e in finte. Ma non si toccavano. In ogni a-fondo, la punta della spada pareva dirigersi sicura verso il mantello svolazzante dell'avversario, ognuno sembrava s'ostinasse a tirare dalla parte in cui non c'era nulla, cioè dalla parte dove avrebbe dovuto esser lui stesso. Certo, se invece di mezzi duellanti fossero stati duellanti interi, si sarebbero feriti chissà quante volte. Il Gramo si batteva con rabbiosa ferocia, eppure non riusciva mai a portare i suoi attacchi dove davvero era il suo nemico; il Buono aveva la corretta maestria dei mancini, ma non faceva che crivellare il mantello del visconte.

A un certo punto si trovarono elsa contro elsa: le punte di compasso erano infitte nel suolo come erpici. Il Gramo si liberò di scatto e già stava perdendo l'equilibrio e rotolando al suolo, quando riuscì a menare un terribile fendente, non proprio addosso all'avversario, ma quasi: un fendente parallelo alla linea che interrompeva il corpo del Buono, e tanto vicino a essa che non si capí subito se era piú in qua o piú in là. Ma presto vedemmo il corpo sotto il mantello imporporarsi di sangue dalla testa all'attaccatura della gamba e non ci furono piú dubbi. Il Buono s'accasciò, ma cadendo, in un'ultima movenza ampia e quasi pietosa, abbatté la spada anche egli vicinissimo al rivale, dalla testa all'addome, tra il punto in cui il corpo del Gramo non c'era e il punto in cui prendeva a esserci. Anche il corpo del Gramo ora buttava sangue per tutta l'enorme antica spaccatura: i fendenti dell'uno e dell'altro avevan rotto di nuovo tutte le vene e riaperto la ferita che li aveva divisi, nelle sue due facce. Ora giacevano riversi, e i sangui che già erano stati uno solo ritornavano a mescolarsi per il prato.

Tutto preso da quest'orrenda vista non avevo badato a Trelawney, quando m'accorsi che il dottore stava spiccando salti di gioia con le sue gambe da grillo, battendo le mani e gridando: – È salvo! È salvo! Lasciate fare a me.

Dopo mezz'ora riportammo in barella al castello un unico ferito. Il Gramo e il Buono erano bendati strettamente assieme; il dottore aveva avuto cura di far combaciare tutti i visceri e le arterie dell'una parte e dell'altra, e poi con un chilometro di bende li aveva legati cosí stretti che sembrava, piú che un ferito, un antico morto imbalsamato.

Mio zio fu vegliato giorni e notti tra la morte e la vita. Un mattino, guardando quel viso che una linea rossa attraversava dalla fronte al mento, continuando poi giú per il collo, fu la balia Sebastiana a dire: – Ecco: s'è mosso.

Un sussulto di lineamenti stava infatti percorrendo il volto di mio zio, e il dottore pianse di gioia al vedere che si trasmetteva da una guancia all'altra.

Alla fine Medardo schiuse gli occhi, le labbra; dapprincipio la sua espressione era stravolta: aveva un occhio aggrottato e l'altro supplice, la fronte qua corrugata là serena, la bocca sorrideva da un angolo e dall'altro digrignava i denti. Poi a poco a poco ritornò simmetrico.

Il dottor Trelawney disse: – Ora è guarito.

Ed esclamò Pamela: – Finalmente avrò uno sposo con tutti gli attributi.

Cosí mio zio Medardo ritornò uomo intero, né cattivo né buono, un miscuglio di cattiveria e bontà, cioè apparentemente non dissimile da quello ch'era prima di esser dimezzato. Ma aveva l'esperienza dell'una e l'altra metà rifuse insieme, perciò doveva essere ben saggio. Ebbe vita felice, molti figli e un giusto governo. Anche la nostra vita mutò in meglio. Forse ci s'aspettava che, tornato intero il visconte, s'aprisse un'epoca di felicità meravigliosa; ma è chiaro che non basta un visconte completo perché diventi completo tutto il mondo.

Intanto Pietrochiodo non costruí piú forche ma mulini; e Trelawney trascurò i fuochi fatui per i morbilli e le risipole. Io invece, in mezzo a tanto fervore d'interezza, mi sentivo sempre piú triste e manchevole. Alle volte uno si crede incompleto ed è soltanto giovane.

Ero giunto sulle soglie dell'adolescenza e ancora mi nascondevo tra le radici dei grandi alberi del bosco a raccontarmi storie. Un ago di pino poteva rappresentare per me un cavaliere, o una dama, o un buffone; io lo facevo muovere dinanzi ai miei occhi e m'esaltavo in racconti interminabili. Poi mi prendeva la vergogna di queste fantasticherie e scappavo.

E venne il giorno in cui anche il dottor Trelawney m'abbandonò. Un mattino nel nostro golfo entrò una flotta di navi impavesate, che battevano bandiera inglese, e si mise alla rada. Tutta Terralba venne sulla riva a vederle, tranne io che non lo sapevo. Ai parapetti delle murate e sulle alberature c'era pieno di marinai che mostravano ananassi e testuggini e srotolavano cartigli su cui erano scritte delle massime latine e inglesi. Sul cassero, in mezzo agli ufficiali in tricorno e parrucca, il capitano Cook fissava con il cannocchiale la riva e appena scorse il dottor Trelawney diede ordine che gli trasmettessero con le bandiere il messaggio: «Venga a bordo subito, dottore, dobbiamo continuare quel tresette».

Il dottore salutò tutti a Terralba e ci lasciò. I marinai intonarono un inno: «Oh, Australia!» e il dottore fu issato a bordo a cavalcioni d'una botte di vino «cancarone». Poi le navi levarono le ancore.

Io non avevo visto nulla. Ero nascosto nel bosco a raccontarmi storie. Lo seppi troppo tardi e presi a correre verso la marina, gridando: – Dottore! Dottor Trelawney! Mi prenda con sé! Non può lasciarmi qui, dottore!

Ma già le navi stavano scomparendo all'orizzonte e io rimasi qui, in questo nostro mondo pieno di responsabilità e di fuochi fatui.

E.: pag. 261

Mario Tobino
Le libere donne di Magliano (1953)

"TONO"

✳

Ma dunque il fanciullo Tono, l'aiuto portiere, se n'è andato al manicomio di Pistoia: era infantile – fantastico, suscitava la simpatia di tutti e una segreta meraviglia; senza darla a vedere qualche infermiere cercava la sua compagnia, moltissimi lo interrogavano per ascoltare le sue risposte che conducevano in un mondo allegro che pur fatto di carta velina aveva però colori che confortavano e si sperava per qualche attimo che davvero fosse vero. Raccontava Tono di quando andò da Guglielmone, il Kaiser, avanti che scoppiasse la prima guerra mondiale, si presentò per sconsigliarlo di fare la guerra. Lo descriveva di grossa corporatura, diceva della divisa militare di ottimo e pesante panno, faceva un inciso per accennare al difetto del Kaiser: il braccio sinistro piú piccolo e breve del destro (e questo pronunciava con un accento di dispiacere come solo la verità lo spingesse a chiarire anche quella manchevolezza; il cuore gliela avrebbe fatta tacere). Poi raccontava il colloquio: era d'autunno, in un vastissimo parco; c'erano le esercitazioni militari; Tono viene immediatamente ricevuto, le esercitazioni si sospendono come attendessero l'esito di quella conversazione per o ricominciare con maggiore energia o abbandonarsi alla pacifica letizia. Tono gli spiega tutto, che avrebbe perso la guerra: «Glielo ripetetti, l'avvertii con ogni particolare di come tutto sarebbe accaduto. Lui mi ringraziò, mi strinse la mano; già lo sapevo testardo e testardo rimase».

L.A.: pag. 238
E.: 262

61

"SORELLE"

*

Stanotte, poco prima dell'alba, sono arrivate da G. due sorelle. Io che sono nato in quel paese di mare avevo sin da bambino sentito parlare del Poli, costruttore di vele, e tante volte, passando dal suo androne dove si vedevano le vele spiegate per terra e le donne su quelle come ragni piegate a cucirle, mi si era fatta calda la fantasia pensando a tutti i paesi che quelle tele avrebbero visto, attraverso quali tempeste e in quali cieli sereni avrebbero navigato, e quelle donne in silenzio, attente, meticolose, quasi severe, mi sembrava partecipassero con quel lavoro a una religione. Questa profonda stanza, dove viveva l'officina del Poli, dava con la porta sulla darsena e alle spalle aveva l'umida pineta dagli aghi che frusciano; mi sembrava che quelle donne preparassero il corredo per i bastimenti, un ricamo per il mare.

Le due sorelle che sono state ricoverate stanotte in manicomio sono due cucitrici del Poli, due caste sorelle che non son divenute beghine per le condizioni d'ambiente, perché abitavano in darsena dove c'era la religione del mare, dei marinai, e i bastimenti erano chiese, e loro preparavano i corredi, chine su quelle tele vedevano mari, porti, i fiumi di tutte le possibili avventure. Cucirono per quarant'anni; vivevano in una casetta fatta di una stanza e mezzo; silenzio mentre cucivano le vele, castità tra le quattro mura casalinghe; ed eran belle, non sessuali, di quella bellezza difficilmente accostabile perché troppo spira la trasparenza dell'anima e non trovarono chi tanto insisté finché cedessero sorridenti allo sposalizio; c'era in loro qualcosa che incuteva timore, una continua giaculatoria per l'astratta navigazione verso porti impossibili, per albe marine, per la bellezza del mare, qualcosa di piú alto della consuetudine marinara; il loro inconsapevole sacerdozio le fece schive tra le umili mura, ma una delle due, come non fosse possibile resistere a quell'astrale, dopo tanti anni di dedita sofferenza, ricercò, ripiegò sulla debolezza umana, come volesse rimediare la passata superbia con la piú umile azione, cominciò a dire che lei era perseguitata, intorno a quella modestissima casa si aggiravano nemici, non sirene, comuni uomini che avevan delle ragioni terrene per comportarsi cosí (e però subito è da notare che anche nel delirio manteneva l'infanzia, che infatti lo mescolava di favola, come ancora cucisse le vele); la sorella cominciò a difenderla, a spiegarle che non era vero e a controllare se per caso fosse la verità e, pur rimproverando, disposta a credere. In qualche principio in segreto cedette, ed anch'essa era giunta a un'età che pur di amare, e il piú praticamente possibile, le religioni non appaion diverse. Finalmente trovò praticamente nella sorella, che doveva difendere, la ragione della sua vita, trovò infine da dedicarsi a un essere umano e per di piú a lei ben conosciuto.

I delirî della sorella diventarono prestissimo la sua necessità, si sostituirono al mare, la sorella divenne la sua ragione, l'amore.

Il delirio cominciò a risuonare da una testa all'altra, da una che si considerava malata all'altra che aveva il dovere di convincerla del contrario. Mentre la minore aveva il compito della veritiera, e diceva alla maggiore: «Tutto è falso, è inutile mi affacci alla finestra, la notte è serena, nessun nemico è in agguato»; mentre diceva cosí gustava: «E se tutto fosse vero?» e giudicava che sarebbe stato giusto fosse vero, che dopo il tanto lunghissimo amore avessero mosso, fatto nascere dei nemici, il che voleva dire avere degli amici, e, piú che amici, dei partigiani del loro passato, coloro che avevan capito, sapevano il peso dei sogni che avevano messo nella cucitura delle vele.

Per molti mesi il contrasto dei delirî fu un segreto delle due sorelle, ma era destino che esse uscissero fuori dell'umano comune e ci fu un giorno che la minore rispose alla maggiore con sentimento intenso: «Sí, ti perseguitano, i nemici vivono intorno alla casa, li ho visti, li riconoscerei, sono stata piú attenta di te, io i loro lineamenti li conosco precisi non nebulosi».

Giorni e notti tutte e due a spiare, come vedette, dalla finestra, a darsi il cambio, delirare e interpretare, dedicarsi con tutto il loro animo al nuovo amore, questa volta essenzialmente loro, di loro proprietà, a rimbombare nelle loro teste lo stesso delirio.

Stamani, all'alba, le due sorelle sono state portate al manicomio.

L.A.: pag. 239
E.: 263

"LA LOGICA DEI DELIRI"

*

Mi è come passato un uragano di dolore. Ora volo serenamente e sorrido, ma fino a pochi minuti fa, arrotolato nel letto, invocavo mia madre; avevo la testa che mi martellava, tutto intorno, di immagini spietate di solitudini, di volti e sentimenti di matti, di delirî che divengono cosa fisica, azione.

Era come fossi circondato e mi fosse vicino il ghiaccio, io con nessuna altra forza che gemere.

È stata forse quella donna, quella malata che si chiama Leonori, una ultra fiorente donna bionda, esuberante e prepotente; essa da diversi giorni era garbata, accondiscendeva con dolcezza ad aiutare ogni servizio del reparto, sembrava (benché un po' di sospetto mi rimaneva) che avesse abbandonato la violenza per la quale fino ad allora era da tutti temuta; addirittura come una monaca senza peccato accudiva con ogni pietà un'altra malata bizzosissima. E stamani ho letto una sua lettera diretta al marito dove le parole dichiaravano il suo animo che brama violenza e omicidio.

Già c'erano stati altri fatti, altre considerazioni, e tutto il nero per due ore si è aggrumato nella mia testa: solitudine, ogni persona soltanto serva del suo egoismo e della bestiale lussuria, ognuno lupo all'altro; la mia solitudine che mi faceva spavento.

Ora sto benissimo e quasi felice e mentre scrivo sorrido.

Certamente una delle cose piú dolorose per la mente è quando i delirî non si classificano, non si illustrano scientificamente, ma si sentono come forza selvaggia, quanto possono svellere se trovano le condizioni per farsi vita, per passare dal mondo segreto in cui di solito vivono in quello dei fatti che accadono, i quali fatti, in quanto tali, diventano logica e ragione.

L.A.: pag. 239

"SPERANZA"

✳

Ogni mattina la Nofera mi dice con la stessa voce d'argento, lei anziana e ancora fanciulla, con un'innocenza che ho paura a definire perché sospetto che peschi nel vuoto, ed anzi ne sono sicuro; ogni mattina la Nofera mi ripete con la verginità della prima volta: «Faccia qualcosa per me, mi ridia la vita, che ritorni a Firenze, come prima, come prima io lavori felice, mi ridia le luci delle città, la letizia di ciò che è bello, possa vivere, consumarmi contenta».

Ecco un delirio di speranza, il delirio dell'irraggiungibile, della felicità che non si trova.

Tutto il giorno questa malata è sul punto di iniziare le mosse per partire, si è cristallizzata in questo momento: di chi è per partire per una lieta speranza. Né esce da questo stato. Ogni mattina mi fa apparire nell'immaginazione una trasparente navicella, leggera di colori, che attende il capitano monti a bordo; non manca che un personaggio perché tutto si possa compiere e in tale navicella nessuno mai monterà a bordo.

Domani mattina udirò ripetere: «Mi aiuti, signor dottore, mi ridia la vita, che possa rivedere la città, che mi prostri alla festa che fuggendo mi illumina, che sia bendetta, tra gli altri sorrida in un sogno della mattina; mi faccia uscire di qui che io possa partecipare alla vita, essere un grano che respira nel cielo».

Ogni mattina è autentica, sincera, convincente. E come l'organizzato e cupo delirio di persecuzione ha le branche nell'umana logica, il suo delirio di speranza pendula le radici trasparenti di celeste nel cielo infantile, quel cielo che, a nostra insaputa, sempre ci commuove.

L.A.: pag. 239
E.: pag. 264

Carlo Levi
Le parole sono pietre (1955)

"IL PITTORE DI REALTÀ"[1]

*

Qualche settimana dopo il mio passaggio per Lercara, vi giunse, con la sua cassetta di colori e il suo cavalletto, un giovane pittore di Cesena che intendeva soggiornare lí qualche tempo per fare dal vero degli studi per un quadro di minatori. Era giunto a Lercara per caso, senza essere in alcun modo informato della situazione, soltanto perché gli avevano indicato quelle zolfare tra le piú favorevoli al suo lavoro, e forse perché sono le prime che si incontrano venendo da Palermo. Non conosceva il Mezzogiorno e la Sicilia, tutto gli pareva nuovo e interessante. Era un giovane alto e biondo (lo conobbi quando venne da me poco dopo e mi raccontò la sua vicenda), gentile e mite di carattere, ma insieme ostinato nei propositi e serenamente coraggioso. Egli dunque, appena giunto a Lercara e installatosi in una stanza, si presentò al signor Ferrara per chiedergli un permesso di scendere in miniera per disegnare e dipingere i minatori al lavoro. Il signor Ferrara, con quel metodo ambiguo di cui avevo fatto l'esperienza, non gli disse né di sí né di no: avrebbe chiesto l'opinione degli ingegneri e dei tecnici, e cosí via: lo trastullò insomma per giorni e giorni. Il pittore cominciò a rendersi conto della situazione di Lercara e capí di non esser gradito, ma rimase, e insistette nelle sue richieste. Attorno, l'atmosfera gli si faceva sempre piú ostile, fino a divenire provocatoria. Passava per le strade, e i mafiosi che stavano appoggiati ai muri come lucertole, con le mani alla cinghia dei pantaloni, lo squadravano dall'alto al basso con quei loro occhi fermi di serpente e gli sputavano sulle scarpe. Cominciava a essere

[1] Il brano è tratto dall'introduzione al volume.

duro rimanere a Lercara, ma egli non voleva darsi per vinto. Poiché c'è, fra le altre che sono tutte sue, una miniera che non appartiene a Ferrara, decise, quando lo seppe, di andare a dipingere là, e vi si avviò con i suoi strumenti di lavoro. La strada passava per campagne solitarie e, a una svolta, egli vide un vecchio, seduto su una pietra al margine della via, che stava affettando una grossa forma di pane con un suo lungo coltello tagliente e acuminato. Quand'egli gli si avvicinò, il vecchio, senza alzarsi né muoversi, volse verso di lui, con un gesto impercettibile, la punta del coltello, e, senza alzare la voce, disse: – Di qui non si passa –. E, in verità, di lí non si passava. Il pittore si rese conto di chi aveva mandato quel suo sottoposto per impedirgli la strada; e nel suo giovanile senso di giustizia se ne sdegnò, rimproverò acerbamente il vecchio e gli chiese se non si vergognasse del mestiere che stava facendo. Il vecchio non si turbò né si mosse per questo. Gli mostrò il pane e disse: – Il pane è duro, ma è dolce.

Poiché gli era impossibile dipingere, il giovane artista decise allora di limitarsi a prendere delle fotografie di minatori all'uscita della zolfara, che avrebbero potuto servirgli come documenti per le sue pitture; e con la macchina e il cavalletto si mise un giorno sul bordo della strada davanti alla miniera, quando gli operai che finivano il turno ne uscivano. Mentre egli era intento a preparare le sue inquadrature, un'automobile giunse improvvisa e velocissima su per la strada, alle sue spalle, e puntò direttamente su di lui che ebbe appena il tempo, sfiorato a un fianco, di buttarsi nel fosso. L'automobile proseguí la sua corsa e si fermò con una brusca frenata in mezzo agli operai che stavano uscendo. Il giovane pittore si rialzò, e corse verso la macchina protestando per l'incidente. Riconobbe l'uomo al volante, era uno dei figli del signor Ferrara, che si mise a ridere alle sue proteste, e gli disse: – Avrei potuto metterla sotto. Questo è solo un avvertimento, un'altra volta non la passerà cosí liscia. Io, qui, la posso mettere sotto le ruote quando mi pare, perché questa è casa mia, e le abbiamo fatto sapere in mille modi che qui lei non è gradito e che deve andarsene.

Il giovane, che aveva una ostinata fede nella giustizia, pensò che fosse suo dovere denunciare il fatto alla polizia. Accompagnato da qualche minatore, testimone dell'incidente, si recò alla caserma e chiese del commissario. Gli fu detto che non c'era. Ma egli, pertinace e deciso, non uscí dall'anticamera e aspettò per ore e ore. Quando il commissario si fu stancato di questo assedio, dopo sei ore, e si decise a farlo venire avanti, ascoltato il suo racconto, gli disse che, per il suo bene, rifiutava di ricevere la sua denuncia; che egli certamente non si rendeva conto di dove fosse né con chi avesse a che fare, che egli era giovane e forestiero e che non chiedesse a lui, che non avrebbe mai consentito, di metterlo nei gravi pericoli di cui non valutava evidentemente la serietà; e, insomma, malgrado le sue insistenze, la denuncia non venne ricevuta. Soltanto allora il pittore di Cesena decise di chiudere la cassetta, di piegare il cavalletto, e partí.

L.A.: pag. 240
E.: pag.265

Pier Paolo Pasolini
Ragazzi di vita (1955)

"POMERIGGI A MONTEVERDE"

✳

Sullo spiazzo di terra battuta sotto il Monte di Splendore, una gobba di due o tre metri che toglieva alla vista Monteverde e il Ferrobedò, e, all'orizzonte, la linea del mare, quando i ragazzini s'erano ormai stufati di giocare, un sabato, alcuni giovanotti piú anziani si misero sotto la porta col pallone tra i piedi. Formarono un cerchio e cominciarono a fare del palleggio, colpendo la palla col collo del piede, in modo da farla scorrere raso terra, senza effetto, con dei bei colpetti secchi. Dopo un po' erano tutti bagnati di sudore, ma non si volevano togliere le giacche della festa o i maglioni di lana azzurra con le striscie nere o gialle, a causa dell'aria tutta casuale e scherzosa con cui s'erano messi a giocare. Ma siccome i ragazzini che stavano lì intorno avrebbero forse potuto pensare che facevano i fanatici a giocare sotto quel sole, così vestiti, ridevano e si sfottevano, in modo però da togliere qualsiasi voglia di scherzare agli altri.

Tra i passaggi e gli stop si facevano due chiacchiere. «Ammazzete[1] quanto sei moscio oggi, Alvà![2]» gridò un moro, coi capelli infracicati[3] di brillantina. «'E donne[4],» disse poi, facendo una rovesciata. «Vaffan...[5],», gli rispose Alvaro, con la sua faccia piena d'ossa, che pareva tutta ammaccata, e un capoccione[6] che se un pidocchio ci avesse voluto fare un giro intorno sarebbe morto di vecchiaia. Cercò di fare una finezza colpendo il pallone di tacco,

---

[1] Ammazzete: (romanesco) (esclamazione).
[2] Alvà: (regionale) Alvaro (vocativo).
[3] infracicati: (romanesco) intrisi.
[4] 'E donne: (romanesco) le donne.
[5] Vaffan...: insulto triviale, contrazione di "va' a fa' (= fare) in (culo)".
[6] capoccione: accrescitivo di "capoccia": (romanesco) testa.

ma fece un liscio, e il pallone rotolò lontano verso il Riccetto e gli altri che se ne stavano sbragati[7] sull'erba zozza.

Agnolo il roscietto[8] si alzò e senza fretta rilanciò il pallone verso i giovanotti. «Mica se vole sprecà, sa'[9],» gridò Rocco riferendosi a Alvaro, «stasera ce stanno da incollà li quintali[10].»

«Vanno a tubbature[11],» disse Agnolo agli altri. In quel momento suonarono al Ferrobedò e alle altre fabbriche lontane, giù verso Testaccio, il Porto, San Paolo, le sirene delle tre. Il Riccetto e Marcello si alzarono e senza dir niente a nessuno se ne andarono giù per via Ozanam, e locchi locchi, sotto il solleone, se la fecero a fette[12] fino al Ponte Bianco, per attaccarsi al 13 o al 28. Avevano cominciato col Ferrobedò, avevano continuato con gli Americani, e adesso andavano a cicche. È vero che il Riccetto per un po' di tempo aveva lavorato: era stato preso a fare il pischello[13] al servizio delle camionette da uno di Monteverde Nuovo. Ma poi aveva rubato al padrone mezzo sacco[14], e quello l'aveva mandato a spasso. Così passavano i pomeriggi a far niente, a Donna Olimpia, sul monte di Casadio, con gli altri ragazzi che giocavano nella piccola gobba ingiallita al sole, e più tardi con le donne che venivano a distenderci i panni sull'erba bruciata. Oppure andavano a giocare al pallone lì sullo spiazzo tra i Grattacieli e il Monte di Splendore, tra centinaia di maschi che giocavano sui cortiletti invasi dal sole, sui prati secchi, per via Ozanam o via Donna Olimpia, davanti alle scuole elementari Franceschi piene di sfollati e di sfrattati.

L.A.: pag. 240

[7] sbragati: (romanesco) sbracati.
[8] roscietto: vezzeggitivo di "roscio": (romanesco) rosso (qui, di capelli).
[9] se vole sprecà, sa': (romanesco) si vuole sprecare, eh?
[10] ce stanno da incollà li quintali: (romanesco) ci sono da caricare i quintali.
[11] tubbature: (romanesco) tubature.
[12] a fette: (scherzoso) a piedi. In "se la fecero", con "la" si intende "la strada".
[13] pischello: (romanesco) il garzone.
[14] mezzo sacco: (gergale) cinquecento lire.

"NOTTE BRAVA"

✣

La mattina dopo, il convento delle Monache e altri palazzi di via Garibaldi restarono senz'acqua.

Il Riccetto e Marcello avevano trovato Agnolo a Donna O-limpia davanti alle scuole elementari Giorgio Franceschi che dava calci alla palla con altri ragazzi senza altra illuminazione che quella della luna. Gli dissero di andare a prendere il cacciagomme, e quello non se lo fece ripetere. Poi discesero tutti e tre insieme, per San Pancrazio, giù verso Trastevere, in cerca di un posto tranquillo: lo trovarono in Via Manara, che a quell'ora era tutta deserta, e poterono mettersi a lavorare intorno a un chiusino senza che nessuno andasse a rompergli le scatole. Non si misero in allarme manco[1] quando lì sopra s'aprì di botto un balcone e una vecchia mezza appennicata[2] e tutta dipinta cominciò a gridare: «Che state a ffà liggiù?[3]» Il Riccetto alzò il capo un momento, e le fece: «A signò, nun è niente, è er mistero de la fogna atturata![4]». Già avevano finito, si presero il sopra e il sotto del chiusino, Agnolo e il Riccetto se lo incollarono, e se ne andarono piano piano verso una casa diroccata sotto il Gianicolo, che era una vecchia palestra in rovina. C'era buio, ma Agnolo era pratico e trovò in un angolo dello stanzone la mazza, e con quella fecero a pezzi il chiusino.

Adesso si trattava di trovare il compratore; ma anche stavolta ci pensò Agnolo. Andarono giù per il vicolo dei Cinque, che, tranne qualche ubbriaco[5], era tutto deserto. Sotto le finestre dello stracciarolo[6], Agnolo si mise le mani a imbuto intorno alla bocca, e si mise a chiamare: «A Antò!»[7] Lo stracciarolo si affacciò, poi

[1] manco: (romanesco) neanche.
[2] appennicata: (romanesco) addormentata.
[3] a ffà liggiù: (romanesco) a fare laggiù.
[4] «A signò, […] atturata!»: (romanesco) «Signora, non è niente, è il mistero della fogna otturata!».
[5] ubbriaco: (romanesco) ubriaco.
[6] stracciarolo: (romano) straccivendolo.
[7] «A Antò!» (romanesco) «Antonio!» (vocativo).

scese e li fece entrare in bottega, dove pesò la ghisa e gli diede duemila e settecento lire, per i settanta chili che pesava. Ormai che c'erano vollero farla completa. Agnolo corse nella palestra a prendere l'accettola[8], e andarono verso le scalinate del Gianicolo. Lì scoperchiarono una fogna e vi si calarono dentro. Col manico dell'accettola acciaccarono la tubatura per fermare l'acqua, poi la tagliarono, distaccandone cinque o sei metri. Nella palestra la pestarono tutta, facendola in tanti pezzetti, la misero in un sacco e la portarono dallo stracciarolo, che gliela pagò centocinquanta lire al chilo. Con le saccoccie[9] piene di grana[10] risalirono tutti contenti verso mezzanotte ai Grattacieli. Lassù Alvaro, Rocco e gli altri giovanotti se ne stavano a giocare alle carte in fondo alla tromba delle scale, accucciati o sbragati[11] in silenzio sul pianerottolo a pianterreno della casa di Rocco, che dava in uno dei tanti cortili interni. Agnolo, per andare a casa, doveva passare di lì, e il Riccetto e Marcello l'accompagnavano. Così si fermarono a giocare coi grossi a zecchinetta. Dopo poco più di mezzora avevano perso tutta la grana. Per poter andarsi a divertire in barca dal Ciriola, gli rimaneva, per fortuna, il mezzo sacco fregato al cieco, che il Riccetto s'era nascosto dentro le scarpe.

L.A.: pag. 241

---

[8] l'accettola: (romanesco) l'accetta.
[9] saccoccie: (romanesco) tasche.
[10] grana: (gergale) soldi, denaro.
[11] sbragati: (romanesco) sbracati.

Ignazio Silone
Il segreto di Luca (1956)

"RIUNIONE"

* *

Al municipio, prima di discutere il programma della cerimonia dell'indomani, aspettarono ancora un po' don Serafino; ma, poiché egli tardava, vi fu un breve scambio d'idee tra i notabili già radunati: il sindaco, il segretario comunale, il parroco don Franco e i nuovi assessori, un contadino e due artigiani.

«Il motto della cerimonia» aveva suggerito il sindaco «dovrebb'essere press'a poco questo: "Cisterna saluta il piú illustre dei suoi figli". Che ne pensi?» egli domandò a don Franco.

Basso, grasso e quasi calvo, malgrado la giovane età, il parroco se ne stava vicino alla finestra per godersi il fresco della sera e si limitò a sorridere.

«Parlerò dopo» disse. «Questo sciopero di spazzini intanto come si mette?»

«E tu?» chiese il sindaco al segretario.

Il segretario era un uomo occhialuto, magro e scuro, quasi verdognolo. Egli era occupato in quel momento a rivedere i conti in un grande registro e non fece caso alla domanda. I tre assessori di recente nomina sedevano cerimoniosi e timidi su un divano, accanto allo scrittoio del sindaco, e si consultavano tra loro con furtivi segni degli occhi. Il piú vecchio di essi, piccolo, magrissimo, asciutto, aveva un aspetto assai misero, col suo vestito largamente rattoppato; egli si scusò di dover sollevare una semplice questione di buona creanza, come egli si espresse.

«Non credete» egli spiegò «che dovremmo amichevolmente consigliare di astenersi alla cerimonia almeno quelli che, a suo tempo, denunziarono alla polizia il maestro Cipriani e lo fecero arrestare?»

«Già, già» borbottò il sindaco «naturale. Che ne pensate voialtri?» egli domandò al segretario e al parroco.

«Mio caro» cominciò il segretario alzando il viso dal registro. «Se ammetti...»

Ma s'interruppe. Egli aveva, quando parlava, un modo di tirare indietro la testa, come se aspettasse uno schiaffo.

«Lasciamo correre» egli concluse. «Mi avete già capito.»

Lo stesso assessore, con voce piú franca, aggiunse: «Non dovrebbero starsene alla larga anche quelli che firmarono la petizione perché il Cipriani fosse cancellato dal ruolo dei maestri? Che ne pensate?».

«Mi pare» disse uno degli assessori.

Era ovvio. Ma l'elenco degli indesiderabili non era finito.

«E quelli che lo presero a sassate mentre si trovava ammanettato tra i carabinieri?» aggiunse l'assessore anziano. «Non so se qualcuno di voi si ricorda della scena. Io vi assistei per caso. Tornavo dal mulino con l'asino...»

Anche un altro assessore vi aveva assistito e ricordò la scena. «Smettetela, gridava uno dei carabinieri, per sbaglio potreste colpire noi.»

Il racconto fu ascoltato in silenzio. Era imbarazzante discutere quelle proposte. Ma, a un certo punto, il segretario comunale alzò di nuovo gli occhi dal libro dei conti e con un sorriso sforzato domandò:

«Se escludiamo tutti gli indegni, scusate, chi parteciperà alla cerimonia? Forse qualche cafone, ma nessuna persona per bene; non vi pare?»

Dopo qualche istante di penosa riflessione il sindaco decise di rinunziare a ogni discriminazione.

«Ora siamo in regime democratico» egli disse. «La democrazia è uguaglianza, no?»

Ma la formula che assopí tutti gli scrupoli, forse anche quelli dell'assessore anziano, fu enunciata da don Franco.

«Andrea Cipriani» egli disse con voce grave parlando lentamente «non può ignorare, dall'elevata posizione sociale ormai raggiunta, che la migliore vendetta è il perdono.»

Il sindaco trovò la frase azzeccatissima, e dopo aver pregato don Franco di ripeterla, se la copiò su un pezzo di carta per inserirla nel suo discorso dell'indomani.

«Al fine di renderla piú efficace» gli suggerí il segretario sottovoce «dovresti attribuirla a Garibaldi. Sentirai che applausi.»

A questo punto il sindaco ritenne che le questioni di un certo rilievo fossero ormai tutte regolate, salvo l'opinione di don Serafino; ma egli non contava col senso pratico del parroco.

«Abbiamo appena esaurito la parte retorica» protestò infatti don Franco. «Scusate, ora ci rimane l'essenziale. Non sapete quale fortuna sia stata per certi oscuri villaggi l'aver dato i natali a uomini assurti al potere politico?»

Don Franco tirò fuori da una borsa di cuoio un primo fascicolo zeppo di carte sul quale stava scritto: "Progetti". Ognuno capí subito a che cosa egli mirasse.

«Credi opportuno» gli domandò il sindaco «d'infastidire Andrea Cipriani con tali questioni fin dal primo momento in cui egli rimette piede tra noi? Non sarebbe piú intelligente anzitutto accattivarsi le sue simpatie?»

«Non bisogna perdere tempo» replicò il parroco con energia. «Dobbiamo battere il ferro finché è caldo.»

«Anch'io penso che bisogna affrettarsi» opinò il segretario. «Le maggioranze politiche non si sa mai quanto durino.»

Poiché, a queste parole, uno degli assessori giovani aggrottò le sopracciglia, egli si affrettò ad aggiungere:

«Purtroppo.»

Don Franco intanto aveva aperto davanti a sé il suo fascicolo e sciorinava sul tavolo vari fogli.

«Il decoro di Cisterna, per non parlare del suo onore» egli disse «richiede anzitutto l'erezione di un monumento ai caduti, a spese dello Stato. Spero che sarete d'accordo nel presentare questa richiesta come la piú urgente».

«Un terzo della popolazione» protestò l'assessore anziano «vive in grotte e baracche.»

Don Franco si aspettava l'obiezione e teneva pronta una risposta.

«I popoli civili» egli replicò con fermezza «si riconoscono dalla priorità che essi attribuiscono al culto dei morti. Non è una vergogna che Cisterna sia ancora priva di un monumento ai caduti? Ognuno di noi dovrebbe soffrirne.»

«In nessuno dei comuni vicini» gli rispose l'assessore «ho visto un monumento come tu dici.»

«Un motivo di piú perché Cisterna li preceda e li sorpassi» disse don Franco trionfante. «La loro invidia consacrerà la nostra superiorità.»

«L'argomento è persuasivo» ammise il segretario ghignando.

«Ci si propone» disse uno degli assessori giovani «un monumento ai caduti. Va bene, ma, a quali caduti? Ai caduti della libertà?»

Il sindaco rimase a bocca aperta e guardò don Franco.

«Non intendo prestarmi a polemiche» dichiarò seccamente il parroco.

«Ma è impossibile erigere un monumento ai caduti» insisté l'assessore «senza specificare a quali caduti.»

«Avevo previsto anche questa difficoltà» disse il parroco dopo un breve impaccio. «Appunto per evitarla, ho ideato un monumento allegorico. Che ne direste di un gruppo marmoreo in cui la Gloria baci il Sacrificio?»

«Quale sacrificio?» domandarono quasi a una voce i tre assessori.

«L'idea del Sacrificio» ribatté don Franco tutto rosso in viso. «L'Idea, cioè, il Concetto. L'Idea li abbraccia tutti.»

Ma la maggiore obiezione a questo punto gli venne dal segretario.

«Tu esporresti un tale monumento in luogo pubblico?» egli domandò scandalizzato. «Addirittura davanti alla chiesa parrocchiale? Oh, don Franco, la tua mancanza d'immaginazione mi stupisce. Per rappresentare la Gloria che bacia il Sacrificio, lo scultore sarà costretto a creare una donna nell'atto di baciare un uomo. Non ci avevi pensato? Ma c'è di piú. Non trattandosi di un film, bensí di materia inerte, il bacio avrà una durata illimitata. Ti rendi conto? In qualsiasi ora del giorno e della notte, sotto il sole, sotto la neve, senza un solo istante di riposo, quella donna sarà intenta a baciare un uomo. Un bell'esempio, in verità, per le bambine della tua scuola di catechismo.»

«Ci sarebbe da disgustare dall'idea di sacrificio anche l'uomo meglio disposto» commentò il sindaco fingendo nausea.

Rosso in viso, il parroco si affrettò a proporre qualche variante.

«La Gloria» egli disse «potrebbe accarezzare con gesto materno la testa del Sacrificio, oppure, che so io, semplicemente sorridergli.»

L'opposizione espressa dall'assessore anziano fu di altro tenore. A suo parere la Gloria doveva assolutamente disinteressarsi del Sacrificio e neppure guardarlo in faccia, finché esso non si immolasse per la salute della povera gente ancora ricoverata nelle grotte e nelle baracche.

«Alla salute del popolo sarà dedicato il mio secondo progetto» disse don Franco ormai conciliante, ed estrasse dalla borsa di cuoio un nuovo fascicolo per mostrarlo.

«Ma forse le nostre sono chiacchiere inutili» interruppe bruscamente il vecchio assessore levandosi in piedi. «Come fate a essere certi che Andrea Cipriani accetterà le nostre proposte?»

Queste parole, pronunziate con tono quasi provocatorio, furono una doccia gelida sul fervore costruttivo del parroco. Egli si guardò attorno in attesa che il sindaco smentisse quel dubbio pessimistico, in modo da consentirgli di esporre gli altri suoi progetti. Il sindaco invece fece il viso scuro.

«Non vi nascondo il mio imbarazzo» egli disse. «Cipriani, non dobbiamo dimenticarlo, manca quasi da dodici anni. Egli tornerà a Cisterna domani per la prima volta dopo essere stato in carcere, al confino e nella lotta partigiana. Come possiamo noi prevedere le sue intenzioni?»

«Non capisco allora perché stiamo qui a perdere tempo» protestò don Franco irritato.

«Aspettiamo don Serafino» disse il sindaco. «Forse egli ne sa piú di noi. Mi pare di aver capito che egli sia stato in corrispondenza col Cipriani.»

«Arrivederci a domani» disse il parroco offeso.

Raccolse in fretta le sue carte, si alzò e partí. E poiché era già ora di cena, egli fu subito seguito anche dai tre assessori.

«In confidenza» chiese il segretario al sindaco, dopo essersi sincerato che nessuno ascoltasse «in confidenza, di codesto ex maestro Cipriani tu sai quale sia l'idea politica?»

«Da quello che posso arguire» rispose il sindaco «egli è un umanitario.»

Il segretario quasi soffocò dal ridere.

«Veramente?» disse. «Dunque, in confidenza, un completo imbecille.»

«Completo» assicurò il sindaco.

E.: pag. 266
P.L.: pag. 268

Carlo Emilio Gadda
Quer pasticciaccio brutto de via Merulana[1] (1957)

"DON CICCIO INGRAVALLO"
✳ ✳

Tutti oramai lo chiamavano don Ciccio. Era il dottor Francesco Ingravallo comandato alla mobile: uno dei più giovani e, non si sa perché, invidiati funzionari della sezione investigativa: ubiquo ai casi, onnipresente su gli affari tenebrosi. Di statura media, piuttosto rotondo della persona, o forse un po' tozzo, di capelli neri e folti e cresputi che gli venivan fuori dalla metà della fronte quasi a riparargli i due bernoccoli metafisici dal bel sole d'Italia, aveva un'aria un po' assonnata, un'andatura greve e dinoccolata, un fare un po' tonto come di persona che combatte con una laboriosa digestione: vestito come il magro onorario statale gli permetteva di vestirsi, e con una o due macchioline d'olio sul bavero, quasi impercettibili però, quasi un ricordo della collina molisana. Una certa praticaccia del mondo, del nostro mondo detto «latino», benché giovine (trentacinquenne), doveva di certo avercela: una certa conoscenza degli uomini: e anche delle donne. La sua padrona di casa lo venerava, a non dire adorava: in ragione di e nonostante quell'arruffio strano d'ogni trillo e d'ogni busta gialla imprevista, e di chiamate notturne e d'ore senza pace, che formavano il tormentato contesto del di lui tempo. «Non ha orario, non ha orario! Ieri mi è tornato che faceva giorno!» Era, per lei, lo «statale distintissimo» lungamente sognato, preceduto da cinque A sulla inserzione del *Messaggero*, evocato, pompato fuori dall'assortimento infinito degli statali con quell'esca della «bella assolata affittasi» e non ostante la perentoria intimazione in chiu-

---

[1] *Quer pasticciaccio brutto de via Merulana*: (romanesco) Quel pasticciaccio brutto di via Merulana.

sura: «Escluse donne»: che nel gergo delle inserzioni del *Messaggero* offre, com'è noto, una duplice possibilità d'interpretazione. E poi era riuscito a far chiudere un occhio alla questura su quella ridicola storia dell'ammenda... sì, della multa per la mancata richiesta della licenza di locazione... che se la dividevano a metà, la multa, tra governatorato e questura. «Una signora come me! Vedova del commendatore Antonini! Che si può dire che tutta Roma lo conosceva: e quanti lo conoscevano, lo portavano tutti in parma de mano[2], non dico perché fosse mio marito, bon'anima![3] E mo me prendono[4] per un'affittacamere! Io affittacamere? Madonna santa, piuttosto me butto a fiume[5].»

Nella sua saggezza e nella sua povertà molisana, il dottor Ingravallo, che pareva vivere di silenzio e di sonno sotto la giungla nera di quella parrucca, lucida come pece e riccioluta come d'agnello d'Astrakan, nella sua saggezza interrompeva talora codesto sonno e silenzio per enunciare qualche teoretica idea (idea generale s'intende) sui casi degli uomini: e delle donne. A prima vista, cioè al primo udirle, sembravano banalità. Non erano banalità. Così quei rapidi enunciati, che facevano sulla sua bocca il crepitio improvviso d'uno zolfanello illuminatore, rivivevano poi nei timpani della gente a distanza di ore, o di mesi, dalla enunciazione: come dopo un misterioso tempo incubatorio. «Già!» riconosceva l'interessato: «il dottor Ingravallo me l'aveva pur detto.» Sosteneva, fra l'altro, che le inopinate catastrofi non sono mai la conseguenza o l'effetto che dir si voglia d'un unico motivo, d'una causa al singolare: ma sono come un vortice, un punto di depressione ciclonica nella coscienza del mondo, verso cui hanno cospirato tutta una molteplicità di causali convergenti. Diceva anche nodo o groviglio, o garbuglio, o gnommero, che alla romana vuol dire gomitolo. Ma il termine giuridico «le causali, la causale» gli sfuggiva preferentemente di bocca: quasi contro sua voglia. L'opinione che

---

[2] in parma de mano: (romanesco) in palma di mano.
[3] bon'anima: (popolare) buonanima. La variante grafica più comune è «bonanima».
[4] mo me prendono: (romanesco) ora mi prendono.
[5] me butto a fiume: (romanesco) mi butto nel fiume.

bisognasse «riformare in noi il senso della categoria di causa» quale avevamo dai filosofi, da Aristotele o da Emmanuele Kant, e sostituire alla causa le cause era in lui una opinione centrale e persistente: una fissazione, quasi: che gli evaporava dalle labbra carnose, ma piuttosto bianche, dove un mozzicone di sigaretta spenta pareva, pencolando da un angolo, accompagnare la sonnolenza dello sguardo e il quasi-ghigno, tra amaro e scettico, a cui per «vecchia» abitudine soleva atteggiare la metà inferiore della faccia, sotto quel sonno della fronte e delle palpebre e quel nero pìceo della parrucca. Così, proprio così, avveniva dei «suoi» delitti. «Quanno me chiammeno!... Già. Si me chiammeno a me... può sta ssicure ch'è nu guaio: quacche gliuommero... de sberretà...»[6] diceva, contaminando napolitano[7], molisano e italiano.

La causale apparente, la causale principe, era sì, una. Ma il fattaccio era l'effetto di tutta una rosa di causali che gli eran soffiate addosso a molinello (come i sedici venti della rosa dei venti quando s'avviluppano a tromba in una depressione ciclonica) e avevano finito per strizzare nel vortice del delitto la debilitata «ragione del mondo». Come si storce il collo a un pollo. E poi soleva dire, ma questo un po' stancamente, «ch'i' femmene se retroveno addo' n'i vuò truvà»[8]. Una tarda riedizione italica del vieto «cherchez la femme». E poi pareva pentirsi, come d'aver calunniato 'e femmene[9], e voler mutare idea. Ma allora si sarebbe andati nel difficile. Sicché taceva pensieroso, come temendo d'aver detto troppo. Voleva significare che un certo movente affettivo, un tanto o, direste oggi, un quanto di affettività, un certo «quanto di erotìa», si mescolava anche ai «casi d'interesse», ai delitti apparentemente più lontani dalle tempeste d'amore. Qualche collega un tantino invidioso delle sue trovate, qualche prete più edotto dei molti danni del secolo, alcuni subalterni, certi uscieri, i supe-

---

[6] «Quando [...] sberretà...»: «Quando mi chiamano! ... Già. Se chiamano me... puoi star sicuro che è un guaio: qualche groviglio... da sciogliere...».

[7] napolitano: (arcaico) napoletano.

[8] «ch'i' femmene [...] truvà»: (molisano) «che le donne si trovano dove non le vuoi cercare».

[9] 'e femmene: (napoletano) le donne.

riori, sostenevano che leggesse dei libri strani: da cui cavava tutte quelle parole che non vogliono dir nulla, o quasi nulla, ma servono come non altre ad accileccare gli sprovveduti, gli ignari. Erano questioni un po' da manicomio: una terminologia da medici dei matti. Per la pratica ci vuol altro! I fumi e le filosoficherie son da lasciare ai trattatisti: la pratica dei commissariati e della squadra mobile è tutt'un altro affare: ci vuole della gran pazienza, della gran carità: uno stomaco pur anche a posto: e, quando non traballi tutta la baracca dei taliani[10], senso di responsabilità e decisione sicura, moderazione civile; già: già: e polso fermo. Di queste obiezioni così giuste lui, don Ciccio, non se ne dava per inteso: seguitava a dormire in piedi, a filosofare a stomaco vuoto, e a fingere di fumare la sua mezza sigheretta[11], regolarmente spenta.

E.: pag. 268

[10] taliani: (arcaico) italiani.
[11] sigheretta: (romanesco) sigaretta.

"FASCINO DI MARESCIALLO"
✶✶

Era un formicolone, 'o maresciallo[1] Santarella: come tutti i marescialli.

Perito dell'arte: è logico. Al momento buono sapeva chiudere un occhio. O aprirli tutt'e due, invece.

Una cera meravigliosa: un volto pieno, abbronzato-rosso nelle gote e nel naso, bleu-nero indove lo virilizzava barba rasa. La pelle generosa degli italici, nelle lor messi cotti, a luglio, a sole trebbiato: adusti, per dirla col Carducci. Una salute da sensale di campagna. Quei baffetti ritti alla Guglielmo. Quel pistolone sulla natica sinistra, che pesava tre chili. Metteva gioia in core[2] a vederlo. Le ragazze, certe notti di luna piena, sognavano 'o mare-

[1] 'o maresciallo: (regionale) il maresciallo.
[2] in core: (regionale; arcaico) cuore.

sciallo. Certi scarcagnati[3] con addosso tutta la migragna[4] dell'impero imminente, certi morti de[5] fame de ladruncoli de biciclette, strulloni[6] in ozio a giro[7] per le strade e per le bettole il giorno, e la notte a travaglio[8], non gli pareva poi vero, a colpo fatto, di lasciarsi ammanettare da lui, di venir «messi dentro» da lui. Quando arrivava lui, puttana il diavolo, tiravano un respiro: finita l'ansia, il pericolo: finito di sudare, di scalzare, di aggeggiare, di trasalire a uno scricchiolio, a un dubbio di cigolio lontano d'un cancello: di scassinare usci col cuore in gola: ecco, finita ogni pena: gli riprendeva la gioia, dentro, poveri ragazzi! la fiducia nel domani, gli riprendeva. Erano così contenti, solo a vederlo, che dimenticavano il loro triste obbligo, mannaggia[9] er[10] prefetto: l'obbligo di scappare con la refurtiva , e quel ch'era peggio coi ferri, anche, e stracarichi: dopo tanto affanno dover anche darsela a gambe! Checché. Lo salutavano con una guardata, con un risolino d'intesa, quello che vuol significare «tra noi...»: gli facevano omaggio spontaneo d'interi mazzi di grimaldelli, d'interi assortimenti di piè-di-porco. Gli chiedevano, riguardosamente, il suo ultimo prospero: per accendere, voluttuosamente, la loro ultima cicca. Haah! Hah! facevano espirando, con una voluttà in gola: o buttavano fumo dal naso: «Ecco, sì, va be', capirà,» dicevano: e gli porgevano i polsi: nata in loro cuncupiscenza[11] repentina delle catenelle da polso: come allo scassato e stanco non piace altro che il letto. Gli consegnavano le due zampette sgraffignone: ne facesse un po' icché[12] voleva: abbacinati da quel volto scurito, da quegli occhi fermi, neri, pungenti: da quelle bande rosse, ai calzoni, da quei galloni d'argento alla manica: da quella bandoliera bianca

---

[3] scarcagnati: (romanesco) malridotti, immiseriti.
[4] migragna: (romanesco) miseria.
[5] de: (romano) di.
[6] strulloni: (toscano) citrulli.
[7] a giro: (regionale) in giro.
[8] a travaglio: (regionale) al lavoro.
[9] mannaggia: (regionale) imprecazione popolare, contrazione di «mal ne aggia (= abbia)».
[10] er: (romanesco) il.
[11] cuncupiscenza: deformazione di «concupiscenza».
[12] icché: (regionale) quel che.

di vacchetta ch'era come l'insegna dell'autorità inquirente, perseguente, ammanettante: da quel V.E. nella granata d'argento, sul berretto: da quella pancetta, da quel culo. Sí, culo. Perché, lui si rigirava, pirlava[13], fremeva, poi di nuovo si rivoltava a scatto, piantava il par[14] d'occhi in faccia a tutti e ad ognuno, a baffi ritti, e puntuti come du[15] chiodi, e neri; agiva, deliberava, telefonava, trìc, trìc, tititrìc, bociava[16] in nel tubo[17], chiedeva nerbo di due militi dalla Tenenza, impartiva ordini: a cui tutti obbedivano, il bello è questo, e in una sorta di algolagnica[18] frenesia, di voluttà masocona: presi nel cerchio magico del V.E., nell'ellisse gravitatoria di quel nucleo d'energia così felicemente irradiata a' satelliti[19]: e, dopo di loro, a tutti i ladri in genere. Che anelavano sol questo, appena vederlo: esser travolti in catorbia[20] da un suo sguardo.

L.A.: pag. 241

[13] pirlava: (milanese) faceva lo stupido (pirla).
[14] il par: (romanesco) il paio.
[15] du: (romanesco) due. La grafia è generalmente «du».
[16] bociava: deformazione di «vociava».
[17] in nel tubo: nel tubo.
[18] algolagnica: neologismo da «algos» (greco: «dolore») e «lagna».
[19] a' satelliti: (poetico; arcaico) ai satelliti.
[20] catorbia: (arcaico) prigione, carcere.

Elsa Morante
L'isola di Arturo (1957)

DONNE
✳ ✳

Del resto, facendo un'eccezione per la Maternità di mia madre, nulla, nell'oscuro popolo delle donne, mi pareva importante; e non m'interessava molto d'indagare i loro misteri. Tutte le grandi azioni che m'affascinavano sui libri erano compiute da uomini, mai da donne. L'avventura, la guerra e la gloria erano privilegi virili. Le donne, invece, erano l'amore; e nei libri si raccontava di persone femminili regali e stupende. Ma io sospettavo che simili donne, e anche quel meraviglioso sentimento dell'amore, fossero soltanto un'invenzione dei libri, non una realtà. L'eroe perfetto esisteva davvero, io ne vedevo la riprova in mio padre; ma di donne splendenti, sovrane dell'amore, come quelle dei libri, io non ne conoscevo nessuna. L'amore, dunque, la passione, questo famoso grande fuoco, era forse un'impossibilità fantastica.

Per quanto, difatti, io fossi ignorante sul conto delle donne reali, mi bastava d'intravederle appena per concludere che non avevano nulla in comune con quelle dei libri. Secondo il mio giudizio, le donne reali non possedevano nessuno splendore e nessuna magnificenza. Erano degli esseri piccoli, non potevano mai crescere quanto un uomo, e passavano la vita rinchiuse dentro camere e stanzette: per questo erano cosí pallide. Tutte infagottate nei loro grembiuli, gonne e sottane, in cui dovevano tener sempre nascosto, per legge, il loro corpo misterioso, esse mi parevano figure goffe, quasi informi. Erano sempre affaccendate, sfuggenti, si vergognavano di se stesse, forse perché erano cosí brutte; e andavano come animali intristiti, diversi in tutto dall'uomo, senza eleganza né spavalderia. Spesso si riunivano in crocchio, e discorrevano con dei gesti appassionati, gettando delle occhiate intorno per paura che qualcuno potesse sorprendere la loro segretezza. Dovevano avere molti segreti comuni, chi sa quali? certo, tutte cose puerili! Nessuna certezza assoluta poteva interessarle.

I loro occhi erano tutti quanti d'uno stesso colore: neri! I loro capelli, di tutte quante, erano scuri, rozzi e selvaggi. Davvero, per quello che mi riguardava, esse potevano tenersi lontane quanto volevano dalla Casa dei guaglioni[1]: certo io non mi sarei mai innamorato di una di loro, e non volevo sposare nessuna.

Talvolta, seppure di rado, capitava nell'isola qualche donna forestiera, che scendeva alla spiaggia e si spogliava per bagnarsi, senza nessun rispetto né vergogna, come fosse un uomo. Io, uguale in questo agli altri Procidani, non provavo nessuna curiosità per i bagnanti forestieri; mio padre sembrava considerarli gente ridicola e odiosa, e, insieme a me, rifuggiva dai luoghi dov'essi si bagnavano. Li avremmo scacciati volentieri, perché eravamo gelosi delle nostre spiagge. E quelle donne là, nessuno le guardava. Per i Procidani, e anche per me, esse non erano donne, ma quasi degli animali pazzi, discesi dalla luna. A me non veniva neppure in mente che le loro forme svergognate potessero avere una qualche bellezza.

E cosí, mi pare di aver detto quasi tutte le idee che avevo allora sulle donne!

Quando nasceva una femmina, a Procida, la famiglia era scontenta. E io pensavo alla sorte delle femmine. Da bambine, esse ancora non apparivano piú brutte dei maschi, né molto diverse; ma per loro non c'era la speranza di poter diventare, crescendo, un bello e grande eroe. La loro sola speranza, era di diventare le spose d'un eroe: di servirlo, di stemmarsi del suo nome, di essere la sua proprietà indivisa, che tutti rispettano; e di avere un bel figlio da lui, somigliante al padre.

A mia madre, tale soddisfazione è mancata: essa ha avuto appena il tempo di vedere questo figlio scuro, con gli occhi mori, tutto l'opposto di suo marito Wilhelm. E se per caso questo figlio, benché bruno, era destinato a diventare un eroe, lei non ha potuto saperlo, perché è morta.

E.: pag. 271

[1] guaglioni: (napoletano) ragazzi.

Italo Calvino
Gli amori difficili (1958)

L'AVVENTURA DI DUE SPOSI
* *

L'operaio Arturo Massolari faceva il turno della notte, quello che finisce alle sei. Per rincasare aveva un lungo tragitto, che compiva in bicicletta nella bella stagione, in tram nei mesi piovosi e invernali. Arrivava a casa tra le sei e tre quarti e le sette, cioè alle volte un po' prima alle volte un po' dopo che suonasse la sveglia della moglie, Elide.

Spesso i due rumori: il suono della sveglia e il passo di lui che entrava si sovrapponevano nella mente di Elide, raggiungendola in fondo al sonno, il sonno compatto della mattina presto che lei cercava di spremere ancora per qualche secondo col viso affondato nel guanciale. Poi si tirava su dal letto di strappo e già infilava la braccia alla cieca nella vestaglia, coi capelli sugli occhi. Gli appariva cosí, in cucina, dove Arturo stava tirando fuori i recipienti vuoti dalla borsa che si portava con sé sul lavoro: il portavivande, il termos, e li posava sull'acquaio. Aveva già acceso il fornello e aveva messo su il caffè. Appena lui la guardava, a Elide veniva da passarsi una mano sui capelli, da spalancare a forza gli occhi, come se ogni volta si vergognasse un po' di questa prima immagine che il marito aveva di lei entrando in casa, sempre cosí in disordine, con la faccia mezz'addormentata. Quando due hanno dormito insieme è un'altra cosa, ci si ritrova al mattino a riaffiorare entrambi dallo stesso sonno, si è pari.

Alle volte invece era lui che entrava in camera a destarla, con la tazzina del caffè, un minuto prima che la sveglia suonasse; allora tutto era piú naturale, la smorfia per uscire dal sonno prendeva una specie di dolcezza pigra, le braccia che s'alzavano per stirarsi, nude, finivano per cingere il collo di lui. S'abbracciavano. Arturo aveva indosso il giaccone impermeabile; a sentirselo vicino lei capiva il tempo che faceva: se pioveva o faceva nebbia o c'era neve, a secondo di com'era umido e freddo. Ma gli diceva lo stesso: – Che tempo fa? – e lui attaccava il suo solito brontolamento mezzo ironico, passando in rassegna gli inconvenienti che gli erano occorsi, cominciando dalla fine: il percorso in bici, il tempo trovato uscendo di fabbrica, diverso da quello di quando c'era entrato la sera prima, e le grane sul lavoro, le voci che correvano nel reparto, e cosí via.

A quell'ora, la casa era sempre poco scaldata, ma Elide s'era tutta spogliata, un po' rabbrividendo, e si lavava, nello stanzino da bagno. Dietro veniva lui, piú con calma, si spogliava e si lavava anche lui, lentamente, si toglieva di dosso la polvere e l'unto dell'officina. Cosí stando tutti e due intorno allo stesso lavabo, mezzo nudi, un po' intirizziti, ogni tanto dandosi delle spinte, togliendosi di mano il sapone, il dentifricio, e continuando a dire le cose che avevano da dirsi, veniva il momento della confidenza, e alle volte, magari aiutandosi a vicenda a strofinarsi la schiena, s'insinuava una carezza, e si trovavano abbracciati.

Ma tutt'a un tratto Elide: – Dio! Che ora è già! – e correva a infilarsi il reggicalze, la gonna, tutto in fretta, in piedi, e con la spazzola già andava su e giú per i capelli, e sporgeva il viso allo specchio del comò, con le mollette strette tra le labbra. Arturo le veniva dietro, aveva acceso una sigaretta, e la guardava stando in piedi, fumando, e ogni volta pareva un po' impacciato, di dover stare lí senza poter fare nulla. Elide era pronta, infilava il cappotto nel corridoio, si davano un bacio, apriva la porta e già la si sentiva correre giú per le scale.

Arturo restava solo. Seguiva il rumore dei tacchi di Elide giú per i gradini, e quando non la sentiva piú continuava a seguirla col pensiero, quel trotterellare veloce per il cortile, il portone, il marciapiede, fino alla fermata del tram. Il tram lo sentiva bene, invece: stridere, fermarsi, e lo sbattere della pedana a ogni persona che saliva. «Ecco, l'ha preso», pensava, e vedeva sua moglie aggrappata in mezzo alla folla d'operai e operaie sull'«undici», che la portava in fabbrica come tutti i giorni. Spegneva la cicca, chiudeva gli sportelli alla finestra, faceva buio, entrava in letto.

Il letto era come l'aveva lasciato Elide alzandosi, ma dalla parte sua, di Arturo, era quasi intatto, come fosse stato rifatto allora. Lui si coricava dalla propria parte, per bene, ma dopo allungava una gamba in là, dov'era rimasto il calore di sua moglie, poi ci allungava anche l'altra gamba, e cosí a poco a poco si spostava tutto dalla parte di Elide, in quella nicchia di tepore che conservava ancora la forma del corpo di lei, e affondava il viso nel suo guanciale, nel suo profumo, e s'addormentava.

Quando Elide tornava, alla sera, Arturo già da un po' girava per le stanze: aveva acceso la stufa, messo qualcosa a cuocere. Certi lavori li faceva lui, in quelle ore prima di cena, come rifare il letto, spazzare un po', anche mettere a bagno la roba da lavare. Elide poi trovava tutto malfatto, ma lui a dir la verità non ci metteva nessun impegno in piú: quello che lui faceva era solo una specie di rituale per aspettare lei, quasi un venirle incontro pur restando tra le pareti di casa, mentre fuori s'accendevano le luci e lei passava per le botteghe in mezzo a quell'animazione fuori tempo dei quartieri dove ci sono tante donne che fanno la spesa alla sera.

Alla fine sentiva il passo per la scala, tutto diverso da quello della mattina, adesso appesantito, perché Elide saliva stanca dalla giornata di lavoro e carica della spesa. Arturo usciva sul pianerottolo, le prendeva di mano la sporta, entravano parlando. Lei si buttava su una sedia in cucina, senza togliersi il cappotto, intanto che lui levava la roba dalla sporta. Poi: – Su, diamoci un addrizzo[1], – lei diceva, e s'alzava, si toglieva il cappotto, si metteva in veste da casa. Cominciavano a preparare da mangiare: cena per tutt'e due, poi la merenda che si portava lui in fabbrica per l'intervallo dell'una di notte, la colazione che doveva portarsi in fabbrica lei l'indomani, e quella da lasciare pronta per quando lui l'indomani si sarebbe svegliato.

Lei un po' sfaccendava un po' si sedeva sulla seggiola di paglia

[1] diamoci un addrizzo: (familiare) tiriamoci su, diamoci da fare.

e diceva a lui cosa doveva fare. Lui invece era l'ora in cui era riposato, si dava attorno, anzi voleva far tutto lui, ma sempre un po' distratto, con la testa già ad altro. In quei momenti lí, alle volte arrivavano sul punto di urtarsi, di dirsi qualche parola brutta, perché lei lo avrebbe voluto piú attento a quello che faceva, che ci mettesse piú impegno, oppure che fosse piú attaccato a lei, le stesse piú vicino, le desse piú consolazione. Invece lui, dopo il primo entusiasmo perché lei era tornata, stava già con la testa fuori di casa, fissato nel pensiero di far presto perché doveva andare.

Apparecchiata tavola, messa tutta la roba pronta a portata di mano per non doversi piú alzare, allora c'era il momento dello struggimento che li pigliava tutti e due d'avere cosí poco tempo per stare insieme, e quasi non riuscivano a portarsi il cucchiaio alla bocca, dalla voglia che avevano di star lí a tenersi per mano.

Ma non era ancora passato tutto il caffè e già lui era dietro la bicicletta a vedere se ogni cosa era in ordine. S'abbracciavano. Arturo sembrava che solo allora capisse com'era morbida e tiepida la sua sposa. Ma si caricava sulla spalla la canna della bici e scendeva attento le scale.

Elide lavava i piatti, riguardava la casa da cima a fondo, le cose che aveva fatto il marito, scuotendo il capo. Ora lui correva le strade buie, tra i radi fanali, forse era già dopo il gasometro. Elide andava a letto, spegneva la luce. Dalla propria parte, coricata, strisciava un piede verso il posto di suo marito, per cercare il calore di lui, ma ogni volta s'accorgeva che dove dormiva lei era piú caldo, segno che anche Arturo aveva dormito lí, e ne provava una grande tenerezza.

L.A.: pag. 242
E.: pag. 272

Eduardo De Filippo
Sabato, domenica e lunedí (1959)

"ANTONIO, IL NONNO"

*

Antonio in pantofole, con una vecchia giacca sulla lunga camicia da letto e berrettino da notte calzato fino alle orecchie; entra e, come di abitudine, gira la chiavetta dell'interruttore per accendere la luce del lampadario. Naturalmente quella si spegne. Il vecchio rimane sorpreso e parla da solo in quanto non si è accorto della presenza di sua figlia e di suo genero.

ANTONIO E che d'è?[1] *(Credendo poi di aver intuito il motivo per cui la luce si è spenta, invece di accendersi, dice a se stesso)* L'hanno lasciata accesa ieri sera. *(E gira di nuovo la chiavetta dell'interruttore, la luce torna. Finalmente scorge Amelia)* Guè[2] zia Memé! Memé!

ZIA MEMÉ Buongiorno papà. Avete smorzata la luce[3].

ANTONIO Perché la volevo accendere. Chi l'ha lasciata accesa ieri sera, tu?

ZIA MEMÉ Abbiamo fatto tardi, allora...

ANTONIO E ti sei alzata cosí presto?

ZIA MEMÉ Piú tardi si va a letto meno si dorme.

ANTONIO Sono passato per il salotto e ho trovato Roberto e la moglie che dormivano su due divani... hanno dormito qua?

ZIA MEMÉ Se li avete trovati.

ANTONIO Già... e perché?

ZIA MEMÉ Ve l'ho detto, abbiamo fatto tardi.

---

[1] che d'è: (regionale) che c'è, come mai.
[2] Guè: (napoletano) Ehi.
[3] Avete smorzata la luce: (regionale) Avete spento la luce.

Segue una pausa.

ANTONIO *(dopo un attimo di meditazione)* Ma io la mattina sono sempre il primo ad alzarmi. Anzi stamattina l'ho fatta un poco tardi[4] perché fa freschetto e si stava bene a letto. Ma di solito quando tutti quanti dormono è proprio il momento che mi godo la casa. Vado scavando le cose che mi fa piacere di rivedere, di toccare... senza ragione e senza nessuno che ti domanda: «Cercate qualcosa? dite a me». Poi mi piace di vedere, in silenzio, quando fa giorno e si alza il sole. Tu dici: «E perché?» *(Amelia sta leggendo e non segue quello che dice suo padre).* Perché quando ero giovane mi svegliavo sempre quando il sole era già uscito o non era uscito proprio perché era una brutta giornata. *(Girandosi verso il balcone)* Stamattina, per esempio, chi sa se esce o no. Ieri sera mi faceva male il callo, tanto che io dissi: «domani piove». Ma adesso non mi fa male piú. Forse perché tengo[5] le pantofole. Se non mi fa male perché tengo le pantofole, è cattivo tempo e piú tardi viene a piovere. Se le pantofole non c'entrano niente con l'atmosfera, piú tardi esce il sole. *(Si avvia verso la poltrona su cui è seduto Peppino)* Io la mattina qua mi siedo per vedere come si presenta la giornata. *(E scorge Peppino lí seduto)* Guè Peppí[6]...

PEPPINO Buongiorno papà. *(Si accinge a cedere il posto).*

ANTONIO No, no... stai tanto bello[7] là. Tu pure ti sei alzato piú presto?

PEPPINO Vi ho tolto il posto di osservazione.

ANTONIO E che fa, per una volta. Dentro 'o salotto[8] ci sta[9] Roberto con la moglie... se no me ne andavo là; il balcone del salotto pure è bello. In cucina non c'è nessuno? *(Amelia sempre interessata alla lettura non ha sentito).* Zia Memé?

---

[4] l'ho fatta un poco tardi: ho fatto un poco tardi. In "l'ho fatta", con "l(a)" si intende "l'ora".

[5] tengo: (regionale) ho.

[6] Peppì: (regionale) Peppino (vocativo).

[7] tanto bello: (napoletano) tanto comodo.

[8] Dentro 'o salotto: (napoletano) In salotto.

[9] Ci sta: (regionale) c'è.

ZIA MEMÉ Che volete papà?

ANTONIO *(avviandosi per uscire)* Niente, niente, non voglio niente. Arrangio con la finestra della cucina. *(Ed esce)*.

GIULIANELLA in vestaglia entra e si avvicina a Zia Memé. Nel cingerle il collo con un braccio reclina teneramente la testa per metterla al contatto con quella di lei.

ZIA MEMÉ *(carezzando Giulianella con altrettanta tenerezza)* Giulianè[10]... *(Come per dire: sei già sveglia?)* Be'?

GIULIANELLA Non potevo dormire.

ZIA MEMÉ Sí, capisco, sei rimasta scossa pure tu.

GIULIANELLA Di che cosa?

ZIA MEMÉ Della scenata di ieri al giorno. I figli restano impressionati di fronte a certi fatti. Tu però non ti devi fissare.

GIULIANELLA No, zia Memé, e chi ci pensa. Io e Rocco ci siamo fatte un sacco di risate[11].

ZIA MEMÉ E quando?

GIULIANELLA Quando se n'è andato il dottore e Rocco è venuto in camera mia per dirmi: «Tu ci credi al fatto di mammà col ragioniere Ianniello?»[12]

ZIA MEMÉ Ma perché, Rocco l'ha creduto possibile?

GIULIANELLA No, me lo ha detto per prendermi in giro. E si è messo a rifare la scena tragica che ha fatto papà, imitandolo in un modo perfetto. Io stavo morendo dalle risate.

PEPPINO *(con amarezza)* È finita a risate... è finita... è vero?

GIULIANELLA No papà, non è finita a risate: abbiamo continuato a fare quello che facciamo sempre. Quello dice bene zio Rafele[13] quando dice che la nostra famiglia è da teatro comico napoletano. *(Si interrompe nel dire perché avverte un molesto languore)*

---

[10] Giulianè: (regionale) Giulianella (vocativo).

[11] Io e Rocco ci siamo fatte un sacco di risate: la concordanza del participio passato con il sostantivo oggetto è un tratto dell'italiano meridionale.

[12] Allude ad una supposta relazione tra la madre ed il vicino di casa, che la sera prima aveva causato una scena di gelosia da parte del padre.

[13] Quello [...] Rafele: la frase va letta con una pausa dopo "bene". "Quello" si riferisce allo zio Rafele (Raffaele).

Mi sono svegliata con un poco d'appetito. *(A conferma di ciò che ha detto riecheggia nel suo stomaco vuoto un prolungato brontolio che ella segue in rispettoso silenzio)* Avete sentito?

ZIA MEMÉ *(liberata dal dubbio)* Sei stata tu? *(Divertita)* Io ero convinta che si stava lamentando lo stomaco mio. *(E ne ridono insieme)*. Ci sta tutto il pezzo di ragú di ieri che non fu portato nemmeno a tavola. Te ne mangi una fetta. Quando è freddo è piú saporito. *(Virginia entra e attraversa la stanza recando il bicchiere vuoto dell'aranciata)*. Virgí[14], prendi dalla dispensa il pezzo di ragú di ieri e portalo qua.

VIRGINIA Subito. *(Ed esce)*.

ZIA MEMÉ Me ne mangio una fettina pure io. *(Prende piatti forchette e coltelli dalla credenza e mette tutto sul tavolo)*.

GIULIANELLA Ma mammà come sta?

ZIA MEMÉ Non tiene[15] niente, un poco scombussolata; ma bisogna dire che l'ha passata brutta e che è stata miracolata, se no si piglia collera[16].

ANTONIO *(tornando)* Mannaggia la capa del ciuccio[17], non si può stare nemmeno in cucina.

ZIA MEMÉ Ch'è stato?

ANTONIO *(allude a Virginia)* E quella viene, apre la dispensa... *(insofferente)* si muove. *(Rimane sorpreso nel vedere in piedi pure la nipote)* Giuliané, e tu pure sei svegliata[18]?

GIULIANELLA *(abbracciandolo con trasporto e coprendogli le guance di piccoli baci)* Perché, solo voi vi potete svegliare presto? Avete visto come sono mattiniera io pure? *(In un impeto di affetto gli stringe fra le mani la testa e gliela scuote, dicendo)* Quanto è bello il nonno mio!

ANTONIO *(dopo un attimo di stordimento)* Giuliané, bella d'o nonno[19], questa è una testa vecchia... non la devi strapazzare.

---

[14] Virgí: (regionale) Virginia (vocativo).
[15] tiene : (regionale) ha.
[16] si piglia collera: (napoletano) si arrabbia.
[17] Mannaggia [...] ciuccio: imprecazione napoletana.
[18] sei svegliata: (napoletano) sei sveglia.
[19] bella d'o nonno: (napoletano) bella del nonno.

GIULIANELLA E quando vi fate grattare in testa e dite: «Piú forte, piú forte, piú forte?»

ANTONIO La sera. La sera è già una testa che ha funzionato tutta la giornata, ma la mattina presto la devo tenere riposata e la devo mettere in movimento piano piano. *(Si avvicina verso la sua poltrona e vi scorge di nuovo Peppino seduto)* Tu stai ancora qua?

PEPPINO *(facendo l'atto di alzarsi per cedergli il posto)* Vi volevo far sedere pure prima.

ANTONIO No, non ti muovere, tu stai tanto bello.

Virginia entra recando il piatto di ragú e un filone di pane.

VIRGINIA Ecco qua. *(E mette tutto sul tavolo)*.

Entra Roberto.

ROBERTO *(un poco assonnato, e infreddolito)* Buongiorno.

ZIA MEMÉ Buongiorno.

ANTONIO *(a conclusione di una breve ma scrupolosa meditazione)* Mo'[20] me ne vado nel bagno. *(E si avvia)*.

ROBERTO Ci sta Rocco.

ANTONIO Nel salotto ci sta tua moglie...

ZIA MEMÉ Ma la camera vostra non la tenete[21]?

ANTONIO Sí, ma la camera mia la conosco. Uno si sveglia e resta nella camera sua?

ZIA MEMÉ Perché la casa non la conoscete? *(Intanto affetta un pezzo di ragú per Giulianella e uno per sé)*.

ANTONIO Si capisce che la conosco, bella scoperta... Ma è sempre piú estranea della camera mia. E poi, perché non mi fate fare quello che voglio io, senza dire: «fai cosí e fai colí».

E.: pag. 275

[20] Mo': (regionale) Ora.
[21] tenete: (regionale) avete.

Leonardo Sciascia
Il giorno della civetta (1961)

"LA MAFIA NON ESISTE"
* *

– Non capisco, proprio non capisco: un uomo come don Mariano Arena, un galantuomo: tutto casa e parrocchia; e in età, poveretto, con tanti malanni addosso, tante croci... E lo arrestano come un delinquente mentre, permettetemi di dirlo, tanti delinquenti se la spassano sotto gli occhi nostri, vostri potrei dire meglio: ma so quanto, voi personalmente, tentate di fare, e apprezzo moltissimo il vostro lavoro, anche se non tocca a me apprezzarlo nel giusto merito...

– Grazie: ma facciamo, tutti, il possibile.

– E no, lasciatemelo dire... Quando di notte si va a bussare ad una casa onorata, sí: onorata, e si tira dal letto un povero cristiano, vecchio e sofferente per giunta, e lo si trascina in carcere come un malfattore, gettando nella costernazione e nell'angoscia una famiglia intera: e no, questa non è cosa, non dico umana, ma, lasciatemelo dire, giusta...

– Ma ci sono dei sospetti fondati che...

– Dove e come fondati? Uno perde il senno, vi manda un biglietto col mio nome scritto sopra: e voi venite qui, nel cuore della notte e, cosí vecchio come sono, senza considerazione per il mio passato di galantuomo, mi trascinate in galera come niente.

– Veramente, nel passato dell'Arena qualche macchia c'è...

– Macchia?... Amico mio, lasciatemelo dire, da siciliano e da uomo quale sono, se per quello che sono merito un po' della vostra fiducia: qui il famoso Mori ha spremuto lacrime e sangue... È stata una di quelle cose del fascismo che, per carità, è meglio non toccare: e guardate che io del fascismo non sono un detrattore, certi giornali mi chiamano addirittura fascista... E forse che

nel fascismo non c'era del buono? C'era, e come... Questa canea
che chiamano libertà, queste manciate di fango che volano
nell'aria a colpire anche le vesti piú immacolate, i sentimenti piú
puri... Lasciamo andare... Mori, come vi dicevo, è stato qui un
flagello di Dio: passava e coglieva, come qui si suol dire, duri e
maturi; chi c'entrava e chi non c'entrava, birbanti e galantuomini,
a fantasia sua e di chi gli faceva le spiate... È stata una sofferenza,
amico mio, e per la Sicilia intera... Ora voi venite a parlarmi della
macchia. Quale macchia? Se conosceste, come io lo conosco, don
Mariano Arena, voi non parlereste di macchie: un uomo, lasciatemelo dire, come ce ne sono pochi: non dico per integrità di fede,
che a voi, non voglio considerare se giustamente o meno, può anche non interessare; ma per onestà, per amore del prossimo, per
saggezza... Un uomo eccezionale, vi assicuro: tanto piú se si pensa che è sprovvisto di istruzione, di cultura... Ma voi sapete
quanto piú della cultura valga la purezza del cuore... Ora prendere un uomo simile come un malfattore è cosa che, lasciatemelo
dire con la mia sincerità di sempre, mi fa pensare per l'appunto ai
tempi di Mori...

– Ma dalla voce pubblica l'Arena è indicato come capo mafia.

– La voce pubblica... Ma che cos'è la voce pubblica? Una voce nell'aria, una voce dell'aria: e porta la calunnia, la diffamazio-
ne, la vendetta vile... E poi: che cos'è la mafia?... Una voce anche
la mafia: che ci sia ciascun lo dice, dove sia nessun lo sa... Voce,
voce che vaga: e rintrona le teste deboli, lasciatemelo dire... Sapete come diceva Vittorio Emanuele Orlando? Vi cito le sue parole,
che, lontani come siamo dalle sue concezioni, assumono, dette da
noi, piú, lasciatemelo dire, autorità. Diceva...

– Ma la mafia, almeno per certe manifestazioni che io ho potuto constatare, esiste.

– Mi addolorate, figlio mio, mi addolorate: come siciliano mi
addolorate, e come uomo ragionevole quale presumo di essere...
Quel che, indegnamente, rappresento, si capisce non c'entra...
Ma il siciliano che io sono, e l'uomo ragionevole che presumo di
essere, si ribellano a questa ingiustizia verso la Sicilia, a questa offesa alla ragione. Badate che la ragione ha per me, naturalmente,

la erre minuscola: sempre... Ditemi voi se è possibile concepire l'esistenza di una associazione criminale cosí vasta ed organizzata, cosí segreta, cosí potente da dominare non solo mezza Sicilia, ma addirittura gli Stati Uniti d'America: e con un capo che sta qui, in Sicilia; visitato dai giornalisti e poi dai giornali; presentato, poveretto, nelle tinte piú fosche... Ma lo conoscete voi? Io sí: un buon uomo, padre di famiglia esemplare, lavoratore infaticabile. E si è arricchito, certo che si è arricchito: ma col lavoro. E ha avuto i suoi guai con Mori, anche lui... Ci sono uomini rispettati: per le loro qualità, per il loro saper fare, per la capacità che hanno di comunicare, di crearsi immediatamente un rapporto di simpatia, di amicizia; e quella che voi chiamate voce pubblica, il vento della calunnia, subito si leva a dire «ecco i capi mafia...» E c'è una cosa che non sapete: questi uomini, che la voce pubblica vi indica come capi mafia, hanno una qualità che io mi augurerei di trovare in ogni uomo, e che basterebbe a far salvo ogni uomo davanti a Dio: il senso della giustizia... Istintivo, naturale: un dono... E questo senso della giustizia li rende oggetto di rispetto...

– È questo il punto: l'amministrazione della giustizia è il compito dello Stato: e non si può ammettere che...

– Parlo di senso della giustizia, non di amministrazione della giustizia... E poi vi dico: se noi due stiamo a litigare per un pezzo di terra, per una eredità, per un debito; e viene un terzo a metterci d'accordo, a risolvere la vertenza... In un certo senso, viene ad amministrare giustizia: ma sapete cosa sarebbe accaduto di noi due, se avessimo continuato a litigare davanti alla *vostra* giustizia? Anni sarebbero passati, e forse per impazienza, per rabbia, uno di noi due, o tutti e due, ci saremmo abbandonati alla violenza... Non credo, insomma, che un uomo di pace, un uomo che mette pace, venga ad usurpare l'ufficio di giustizia che lo Stato detiene e che, per carità, è legittimo...

– Messe le cose su questo piano...

– E su quale piano volete metterle? Sul piano di quel vostro collega che ha scritto un libro sulla mafia che, lasciatemelo dire, è una tale fantasia che mai me la sarei aspettata da un uomo responsabile...

– Per me la lettura di quel libro è stata molto istruttiva...

– Se intendete dire che vi avete appreso cose nuove, va bene: ma che le cose di cui il libro parla esistano davvero, è un altro discorso... Ma mettiamo le cose su un altro piano: c'è stato mai un processo da cui sia risultata l'esistenza di un'associazione criminale chiamata mafia cui attribuire con certezza il mandato e l'esecuzione di un delitto? È mai stato trovato un documento, una testimonianza, una prova qualsiasi che costituisca sicura relazione tra un fatto criminale e la cosiddetta mafia? Mancando questa relazione, e ammettendo che la mafia esista, io posso dirvi: è una associazione di segreto mutuo soccorso, né piú né meno che la massoneria. Perché non attribuite certi delitti alla massoneria? Ci sono tante prove che la massoneria svolga azioni delittuose quante ce ne sono che le svolga la mafia...

– Io credo...

– Credete a me, lasciatevi ingannare da me: che, per quel che indegnamente rappresento, Dio sa se voglio e posso ingannarvi... E vi dico: quando voi, nell'autorità di cui siete investito, indirizzate, come dire?, le vostre attenzioni verso persone dalla voce pubblica indicate come appartenenti alla mafia, e soltanto per il fatto che sono indicate come mafiose, senza concrete prove e dell'esistenza della mafia e dell'appartenenza ad essa delle singole persone, ebbene: voi fate, al cospetto di Dio, ingiusta persecuzione... E siamo proprio al caso di don Mariano Arena... E di questo ufficiale che l'ha arrestato, senza pensarci due volte, con una leggerezza, lasciatemelo dire, non degna della tradizione dell'Arma, diremo col latino di Svetonio che ne principum quidem virorum insectatione abstinuit[1]... Che tradotto in spiccioli vuol dire che don Mariano è amato e rispettato da un paese intero, prediletto da me, e vi prego di credere che so scegliere gli uomini alla mia dilezione, e carissimo all'onorevole Livigni e al ministro Mancuso...

L.A.: pag. 242

---

[1] ne principum... abstinuit: (latino) non ha avuto scrupolo di perseguitare perfino le personalità più ragguardevoli.

Giorgio Bassani
Il giardino dei Finzi-Contini (1962)

"LA SINAGOGA"
* *

Che fossimo ebrei, tuttavia, e iscritti nei registri della stessa Comunità israelitica, nel caso nostro contava ancora abbastanza poco. Giacché cosa mai significava la parola «ebreo», in fondo? Che senso potevano avere, *per noi*, espressioni quali «Comunità israelitica» o «Università israelitica», visto che prescindevano completamente dall'esistenza di quell'ulteriore intimità, segreta, apprezzabile nel suo valore soltanto da chi ne era partecipe, derivante dal fatto che le nostre due famiglie, non per scelta, ma in virtù di una tradizione più antica di ogni possibile memoria, appartenevano al medesimo rito religioso, o meglio alla medesima Scuola? Quando ci incontravamo sul portone del Tempio, in genere all'imbrunire, dopo i laboriosi convenevoli scambiati nella penombra del portico finiva quasi sempre che salissimo in gruppo anche le ripide scale che portavano al secondo piano, dove ampia, gremita di popolo misto, echeggiante di suoni d'organo e di canti come una chiesa – e così alta, sui tetti, che in certe sere di maggio, coi finestroni laterali spalancati dalla parte del sole al tramonto, a un dato punto ci si trovava immersi in una specie di nebbia d'oro –, c'era la sinagoga italiana. Ebbene soltanto noi, ebrei, d'accordo, ma cresciuti nell'osservanza di un medesimo rito, potevamo renderci davvero conto di quel che volesse dire avere il proprio banco di famiglia nella sinagoga italiana, lassù al secondo piano, invece che al primo, in quella tedesca, così diversa nella sua severa accolta, quasi luterana, di facoltose lobbie borghesi. E c'era dell'altro: perché anche a dare per risaputa al di fuori dell'ambiente strettamente ebraico una sinagoga italiana distinta da una tedesca, con quanto di particolare tale distinzione implicava sul piano sociale e sul piano psicologico, chi, oltre noi, sarebbe stato in grado di fornire precisi ragguagli intorno a «quelli di via Vittoria», tanto per fare un esempio? Con questa frase ci si riferiva di solito ai membri delle quattro o cinque famiglie che avevano il diritto di frequentare la piccola, separata sinagoga levantina, detta anche fanese, situata al terzo piano di una vecchia casa d'abitazione di via Vittoria, ai Da Fano di via Scienze, ai Cohen di via Gioco del Pallone, ai Levi di piazza Ariostea, ai Levi-Minzi di viale Cavour, e non so a quale altro isolato nucleo famigliare: tutta gente in ogni caso un po' strana, tipi sempre un tantino ambigui e sfuggenti, per i quali la religione, che a Scuola italiana aveva assunto forme di popolarità e teatralità pressoché cattoliche, con riflessi evidenti anche nei caratteri delle persone, per lo più estroversi e ottimisti, molto *padani*, era rimasta essenzialmente culto da praticare in pochi, in oratorî semiclandestini a cui era opportuno dirigersi di notte, e radendo alla spicciolata i vicoli più oscuri e peggio noti del ghetto. No, no, soltanto noi, nati e cresciuti *intra muros*[1], potevamo sapere, comprendere davvero queste cose: sottilissime, irrilevanti, ma non per ciò meno reali. Gli altri, tutti gli altri, e in primo luogo i miei molto amati compagni quotidiani di studio e di giochi, inutile pensare di erudirli in una materia talmente privata. Povere anime. A questo proposito, non erano da considerarsi che degli esseri semplici e rozzi condannati a vita in fondo a irremeabili abissi di ignoranza, ovvero – come diceva perfino mio padre, sogghignando benigno – dei «*negri goìm*[2]».

L.A: pag. 243

---

[1] *intra muros:* (latino) «tra le mura», cioè all'interno della comunità ebraica.
[2] *goìm:* (ebraico) designazione dei non-ebrei.

"IL TENNIS"
✻ ✻ ✻

Fummo davvero molto fortunati, con la stagione. Per dieci o dodici giorni il tempo si mantenne perfetto, fermo in quella specie di magica sospensione, di immobilità dolcemente vitrea e luminosa che è particolare di certi nostri autunni. Nel giardino faceva caldo: appena meno che se si fosse d'estate. Chi ne aveva voglia poteva tirare avanti col tennis fino alle cinque e mezzo e oltre, senza timore che l'umidità della sera, verso novembre già così forte, danneggiasse le corde delle racchette. A quell'ora, naturalmente, sul campo non ci si vedeva quasi più. Però la luce che continuava a dorare laggiù in fondo i declivi erbosi della Mura degli Angeli, pieni, specie la domenica, in una quieta folla multicolore (ragazzi che correvano dietro al pallone, balie sedute a sferruzzare accanto alle carrozzine, militari in libera uscita, coppie di innamorati alla ricerca di posti dove abbracciarsi), quell'ultima luce invitava a insistere in palleggi non importa se ormai pressoché ciechi. Il giorno non era finito, valeva la pena di giocare ancora un poco.

Tornavamo ogni pomeriggio, dapprima preavvisando con una telefonata, poi nemmeno; e sempre gli stessi, ad eccezione talvolta di Giampiero Malnate, il quale aveva conosciuto Alberto fin dal '33, a Milano, e a differenza di ciò che avevo creduto il primo giorno, incontrandolo davanti al portone di casa Finzi-Contini, non soltanto non aveva mai visto prima d'allora i quattro ragazzi con cui si accompagnava, ma non aveva mai avuto nulla da spartire né con l'*Eleonora d'Este*[1] né col suo vice-presidente e segretario, marchese Ippolito Barbicinti. Le giornate apparivano troppo belle e insieme troppo insidiate dall'inverno ormai imminente. Perderne una sola sembrava proprio un delitto. Senza darci appuntamento, arrivavamo sempre intorno alle due, subito dopo mangiato. Spesso, all'inizio, tornava a succedere che ci ritrovassi-

---

[1] l'*Eleonora d'Este*: nome del circolo del tennis da cui i ragazzi ebrei erano stati espulsi a seguito delle leggi razziali del 1938.

mo tutti quanti in gruppo dinanzi al portone, in attesa che Perotti venisse ad aprire. Ma l'istituzione dopo circa una settimana di un citofono e di una serratura comandata a distanza fece sì che, l'entrata nel giardino non rappresentando più un problema, sopraggiungessimo spesso alla spicciolata, come capitava. Per quel che mi riguarda, non mancai un solo pomeriggio; neanche per fare una delle mie consuete corse a Bologna. E neppure gli altri, se ben ricordo: né Bruno Lattes, né l'Adriana Trentini, né Carletto Sani, né Tonino Collevatti, ai quali successivamente si aggiunsero, a parte mio fratello Ernesto, altri tre o quattro ragazzi e ragazze. L'unico che, come ho detto, venisse con minore regolarità era «il» Giampiero Malnate (cominciò Micòl a chiamarlo così e presto l'uso fu generale). Aveva da fare i conti con gli orari di fabbrica – spiegò una volta –: non severissimi, è vero, dato che di gomma sintetica lo stabilimento Montecatini dove lui lavorava non ne aveva prodotto finora neanche un chilo, ma pur sempre orari. Comunque sia, mai che le sue assenze durassero più di due giorni filati. E d'altronde era anche l'unico, lui, oltre a me, che a giocare a tennis non mostrasse di tenere eccessivamente (per la verità giocava piuttosto male), talora accontentandosi, quando compariva in bicicletta verso le cinque, dopo il laboratorio, di arbitrare una partita o di sedere in disparte con Alberto a fumare la pipa e a conversare.

I nostri ospiti erano addirittura più assidui di noi. Potevamo capitare quando ancora dovevano battere le due al lontano orologio di piazza: per presto che si arrivasse, si era sicuri di trovarli già sul campo, e neanche giocando fra loro, adesso, come quel sabato che eravamo sbucati nella radura dietro la casa dove il campo si trovava, bensì intenti a controllare che ogni cosa fosse in ordine, la rete a posto, il terreno ben rullato e annaffiato, le palle in buone condizioni, oppure stesi su due sedie a sdraio con grandi cappelli di paglia in capo, immobili a prendere il sole. Come padroni di casa non si sarebbero potuti comportare meglio. Sebbene fosse chiaro che il tennis, inteso come puro esercizio fisico, come sport, a loro interessava fino a un certo punto, ciò nondimeno restavano lí fin dopo l'ultima partita (l'uno o l'altro sempre, ma certe volte tutti e due), senza mai accomiatarsi in anticipo col pretesto di un impegno, di cose da sbrigare, di un malessere. Qualche sera anzi erano proprio loro, nel buio pressoché totale, a insistere perché si facessero «ancora quattro palle, le ultime!», e a risospingere in campo chi già stava uscendone.

Come avevano subito dichiarato senza nemmeno tanto abbassare la voce Carletto Sani e Tonino Collevatti, il campo non si poteva certo dire che valesse molto.

Da pratici quindicenni, troppo giovani per aver mai frequentato terreni di gioco diversi da quelli che riempivano di giusto orgoglio il marchese Barbicinti, erano immediatamente partiti a stendere l'elenco dei difetti di quella specie di «campo di patate» (così si era espresso uno di loro, piegando le labbra in una smorfia di disprezzo). E cioè: quasi niente *out*, specie dietro le righe di fondo; terreno bianco, e poi mal drenato, che per poco che fosse piovuto si sarebbe trasformato in un pantano; nessuna siepe sempreverde a contatto delle reti metalliche di recinzione.

L.A.: pag. 244

"IL PROFESSOR ERMANNO"
✻ ✻

Più tardi, al termine della partita, e dopo che i «nuovi acquisti», Désirée Baggioli e Claudio Montemezzo, furono a loro turno presentati, accadde che mi ritrovassi in disparte col professor Ermanno. Nel parco la giornata stava come d'abitudine spegnendosi in ombra diffusa, color del latte. Mi ero allontanato di qualche decina di metri dal cancelletto d'ingresso. Gli occhi fissi alla lontana Mura degli Angeli illuminata di sole, udivo alle mie spalle la voce acuta di Micòl dominare su tutte le altre. Chissà con chi ce l'aveva, e perché.

«Era già l'ora che volge il disìo...», declamò una voce ironica e sommessa, vicinissima.

Mi girai stupito. Era il professor Ermanno, appunto, che, tutto contento di avermi fatto trasalire, sorrideva bonario. Mi prese

104

con delicatezza per un braccio, quindi, molto lentamente, tenendoci sempre ben discosti dalla rete metallica di recinzione e ogni tanto fermandoci, cominciammo a camminare attorno al campo di tennis. Compimmo un giro quasi completo, per poi, alla fine, tornare sui nostri passi. Avanti e indietro. Nel buio che via via cresceva, ripetemmo la manovra varie volte. Frattanto parlavamo: o meglio parlava in prevalenza lui, il professore.

Cominciò col chiedermi come giudicassi il campo di tennis, se lo trovavo davvero così indecente. Micòl non aveva dubbi: a darle retta, si sarebbe dovuto rifarlo da capo a fondo, con criteri moderni. Lui invece rimaneva incerto. Forse, al solito, il suo «caro terremoto» esagerava, forse non sarebbe stato indispensabile buttare all'aria tutto quanto come lei pretendeva.

«In ogni caso», aggiunse, «tra qualche giorno comincerà a piovere, inutile illudersi. Meglio rimandare ogni eventuale iniziativa all'anno prossimo, non pare anche a te?»

Ciò detto, passò a domandarmi che cosa stessi facendo, che cosa avevo intenzione di fare nell'immediato futuro. E come stavano i miei genitori.

Mentre mi chiedeva del «papà», notai due cose. Prima di tutto, che stentava a darmi del tu, tanto è vero che di lì a poco, fermandosi di botto, me lo dichiarò esplicitamente, ed io subito a pregarlo con molto e sincero calore che mi facesse il piacere, non stesse a darmi del lei, se no mi offendevo. In secondo luogo, che l'interesse e il rispetto che erano nella sua voce e nel suo viso mentre si informava della salute di mio padre (specie nei suoi occhi: le lenti degli occhiali, ingrandendoli, accentuavano la gravità e la mitezza della loro espressione), non apparivano affatto sforzati, per niente ipocriti. Mi raccomandò che gli portassi i suoi saluti. E il suo «plauso», anche: per i molti alberi che erano stati piantati nel nostro cimitero da quando lui aveva preso a occuparsene. Anzi, servivano dei pini? Dei cedri del Libano? Degli abeti? Dei salici piangenti? Glielo domandassi, al papà. Se per caso servivano (al giorno d'oggi, coi mezzi di cui l'agricoltura moderna disponeva, trapiantare alberi di grosso fusto era diventato uno scherzo), lui sarebbe stato felicissimo di metterne a disposizione nel numero desiderato. Stupenda idea, dovevo ammetterlo! Folto di belle e grandi piante, anche il nostro cimitero, col tempo, sarebbe stato in grado di rivaleggiare con quello di San Niccolò del Lido, a Venezia.

«Non lo conosci?»

Risposi di no.

«Eh, ma devi, *devi* cercare di visitarlo al più presto!», fece, con viva animazione. «È monumento nazionale! Del resto, tu che sei letterato, ricorderai di sicuro come inizia l'*Edmenegarda* di Giovanni Prati».

Fui costretto a dichiarare ancora una volta la mia ignoranza.

«Ebbene», riprese il professor Ermanno, «il Prati fa cominciare la sua *Edmenegarda* proprio lì, al cimitero israelitico del Lido, considerato nell'Ottocento come uno dei luoghi più romantici d'Italia. Attento, però: se e quanto andrai, non dimenticare di dire subito al custode del cimitero (è lui che ha in consegna la chiave del cancello) che intendi visitare quello *antico*, bada bene, il cimitero antico, dove non seppelliscono più dal Settecento, e non l'altro, il moderno, ad esso adiacente ma separato. Io lo scoprii nel 1905, figùrati. Anche se avevo quasi il doppio dell'età che hai tu adesso, ero ancora scapolo. Vivevo a Venezia (ci fui stabile per due anni), e il tempo che non passavo all'Archivio di Stato, in campo dei Frari, a scartabellare fra i manoscritti riguardanti le varie cosiddette Nazioni nelle quali era divisa nel Cinque e Seicento la Comunità veneziana, la Nazione levantina, la ponentina, la tedesca, l'italiana, lo passavo laggiù, talvolta anche d'inverno. Vero è che non ci andavo quasi mai da solo» – qui sorrise –, «e che in qualche modo, decifrando ad una ad una le lapidi del cimitero, di cui molte risalgono al primo Cinquecento, e sono scritte in spagnolo e portoghese, continuavo all'aperto il mio lavoro d'archivio. Eh, erano pomeriggi deliziosi, quelli... Che pace, che serenità... col cancelletto, di fronte alla laguna, che si apriva soltanto per noi. Ci siamo fidanzati proprio là dentro, Olga ed io».

E.: pag. 276

"DOPOCENA DI PASQUA DAI FINZI-CONTINI"

* * *

Il professor Ermanno insistette perché sedessi alla sua destra. Era il mio posto solito – spiegò a Micòl, che si era seduta frattanto alla sua sinistra, dirimpetto a me –: quello che occupavo «di norma» io quando rimanevo a cena. Giampiero Malnate – aggiunse poi –, l'amico di Alberto, sedeva invece «dall'altra parte, là», alla destra della mamma. E Micòl stava a sentire con un'aria curiosa, fra piccata e sardonica: come se le dispiacesse dover prendere atto che in sua assenza la vita della famiglia aveva battuto strade da lei non esattamente prevedute, e insieme lieta che le cose fossero andate appunto in quel modo.

Sedetti, e soltanto allora, stupito di avere osservato male, mi resi conto che la tovaglia non era affatto sgombra. Nel mezzo del tavolo c'era un vassoio d'argento, basso, circolare, e piuttosto ampio, e al centro del vassoio, contornato a due palmi di distanza da una raggera di pezzetti di cartoncino bianco, ciascuno dei quali recava una lettera dell'alfabeto scritta a lapis rosso, spiccava solitario un calice da *champagne*.

«E quello, cos'è?», chiesi ad Alberto.

«Ma è la *grande* sorpresa che ti avevo detto!», esclamò Alberto. «È semplicemente formidabile. Basta che tre o quattro persone in circolo mettano il dito sul suo orlo, e subito lui, su e giú, una lettera dopo l'altra, risponde».

«Risponde?!»

«Certo! Scrive adagio adagio tutte quante le risposte. E sensate, sai, non puoi nemmeno immaginare come sensate».

Da tempo non avevo visto Alberto così euforico, così eccitato.

«E da dove viene», domandai, «la bella novità?»

«Non è che un gioco», interloquì il professor Ermanno, posandomi una mano sul braccio e scuotendo il capo. «Roba che Micòl ha portato giù da Venezia».

«Ah, allora sei tu la responsabile!», feci, rivolto a Micòl. « E legge anche nel futuro, il tuo bicchiere?»

«Come no!», esclamò lei, ridendo. «Ti dirò anzi che la *sua* specialità è precisamente questa».

Entrò in quel momento la Dirce, che teneva alto, in equilibrio su una mano sola, un tondo di legno scuro, stracolmo di dolcetti di Pasqua (anche le guance della Dirce erano rosee, lustre di salute e di buon umore).

Come ospite, e ultimo arrivato, fui servito per primo. I dolcetti, i così chiamati *zucarìn*, fatti di pasta frolla mescolata con chicchi d'uva passa, avevano l'aria d'essere all'incirca uguali a quelli che avevo assaggiato di malavoglia mezz'ora avanti, a casa. Tuttavia gli *zucarìn* di casa Finzi-Contini mi parvero subito molto migliori, molto più gustosi: e lo dichiarai, anche, rivolto alla signora Olga, la quale, impegnata a scegliere dal piatto che la Dirce le porgeva, non sembrò accorgersi del mio complimento.

Intervenne quindi Perotti, con le grosse mani da contadino afferrate ai bordi di una seconda guantiera (di peltro, questa), che aveva, sopra, un fiasco di vino bianco e parecchi bicchieri. E mentre, successivamente, continuavamo a sedere composti attorno al tavolo, ciascuno bevendo Albana a piccoli sorsi e sbocconcellando *zucarìn*, Alberto veniva illustrando a me in particolare le «virtù divinatorie del nappo», che adesso stava in silenzio, è vero, ma che fino a poco fa, a loro che l'avevano interrogato, aveva risposto con una «*verve*» eccezionale, ammirevole.

Domandai che cosa gli avessero chiesto.

«Oh, di tutto un po'».

Gli avevano chiesto, per esempio – continuò – se lui un giorno o l'altro ci sarebbe riuscito a prendere la laurea in ingegneria; e il calice, pronto, aveva ribattuto con un secchissimo «no». Poi Micòl aveva voluto sapere se si sarebbe sposata, e quando; e qui il calice era stato molto meno perentorio, anzi piuttosto confuso, dando un responso da vero oracolo classico, passibile, cioè, delle più opposte interpretazioni. Perfino sul campo di tennis, l'avevano interrogato, «povero santo d'un calice!», cercando di appurare se il papà l'avrebbe piantata con quella sua eterna manfrina di rimandare di anno in anno l'inizio dei lavori di sistemazione. E a questo proposito, dando prova di una buona dose di pazienza, «la Pizia» era tornata di bel nuovo esplicita, assicurando che le sospirate migliorie sarebbero state effettuate «subito», insomma dentro il corrente anno.

Ma era stato soprattutto in materia di politica che il calice aveva compiuto meraviglie. Presto, tra pochi mesi, aveva sentenziato, sarebbe scoppiata la guerra: una guerra lunga, sanguinosa, dolorosa per *tutti*, tale da sconvolgere il mondo intero, ma che alla fine si sarebbe conclusa, dopo molti anni di incerte battaglie, con la vittoria completa delle forze del bene. «Del bene?», aveva chiesto a questo punto Micòl, che era sempre speciale, lei, per le *gaffes*. «E quali sarebbero, per favore, le forze del bene?» Al che il calice, lasciando ogni presente di stucco, aveva replicato con una sola parola: «Stalin».

«Te lo immagini», esclamò Alberto, fra le risate generali, «te lo immagini come sarebbe rimasto contento, il Giampi, se fosse stato della partita? Voglio scriverglielo».

«Non è a Ferrara?»

«No. Ci ha lasciati l'altro ieri. È andato a passar Pasqua a casa».

Alberto seguitò ancora abbastanza a lungo a riferire su ciò che aveva detto il calice, quindi il gioco venne ripreso. Anche io posi l'indice sull'orlo del «nappo», anche io feci domande e attesi risposte. Ma adesso, chissà perché, dall'oracolo non veniva più fuori nulla di comprensibile. Alberto aveva un bell'insistere, tenace e caparbio come mai. Niente.

Io, ad ogni modo, non me ne davo troppo per inteso. Più che badare a lui e al gioco del calice, guardavo soprattutto Micòl: Micòl che di tanto in tanto, sentendosi addosso il mio sguardo, spianava la fronte accigliata di quando giocava a tennis per dedicarmi un rapido sorriso pensieroso, rassicurante.

Fissavo le sue labbra, tinte appena di rossetto. Le avevo baciate proprio io, sì, poco fa. Ma non era successo troppo tardi? Perché non l'avevo fatto sei mesi prima, quando tutto sarebbe stato ancora possibile, o almeno durante l'inverno? Quanto tempo avevamo perduto, io qui, a Ferrara, e lei a Venezia! Una domenica avrei potuto benissimo prendere il treno e andare a trovarla. Esisteva un diretto che partiva da Ferrara alle otto di mattina e arrivava a Venezia alle dieci e mezzo. Appena sceso dal treno le telefonavo, proponendole che mi portasse al Lido (così, fra l'altro – le dicevo –, avrei finalmente visitato il famoso cimitero israelitico di San Niccolò). Verso l'una avremmo mangiato qualcosa assieme, sempre da quelle parti, e dopo, previa telefonata a casa degli zii per tener buona la *Fräulein* (oh il viso di Micòl mentre le telefonava, le sue boccacce, le sue smorfie buffonesche!), dopo andavamo a spasso lungo la spiaggia deserta. Anche per questo ci sarebbe stato tutto il tempo. Quanto poi a ripartire, avrei avuto a disposizione due treni: uno alle cinque e uno alle sette, l'uno e l'altro ottimi perché neanche i miei si accorgessero di niente. Eh già: a farlo allora, quando *dovevo*, tutto sarebbe stato ben facile. Uno scherzo.

Che ora era? L'una e mezzo, magari le due. Tra un po' sarei dovuto andare, e probabilmente Micòl mi avrebbe riaccompagnato giù, fino alla porta del giardino.

Forse era a questo che stava pensando anche lei, questo che l'inquietava. Stanza dopo stanza, corridoio dopo corridoio, avremmo camminato uno a fianco dell'altro senza aver più il coraggio né di guardarci né di scambiare una parola. Temevamo entrambi la stessa cosa, lo sentivo: il commiato, il punto sempre più vicino e sempre meno immaginabile del commiato, del bacio d'addio. E tuttavia, nel caso che Micòl avesse rinunciato ad accompagnarmi, lasciando sbrigare la faccenda ad Alberto o addirittura a Perotti, con quale animo avrei potuto affrontarlo, io, il resto della notte? E l'indomani?

Ma forse no – già tornavo a sognare, testardo e disperato –: alzarsi da tavola si sarebbe forse dimostrato inutile, non necessario. Quella notte non sarebbe finita mai.

L.A: pag. 244

110

Dario Fo & Franca Rame
La casellante[1] (1962)

* *

Personaggi: Franca (casellante), Giornalista.

Una cabina telefonica. L'intervistatore giornalista sta telefonando.

GIORNALISTA Pronto, mi può passare la direzione del giornale? Non c'è il direttore?... No?... Mi dia il capo redattore... Aldo, sei tu? Ciao, sí,... senti, il direttore mi cercava, non sai perché?... Dove devo andare? A un casello?!... Casello ferroviario?!... Cos'è? Una disgrazia, un delitto?... Ah no!? E allora?... Un'intervista?! Scusa, ma un'intervista a chi?... Alla casellante?!...
Ma a chi vuoi interessino i problemi di una donna addetta al passaggio a livello... Sí, fanno colore... sí, vado ma di questo passo vedrai tra un mese quante copie venderemo di questo giornale... ciao... *(Riaggancia)*... Intervista ad una casellante!!! Ma ti dico io!

Come per dissolvenza appare Franca nelle vesti della cantoniera, capelli neri tirati con un gran chignon legato dietro la nuca, qualche ciocca abbandonata sul viso, sopracciglia molto folte e

---

[1] Gli autori presentarono questo pezzo teatrale per la prima volta in televisione, rivolgendosi quindi al pubblico nazionale: ciò nonostante, ricorrono qui espressioni che non appartengono all'italiano standard. Lo studente straniero autodidatta potrebbe perciò non trovare sui propri dizionari alcuni vocaboli che attirano la sua curiosità. In tal caso avrebbe due possibilità: 1) applicare il criterio raccomandato nell'Introduzione (pag. 16), affidandosi al contesto ed alla propria sensibilità interpretativa; 2) «saltare» la Lettura Analitica seguente, che riguarda appunto questo italiano «insolito», e consultarne la relativa soluzione (pag. 312).

nere. Una giacca da uomo, un fazzoletto intorno al collo. Un cappello con visiera, la bandoliera con il corno, la bandiera e la lampada. Franca sta azionando la manovella del passaggio a livello per abbassare le sbarre.

Entra l'intervistatore

GIORNALISTA Scusi, è lei la sorvegliante al passaggio a livello?
FRANCA Sicuro che sono io... ma adesso si facci in là che 'riva il mostro...
GIORNALISTA Che mostro?
FRANCA Il merci, non vede?... si facci in là... prego. *(Rumore di treno in arrivo. Si mette quasi sull'attenti poi rivolta a destra)* Aldino, chiudi su la porta della camera da letto che vengon fuori i pulcini... *(poi si rivolge al treno che passa sullo schermo di fondo)*... salve capo... sei in ritardo di un bel po'... Sí... mio marito è ancora al fresco... povera bestia...
GIORNALISTA Scusi signora... io sono un incaricato...
FRANCA Cosa dice cos'è? Non capisco un ostrega... 'Speci (aspetti) che passi il merce... *(fa cenno con la bandiera di tirarsi indietro)* e intanto si facci piú in là... che se magari ci fa il risucchio... sono rogne... la ruota non perdona!... Oh... finalmente, è passato...
GIORNALISTA Dunque, se mi permette io vorrei farle alcune domande.
FRANCA Ah, perché lei è uno della commissione d'inchiesta per il fattaccio?...
GIORNALISTA Che fattaccio? No, guardi, io sono un giornalista e vorrei solo intervistarla...
FRANCA Far cos'è?
GIORNALISTA Farle delle domande...
FRANCA Sí, sí, faccia pure, per me... *(Si sentono i clakson che strepitano)*... aspetta che tiro su le sbarre... *(Esegue)*.
GIORNALISTA Senta... lei è contenta del mestiere che fa?
FRANCA Ah sí... contenta... sa, una basta che si contenta... e poi se non si contenta basta guardi indietro quelli che stanno peg-

gio di noi altri... ed ecco che si è subito contenta... roba da farci un sacco di risate...

GIORNALISTA Ottima filosofia... d'altra parte le ferrovie le dànno una casetta, se pur piccola... e diciamo la verità, oggi con quello che costano gli affitti. Lei paga l'affitto?

FRANCA Eh, sí... mica tanto, ma lo paghiamo... quello che non paghiamo è la luce elettrica, il gas e il riscaldamento dei caloriferi...

GIORNALISTA Molto bello! E come mai?

FRANCA Eh, non lo paghiamo perché non c'è... Né la luce né il gas né i caloriferi. Le ferrovie sono oneste sa... mica ci fanno pagare quello che non ci dànno... infatti l'illuminazione ad acetilene che ci abbiamo, ce la fanno pagare... ed è giusto... del resto...

GIORNALISTA Però non vi si offre proprio nessuna comodità.

FRANCA Ma io non mi lamento... io mi contento... basta guardarsi indietro per vedere quelli che stanno peggio... e io mi faccio un sacco di risate... e lei capisce che stare in una valle di lacrime a farsi delle risate è una bella soddisfazione... le pare? Scusi se non la faccio entrare in casa... ma se lei non ci è abituato poi ci viene la tosse...

GIORNALISTA Come mai?

FRANCA Per via del fumo del merci che è appena passato... Siccome lí, vede, c'è la galleria che fa da compressore e cosí sputa fuori il fumo per un bel quarto d'ora che mi entra tutto in cucina per la finestra che è rotta... e poi passa nella camera da letto... per uscire dietro dove c'è l'orto...

GIORNALISTA Ah, ma avete anche l'orto?!... Questo è molto comodo.

FRANCA Sí, sí, peccato che non si può far niente... l'anno passato ci ho piantato un sacco di pomodori... non è venuto su uno solo... l'ho adoperato per fare la pastasciutta... m'è venuto fuori un sugo tutto nero... ma cosí nero... pareva sugo di calamari! Tutto nero di fumo...

GIORNALISTA Accidenti... questo fatto del fumo è davvero un bel guaio...

FRANCA Ah, ma io non mi lamento... perché mi basta voltarmi indietro... siamo in una valle di lacrime... di passaggio per scontare i nostri peccati... ecco perché mi accontento... Mi dispiace giusto un po' per i bambini... che meno male loro il fumo lo respirano soltanto di notte... Aspetta che mi ero dimenticata... *(alza la voce verso il casello)* Aldino... apri pure... derva fuori la porta della stanza da letto e fa venire fuori i pulcini che se non soffegano povere bestie... guarda che ce ne è uno nel comodino... *(all'intervistatore)* ce l'ho messo io perché era un po' costipato... Aldino l'è il mio bambino piú piccolo... Lui non va ancora a scuola, gli altri due invece sí...

GIORNALISTA È molto lontana la scuola?

FRANCA Eh, sí sa... il nostro casello è fuori dieci chilometri dal paese... e loro ci vanno in bicicletta.

GIORNALISTA Beh, dieci chilometri andare, dieci a tornare non sono poi molti...

FRANCA Ah sì, con la fortuna che mica li devono fare tutti in bicicletta perché la provinciale passa a cinque chilometri di qui... e per arrivarci si va per prati, traverso i boschi... a piotti insomma...

GIORNALISTA A piedi? Accidenti!

FRANCA Sí, con la bici in spalla: ciclotross! Ah ma non si lamentano... anzi si contentano perché è tutta salute... Se provano a guardarsi indietro a quelli che stanno peggio... L'unico guaio che quando si mettono in viaggio son già un po' stanchi, poverini, dormono poco, soffrono un po' di insonnia...

GIORNALISTA Insonnia, cosí giovani?

FRANCA Eh sí giovani... ma sa, i dodici treni che passano ogni notte fanno un baccano che ha voglia ad essere giovani, si fanno certi salti nel letto... col casello che trema tutto... guardi che crepe, pare sia passato il terremoto...

GIORNALISTA Accidenti!... E anche quella che attraversa tutta la facciata...

FRANCA No, quella è stato proprio il terremoto... ah... ah... abbiamo fatto tanto di quel ridere...

GIORNALISTA Il terremoto vi ha fatto ridere?

FRANCA Eh, sí... vede, noi ci si deve alzare ad ogni treno per chiudere il passaggio a livello... e ormai non ci abbiamo bisogno piú neanche della sveglia... Siamo meccanicizzati... si dice cosí no?... Insomma, abbiamo l'orologio in testa... cinque minuti prima... Ohplà! Quella volta sentiamo il tremore... Sveglia pessa il merce... tira giú le sbarre! Io sono lí fuori con la bandiera... Il tremore c'è e non passa nessuno?! Il treno fantasma? Le risate! Ma non ci si lamenta.

GIORNALISTA Per carità! E di che dovrebbero lamentarsi?... Piuttosto mi dica dell'altro bambino? Che fa?

FRANCA Niente, cura i pulcini e le galline...

GIORNALISTA A beh, questo è un vantaggio... intendo quello di poter allevare le galline...

FRANCA Eh sí... ne abbiamo otto... molte vanno a finire sotto il treno... qualcuna muore di mal di cuore per gli spaventi che prende... sa con quei fischi che fanno le locomotive...

Si sente un belato.

GIORNALISTA Oh, sento che avete anche una pecora...

FRANCA No, è il gallo...

GIORNALISTA Come? Un gallo che fa il belato?!...

FRANCA Eh sì, è stato uno spavento... mi ha spiegato uno che passava di qui, che poi mi ha detto che era un veterinario, che è un effetto della strissite[2]... Il gallo che si ammala di strissite per via dei continui spaventi, invece di chicchiricchí fa beee... È del tutto normalissimo... del resto anche le galline...

GIORNALISTA Belano?

FRANCA No, fanno tututu... ma io dicevo delle uova... Fanno le uova senza rosso... tutto bianco...

GIORNALISTA Per lo spavento?

FRANCA Eh sì... mi spiegava quel veterinario che, come alle donne per lo spavento va via il latte, a loro ci va via il rosso... po-

---

[2] strissite: neologismo indicante una malattia provocata da spavento. La probabile etimologia è «strizza» (con la variante settentrionale «strissa»): (popolare) diarrea, con il suffisso «-ite», che propriamente indica un'infiammazione.

vere figlie!... Ma io credo che loro non si lamentano... anzi si contentano... perché basta che si voltino indietro a vedere le galline di allevamento...

GIORNALISTA Ha ragione... e poi in questa valle di lacrime... Scommetto che ogni tanto ridono anche loro...

FRANCA Come fa a saperlo?

GIORNALISTA Di che cosa?

FRANCA Del fatto che le mie galline ogni tanto ridono...

GIORNALISTA Quando ridono?

FRANCA Quando fanno le uova... per via che gli fa il solletico...

GIORNALISTA Come mai?

FRANCA Per via che non fanno uova ovali... sa per lo spavento le fanno strozzate... fanno delle specie di collane, grosse come noci...

GIORNALISTA Straordinario! *(Si sente abbaiare).* E questo, mi dirà che non è un cane... e che chi abbaia cosí è un gatto magari...

FRANCA No, è Aldino...

GIORNALISTA Chi?

FRANCA Aldino, mio figlio, quello più piccolo...

GIORNALISTA Suo figlio abbaia?!

FRANCA Beh, perché, che c'è di male? Mica è peccato...

Si risente abbaiare.

GIORNALISTA Ancora suo figlio?

FRANCA No, questo è il Bobi... il cane che gli sta sempre assieme... è molto intelligente, sa... capisce tutto... ci manca solo la parola...

GIORNALISTA Beh, si dice quasi sempre cosí dei propri cani...

FRANCA No, ma io dico di mio figlio che ci manca la parola... sa, a furia di stare sempre e solo col cane ha imparato a parlare come lui... del resto io mica ci ho tempo di guardarci... con tutto il daffare che ci dànno i treni...

GIORNALISTA Ma dico, suo marito...

FRANCA Mio marito è in galera... in aspettativa del processo...

per fortuna niente morti... un merce che ha scentrato un carro di peperoni... avesse visto che peperonata... ne abbiamo mangiati per un mese, perfino il cane.

GIORNALISTA Ma come è successo?

FRANCA Vede, noi facciamo funzionare, di qui, due passaggi a livello... questo e uno che c'è a un chilometro... Le stanghe di quello là, non hanno funzionato e allora la colpa sarebbe dovuta andare al tecnico che non ha compiuto la verifica... ma come si fa... povero disgraziato: va in pensione l'anno venturo... vuoi fargliela levare? Buttarlo in mezzo a una strada senza pensione?... Cosí si è presa la colpa quel deficente di mio marito.

GIORNALISTA Ma è un atto di generosità incredibile... cosí, per salvare la pensione di un amico, perde la sua...

FRANCA Eh no, noi non abbiamo diritto a nessuna pensione... noi siamo assunti senza contratto fisso... siamo, come dire, avventizi... siamo avventizi da quindici anni...

GIORNALISTA Ma dovrebbe essere proibito!

FRANCA Sí, va bene, ma cosa vuoi prendertela colle povere FS con tutto quello che le Ferrovie dello Stato hanno passato... e continuano a passare... ma sa che a me quando ci penso alle ferrovie mi viene un magone che mi viene da piangere...! Poverine! Povere FFSS! È per quello che non mi lamento! D'accordo, ho il marito in galera, i figli stremiti coi tic nervosi, manca la luce, le galline fanno tutu, il gallo beh, il bambino piccolo bau bau, mi passano uno stipendio da fame nera... però mi devo contentare... anche perché se no mi sbattono via sui due piedi. *(Abbassa le sbarre del passaggio a livello, passa il treno. La casellante suona la tromba e si mette sull'attenti).*

L.A.: pag. 245

Luigi Malerba
La scoperta dell'alfabeto (1963)

LA SCOPERTA DEL'ALFABETO
∗

Al tramonto Ambanelli smetteva di lavorare e andava a seder-si a casa con il figlio del padrone perché voleva imparare a leggere e a scrivere.

«Cominciamo dall'alfabeto,» disse il ragazzo che aveva undici anni.

«Cominciamo dall'alfabeto.»

«Prima di tutto c'è A.»

«A,» disse paziente Ambanelli.

«Poi c'è B.»

«Perché prima e dopo?» domandò Ambanelli.

Questo il figlio del padrone non lo sapeva.

«Le hanno messe in ordine così, ma voi le potete adoperare come volete.»

«Non capisco perché le hanno messe in ordine così,» disse Ambanelli.

«Per comodità,» rispose il ragazzo.

«Mi piacerebbe sapere chi è stato a fare questo lavoro.»

«Sono così nell'alfabeto.»

«Questo non vuol dire,» disse Ambanelli, «se io dico che c'è prima B e poi c'è A forse che cambia qualcosa?»

«No,» disse il ragazzino.

«Allora andiamo avanti.»

«Poi viene C che si può pronunciare in due modi.»

«Queste cose le ha inventate della gente che aveva tempo da perdere.»

Il ragazzo non sapeva più che cosa dire.

«Voglio imparare a mettere la firma,» disse Ambanelli, «quando devo firmare una carta non mi va di mettere una croce.»

Il ragazzino prese la matita e un pezzo di carta e scrisse "Ambanelli Federico", poi fece vedere il foglio al contadino.

«Questa è la vostra firma.»

«Allora ricominciamo da capo con la mia firma.»

«Prima c'è A», disse il figlio del padrone, «poi c'è M.»

«Hai visto?» disse Ambanelli, «adesso cominciamo a ragionare.»

«Poi c'è B e poi A un'altra volta.»

«Uguale alla prima?» domandò il contadino.

«Identica.»

Il ragazzo scriveva una lettera alla volta e poi la ricalcava a matita tenendo con la sua mano quella del contadino.

Ambanelli voleva sempre saltare la seconda A che a suo parere non serviva a niente, ma dopo un mese aveva imparato a fare la sua firma e la sera la scriveva sulla cenere del focolare per non dimenticarla.

Quando vennero quelli dell'ammasso del grano e gli diedero da firmare la bolletta, Ambanelli si passò sulla lingua la punta della matita copiativa e scrisse il suo nome. Il foglio era troppo stretto e la firma troppo lunga, ma a quelli del camion bastò "Amban" e forse è per questo che in seguito molti lo chiamarono Amban, anche se poco alla volta imparò a scrivere la sua firma più piccola e a farla stare per intero sulle bollette dell'ammasso.

Il figlio dei padroni diventò amico del vecchio e dopo l'alfabeto scrissero insieme tante parole, corte e lunghe, basse e alte, magre e grasse come se le figurava Ambanelli.

Il vecchio ci mise tanto entusiasmo che se le sognava la notte, parole scritte sui libri, sui muri, sul cielo, grandi e fiammeggianti come l'universo stellato. Certe parole gli piacevano più di altre e cercò di insegnarle anche alla moglie. Poi imparò a legarle insieme e un giorno scrisse "Consorzio Agrario Provinciale di Parma".

Ambanelli contava le parole che aveva imparato come si contano i sacchi di grano che escono dalla trebbiatrice e quando ne ebbe imparate cento gli sembrò di aver fatto un bel lavoro.

«Adesso mi sembra che basta, per la mia età.»

Su vecchi pezzi di giornale Ambanelli andò a cercare le parole che conosceva e quando ne trovava una era contento come se avesse incontrato un amico.

L.A. : pag. 245

IL MUSEO

*

Federico non riusciva a spiegarsi perché il ladro aveva rubato soltanto una ruota del carro. Una ruota scompagnata non si può usare e non si può vendere e intanto il carro era lì, fermo come una carogna.

Angiolina collegava questo furto con altri fatti strani che erano successi al principio dell'anno. La vacca che doveva fare un vitello si era poi scoperto che aveva la pancia piena d'acqua, il cane Giarabub abbaiava da lupo tutte le notti a mezzanotte, alle galline gli era presa la morìa e ogni giorno ce n'era almeno una che faceva cappotto.

«È l'anno bisestile,» diceva Angiolina, ma Federico non credeva a queste superstizioni.

Una mattina arrivò il prete e cominciò a benedire la stalla e poi la casa e poi il cane e le galline. Federico stava a guardare e non diceva niente, ma quando il prete andò via voleva picchiare la moglie.

«Non capisco perché devi sempre fare le cose a tradimento.»

«Male non fa,» disse Angiolina.

Dopo due giorni di pioggia era venuto fuori il sole e Agnetti venne giù da Casa Palanca per fare due chiacchiere con Federico.

«Ho sentito che ti hanno rubato la ruota del carro.»

«Se trovo il ladro gliela faccio mangiare.»

«E la campana del campanile di Pietramagolana,» disse Agnetti.

«Anche?»

«Così hanno detto.»

«Quando è successo?»

120

«Se ne è accorto Coriolano stamattina.»

Federico si prese la testa fra le mani per pensare.

«Io non dico niente,» disse Angiolina che aveva ascoltato tutto dalla finestra della cucina.

Quando il prete fece il giro delle case a fare la colletta per la campana nuova da comperare, chi si lamentava che gli era mancato il badile, chi un pezzo dell'aratro, chi la botte dell'acqua, chi il giogo dei buoi. Armisdo giurava che da un giorno all'altro gli avevano portato via le tegole del tetto della casa e adesso gli pioveva in testa. Disse al prete che soltanto il folletto poteva fare delle cose del genere, ma il prete lo lasciò parlare e non volle dare il suo parere. Quando però la Santa del Calamello raccontò che le avevano rubato il letto, il prete si arrabbiò e disse che andavano inventando delle scuse per non dargli i soldi della campana. Questa era la sua teoria.

Però la campana l'avevano rubata. "Potrebbe essere stato quell'anarchico del veterinario," pensò il prete uscendo dal Calamello. Ma il veterinario che ruba i badili, le vanghe e la botte dell'acqua non è possibile.

Il prete arrivò a Casa Gervella che diluviava. Nel grande stanzone nero dove dormiva e mangiava da quando gli era morta la moglie, Pinai stava vicino al fuoco a rattopparsi un giubbotto. La sera leggeva i giornali americani che la nipote gli mandava da Nuova York e giocava a briscola quando gli capitava qualcuno. Se no stava lì a dare ascolto alla volpe che abbaiava nel bosco o alle civette che giravano intorno a casa. Disse subito al prete che da casa sua la campana non si sentiva e che quindi non aveva voglia di dargli niente.

«Pazienza.»

«Facciamo una briscola tanto che smette di piovere?» propose Pinai.

Il prete rimase a pensarci un momento.

«Allora giochiamo a soldi.»

La pioggia arrivava a secchiate contro i muri e le finestre. Dal tetto cominciarono a filtrare le prime gocce e Pinai andò di sopra e appese alle travi del tetto dei barattoli da conserva. Il prete stava di sotto a aspettare e intanto mescolava le carte. A un tratto Pinai inciampò e si sentì da sopra un fracasso come di roba rotta, un rotolare di ferraglia.

«Vi siete fatto male, Pinai?»

«Niente.»

«Che cosa avete combinato?»

«Sono i legni per il tetto nuovo, voglio alzare la casa e fare il tetto nuovo.»

«Mi sembravano piuttosto dei ferri.»

«Sono le catene per i muri.»

«Le catene si mettono ai muri che cascano.»

«E io metto le catene tanto che i muri sono sani. Meglio pensarci prima, no?»

Il prete non rispose, diede un'altra mischiata alle carte, fece alzare e riprese la partita.

Era buio ormai e la pioggia veniva giù sempre peggio. Il prete vinceva, era il momento buono per andarsene.

«Ancora una mano e poi devo andare.»

«Piove.»

«Avrete un ombrello da imprestarmi.»

«Ve lo impresto, ma io resto senza.»

«Domenica alla messa ve lo riprendete indietro.»

I soldi, l'ombrello, la messa. Si era fatto fregare dal prete.

"L'ho fregato", pensava press'a poco il prete allontanandosi sotto la pioggia. Si pentì subito del pensiero, ma si disse che in fondo lo aveva fatto per la campana. Vincere a carte non è rubare, non è contro i comandamenti. E invece fra i suoi parrocchiani ce n'era uno che da un po' di tempo il settimo comandamento se l'era messo sotto i piedi.

Pinai bestemmiava da solo in americano mentre si preparava a andare a letto. Questo prete. Altro che carità cristiana. Non si portano via i soldi a un povero vecchio, e in più anche l'ombrello.

La pioggia non smetteva ancora, si sentiva dietro casa il canale in piena che tirava giù i massi e il Grontone che brontolava in fondo alla valle. Prima di mettersi a letto Pinai buttò due ciocchi di legna sul fuoco. Restò a guardare la fiamma per qualche momento. Alzandosi dal camino sentì uno strano scricchiolìo nei muri come una pietra che si spezza. "L'acqua," pensò il vecchio "l'acqua che entra nei muri e li fa marcire. Devo fare il tetto nuovo e uno stanzone grande come una piazza d'armi per il mio museo. Però bisogna riassestare anche i muri. Questi muri ormai sono marci." Avrebbe rinforzato con una gettata di cemento anche le fondamenta per via della frana che tirava la casa giù verso il Grontone. Se fosse stato un po' più giovane avrebbe preso le cose dal principio. Un bel muro in diagonale sul greto del Grontone per deviare l'acqua che così, invece dei suoi, avrebbe portato via i campi della Casa dei Cani. Ma ognuno ha gli anni che ha. Ottantadue. Su questo pensiero Pinai si addormentò.

Il prete aveva preso la scorciatoia che passa dalla fontana di Maria Luigia. Il sentiero si era trasformato in un canale e le scarpe si erano riempite d'acqua, ma la testa e le spalle per fortuna erano al riparo. A un tratto un rumore sinistro riempì la vallata come lo scoppio di una bomba, seguito da un rotolare rovinoso di sassi. Affare di pochi secondi, poi niente. Si sentiva soltanto lo scrosciare della pioggia e il brontolare dei canali in piena. Il prete capì subito che cosa era successo. Si precipitò giù per la strada correndo di nuovo verso Casa Gervella.

Trovò un mucchio di macerie al posto della casa. Si inginocchiò nel fango a dire una preghiera poi si mise al lavoro. Per tutta la notte andò avanti da solo a sgombrare i sassi, le travi e poi le ferraglie, forche, vanghe, ruote, pezzi di aratro, finché trovò Pinai con il petto sfondato ma la faccia ancora intatta. Coprì il cadavere con una coperta fradicia trovata fra le macerie e andò a sedersi sotto un albero perché all'alba ancora pioveva. Una pioggia sottile e insistente dentro la nebbia.

Quando venne chiaro trovò fra le tante cose la sua campana e la mise da parte. Cominciò a arrivare gente dal Calamello, arrivò Agnetti insieme a Federico e ognuno prese la roba sua in silenzio e se la portò a casa.

L.A.: pag. 246
E.: pag. 277

Giuseppe Berto
Il male oscuro (1964)

"L'ANALISI"
✳ ✳ ✳

Fare la psicoanalisi è, almeno apparentemente, la cosa più semplice del mondo nel senso che la cura consiste nell'andare dallo psicoanalista due o tre volte la settimana, e forse anche più secondo i casi, nello stendersi sullo speciale lettino o divanetto ideato dal dottor Sigmund Freud per facilitare il rilassamento, nel rilassarsi, appunto, e nel raccontare in assoluta libertà tutto ciò che passa per la testa, ma soprattutto, sempre che sia possibile, sogni fatti di recente, e la libertà espressiva che è senz'altro indispensabile dovrebbe risultare tanto più agevole inquantoché il lettino o divanetto è disposto in modo che il cliente non possa vedere l'analista, e questo giusto per togliergli soggezione e altri sentimenti inibitori, dato che, a parte che si paga, la psicoanalisi è un po' come la confessione, ossia non servirebbe a niente se uno non andasse a raccontarvi la verità, e siccome la verità la si dice meglio a se stessi che non agli altri, ecco che il prete si nasconde dietro la grata e l'analista alle spalle del paziente, per rendere tutto più semplice sebbene qualche volta il paziente si distragga a congetturare cosa faccia l'analista mentre lui rivolto da un'altra parte si rilassa e racconta, e per ciò che mi riguarda io penso che, a giudicare almeno dai rumori, il mio giocava con le chiavi dei cassetti della scrivania e spesso trovava difficoltà ad accendersi il sigaro con l'accendino, sicché era costretto a manovrare la macchinetta anche cinque o sei volte, prima di accendersi il sigaro, o prima di rinunciare ad accenderselo.

Il dottor Freud è stato senza dubbio un grande uomo in qualità di inventore della psicoanalisi, tanto che molti non esitano a collocarlo, alla pari con Gesù Cristo e Carlo Marx, tra i pochi ge-

ni che hanno dischiuso nuove porte all'umanità, né io naturalmente ho nulla da obiettare a questo proposito, però con quel
suo lettino o divanetto rilassatorio non l'ha, a mio avviso, im-
broccata giusta, e in effetti per quante volte mi sono disteso su
quel lettino, mai una volta mi pare che mi sia rilassato per bene,
sempre sono rimasto lì col mio grumo di tensione dentro lo stomaco, con l'abituale preoccupazione di dare un ordine rigoroso
ai pensieri, e con in più un aggravamento di disagio in uno dei
miei punti più disgraziati, vale a dire le cinque lombari dalle quali, ho l'impressione, ebbe origine una sera lontana tutto il disa-
stro, come con ogni probabilità mi verrà fatto di raccontare in seguito, e sebbene da allora in poi punti disgraziati me ne scoprissi
addosso ad ogni piè sospinto, quello primo non me lo scordavo
mai, com'è giusto, e quando mi distendevo sul lettino o divanetto
freudiano le cinque vertebre, particolarmente gravate a causa della generale posizione del corpo, cominciavano a sentire caldo e ad
avere formicolii e altre spiacevoli sensazioni tutte dannose per il
rilassamento oltre che per l'insieme del mio difficile equilibrio
psichico, donde paura e tensione, che potevano essere in se stesse
causa del fatto che io al medico non ho mai fatto parola di questo
inconveniente delle lombari, sebbene poi, da un altro punto di vista, possa anche essere che abbia taciuto per non dargli dispiacere, dato che io sono certo che alle qualità rilassatorie del lettino o
divanetto lui ci credeva, e non avrei voluto addolorarlo, o addirittura fargli nascere dei dubbi, rivelandogli che l'arnese, almeno
con me, non funzionava.

Io avrei fatto qualsiasi cosa pur di non dare dispiaceri al mio
medico analista, e questa era una delle molte faccende che abi-
tualmente mandavano in bestia mia moglie, la quale affermava
che avevo più riguardi per un tizio che mi mangiava un sacco di
soldi facendo quattro chiacchiere, che non per lei, circostanza
che non era affatto vera in senso assoluto, ma tant'è, mia moglie,
oltre che incompetente in fatto di psicoanalisi, era molto innamorata di me, o così sembrava, e in realtà era possessiva, ego-
centrica e abbandonica, come ben mi spiegava il medico, e le dava fastidio qualsiasi persona, e perfino cosa o attività che mi sot-

traesse a lei sia pure temporaneamente, e nella questione della psicoanalisi lei intuiva che, per via del transfert, io mi ero alfine procurato un padre come si conveniva, che potevo amare incondizionatamente dal momento che non mi rompeva di continuo le scatole come il padre mio vero ancorché morto, al contrario era uno che volentieri mi perdonava ogni peccato, anche perché, oltre a tutto, pareva che i peccati non esistessero, i miei perlomeno, ossia sembrava che nelle mie male azioni io fossi stato sempre condizionato, il che voleva dire che nelle date circostanze non avrei potuto agire meglio di come avevo agito, così affermava il medico analista, e io scommetto che lo avrebbe affermato anche nel caso che io avessi, tanto per dire, stuprato tutte e quante le mie cinque sorelle, e questo a differenza del padre mio vero, e anche a differenza di mia moglie si capisce, ma qui in questa storia il personaggio che interessa è più mio padre che non mia moglie, ed egli, specie nella prima fase della nostra lotta, era sempre propenso a scoprire, nelle diverse cose che non funzionavano intorno a noi, una qualche mia colpa, per quanto parecchie di queste cose, in particolare quelle riguardanti la convivenza familiare e l'andamento degli affari, funzionassero male anche senza che io c'entrassi per niente. Chissà poi mai cosa lui pensava di se stesso, se cioè mi si associava almeno parzialmente nelle numerose colpe che mi attribuiva, o se addirittura attribuirmi colpe gratuite era per lui una manovra evasiva allo scopo di scaricarsi sia pure fittiziamente la coscienza troppo gravata da sentimenti di responsabilità, a dire il vero per molto tempo e anche dopo la sua morte io ho pensato che lui si reputasse uomo giusto e saggio per eccellenza, e quindi esente da colpe come un padreterno, ma in seguito non fui più tanto sicuro di ciò, anzi non ne fui sicuro per niente, e questo non tanto perché avessi scoperto documenti prima ignorati o fossero emersi nuovi fattori di giudizio, quanto perché, sebbene in seguito alle vicissitudini della malattia, mi capitò di capovolgere direi da cima a fondo il mio punto di vista, un po' eccessivamente perfino, giacché se attraverso tutto un lavorìo di confronti risultava che io somigliavo a mio padre, ne derivava senz'ombra di dubbio che mio padre vivo doveva somigliare a me, anche nell'esorbitante senso di colpa dunque, per quanto io sia consapevole che in questa questione della somiglianza giochi molto il processo di identificazione tuttora in atto, e so anche di correre il rischio di andare ad identificarmi con un padre assolutamente immaginario, o fors'anche con una proiezione di me stesso idealizzato, benché poi a sorreggermi nella mia fede e fatica ci sia un'indubitabile e paurosa somiglianza d'aspetto, oggettiva, a proposito della quale potrei tirar fuori, tanto per fare un esempio, la faccenda delle fotografie.

La volta che mio padre morì, io arrivai, naturalmente, tardi, ossia quando l'avevano già bello e sistemato su uno dei cinque o sei tavoli di marmo della camera mortuaria, sbarbato di tutto punto, con indosso il vestito nero da sposo di quarant'anni prima, che era ancora nuovo fiammante si può dire, un po' perché mio padre come me del resto era parsimonioso e si sarebbe messo indosso sempre i vestiti peggiori, e un po' perché subito dopo sposato ingrassò parecchio e il vestito non gli andava più bene, e in realtà per infilarglielo da morto avevano dovuto scucirlo quasi tutto di dietro, cosa che però non si vedeva molto dato che giaceva sulla schiena, dignitoso e solenne nella sua definitiva pace, e a me, che in quel tempo non ero ancora malato con ossessioni di morte e altre simili, non dispiaceva guardarlo così com'era, trovavo che come morto era uno dei più bei morti che avessi mai visto, epperciò mi venne in mente di fargli fare le fotografie. Ora, esposta in questo modo, la spiegazione è magari fin troppo chiara, ma niente affatto esauriente, e in effetti non è che volessi fare, come può apparire, delle fotografie ricordo o qualche altra cosa del pari fuori posto, ma ritraendolo in immagine volevo rendergli diciamo pure omaggio, ancorché poi nell'inconscio mirassi a raggiungere risultati allora nebulosi, oggi però del tutto lampanti e strettamente connessi con quel diffuso senso di colpa che, com'è fin troppo chiaro, si è sviluppato in me fuori di misura soprattutto grazie agli influssi paterni, sicché nella fattispecie avrei anche potuto fottermene, pur che l'avessi saputo, per quanto, se quella volta arrivai troppo tardi, sussista una colpa concreta da parte mia, dato che avevo i presentimenti e tutto il resto, sempre che sia una colpa arrivare tardi in una circostanza come quella, e in verità il mio medico, tanto per dire, era del parere che non vi fosse mancanza alcuna nell'arrivare quando un padre è già morto, ma si capisce che lui doveva darmi una mano per liberarmi dallo spropositato senso di colpa, e pertanto si sforzava di persuadermi della mia innocenza anche quando, come nel caso della mia assenza al momento del paterno trapasso, la colpa sussisteva, e come.

E.: pag. 278

"IL DIVANO"

✳ ✳ ✳

[...] e così la volta seguente quando mi presento lui mi accenna senza perdere tempo il lettuccio o divanetto freudiano che non avevo ancora adoperato, e io mi trovo del tutto impreparato di fronte al primo dilemma della cura ossia se togliermi o no le scarpe prima di stendermi, e sto lì a pensare che se me le tolgo può essere mancanza di riguardo mostrare i piedi senza scarpe specie tenendo presente quante spiritosaggini si dicono soprattutto nelle caserme a proposito dei piedi che puzzano e in realtà a molti i piedi puzzano spaventosamente e io mi ricordo che certe persone sotto le armi erano insopportabili giusto a causa del puzzo ai piedi, in questo senso perciò giudico che non sia molto corretto togliersi le scarpe davanti ad uno al quale si vuole portare rispetto sebbene nel mio caso particolare posso essere sicuro che i piedi non mi puzzano altrimenti mia moglie chissà quante volte me lo avrebbe rinfacciato, d'altra parte però anche mettere le scarpe sopra i divani non è una bella cosa, almeno così io credo e per quanto a casa non abbiamo ancora divani c'è il mio letto nello studio dove vado a dormire quando litighiamo che è sistemato a divano con una copertina di cotone a righe, niente di speciale si capisce dato il regime di stretta economia in cui viviamo ma quando mia moglie ci si mette sopra con le scarpe lo stesso mi dà un fastidio maledetto, alle volte cominciamo a litigare proprio da lì cioè dalle scarpe sul letto-divano anche perché quando lei si mette con le scarpe là sopra è segno che vuol provocare una lite dato che sa benissimo che io prendo quel suo atteggiamento come prova del suo scarso rispetto per il mio denaro eppertanto anche per le mie aspirazioni più nobili, insomma è chiaro mi sembra che io alle scarpe sui divani attribuisco un'importanza grande e forse eccessiva così mi dibatto nel mio intimo se togliermi o no le scarpe, e certo potrei chiederlo a lui se devo togliermele o no però non mi sembra bello cominciare l'analisi vera e propria con una domanda del genere tanto più che io stento piuttosto ad avere confidenza con la gente, perfino con mio padre avevo scarsa confidenza, e in conclusione siccome tergiversare oltre potrebbe essere offensivo per lui che attende e forse non capisce ad un certo momento mi tolgo con risolutezza le scarpe e mi sdraio avendo davanti agli occhi i miei piedi ricoperti da calze per fortuna senza buchi ché ormai da parecchi anni le fanno meglio di quando ero piccolo con le calze sempre bucate, ora sono calze sane grazie al cielo epperciò non sfigurano tuttavia mi rimane il sospetto che forse non ci si devono togliere le scarpe per farsi psicoanalizzare, io in genere queste cose e altre simili le sbaglio tutte, e in verità pure questa la sbaglio come verrò a sapere in seguito informandomi, però quando ne discuterò col vecchietto dopo che si sarà verificato il transfert e di conseguenza ci sarà più dimestichezza egli dirà che non ha importanza con le scarpe o senza scarpe, l'importante è che uno disteso su quel lettino si senta completamente a proprio agio il che non dovrebbe essere difficile dato che l'arnese è stato ideato a bella posta, tuttavia io come mi sembra d'aver già accennato in precedenza mi ci trovo disteso fin dalla prima volta col mio bruciore alle lombari e viscere accartocciate e impegno di dare ordine logico ai pensieri che esprimo, il che è molto sbagliato a quanto si dice poiché per l'analisi è necessario presentarsi il più possibile liberi da sovrastrutture intellettuali o altri convenzionalismi, però siccome a me strano a dirsi riesce più naturale essere così innaturale che non naturale nel senso comunemente inteso ecco che in un certo modo sono a posto per quanto mi è possibile esserlo in questa faccenda che tutto sommato è piuttosto fuori dall'ordinario, e così pur con qualche piccolo inconveniente del resto inevitabile inizio il lungo viaggio verso l'inconscio alla scoperta delle oscure radici dei miei presenti malanni [...]

L.A: pag. 246

"PUBBLICO"

* * *

Ora nell'analisi una delle cose importanti e anzi direi indispensabili è avere sogni e ricordarsene in modo da poterli poi raccontare al medico il quale attraverso l'esposizione delle cose sognate e le spontanee associazioni che il paziente fa discutendone arriva ad indovinare qualcosa che è sepolto dentro di lui e a risvegliare ricordi lontanissimi che per il paziente erano dimenticati del tutto e invece stavano per così dire messi da parte cioè immagazzinati nell'inconscio dove peraltro non è che giacciono senza far niente ma determinano azioni e condizioni e stati morbosi di cui la parte consapevole dell'individuo non capisce nulla finché non arriva a scoprire la verità nascosta, ecco dunque l'importanza dei sogni che qualcuno deve avere pure definito vere finestre aperte sull'inconscio, ma disgraziatamente io in fatto di sogni sono piuttosto stentato, o non sogno per niente oppure sono capace di sognare sempre la stessa cosa per molte volte di seguito, per esempio che mi alzo in una sala o addirittura in uno stadio gremito di gente che dovrebbero essere veneziani e invece sono radicali ancorché non ci siano al mondo tanti radicali da riempire uno stadio, e con voce per lo più stentorea dico cose interessanti in bella maniera e tutti fanno gesti di assenso e alla fine applaudono, e questo secondo me è fin troppo facile interpretarlo dato che io stento a spiccicare le parole se le persone che stanno ad ascoltarmi sono più di due, e in verità tre o quattro volte specie da giovane ho provato imparando prima a memoria le cose che avevo da dire, però poi succedeva che quando mi trovavo davanti all'uditorio la memoria mi si bloccava o per meglio dire trovava modo di condensare in poche parole quasi tutte monosillabiche pensieri complicatissimi e densi dei quali altri si sarebbero serviti per tenere due o anche tre conferenze complete, quindi il sogno insistito secondo me significa che io ho un senso di inferiorità e magari di invidia nei confronti dei conferenzieri e più in generale dei tipi che possono parlare di tutto su due piedi di fronte a qualsiasi uditorio, inoltre significa che ambisco ad avere successo presso le persone che lo concedono solo raramente e per lo più sbagliando come i radicali, e il fatto che io sogni il successo con discorsi o conferenze potrebbe anche collegarsi alla circostanza che da tempo tengo in un cassetto tre meravigliosi capitoli di un capolavoro che non riesco a mandare avanti eppertanto data l'incapacità di scrivere ripiego sul successo oratorio che è più a portata di mano, però a pensarci bene neppure in sogno io dimentico la mia qualità di pretendente alla celebrità letteraria e infatti quasi sempre parlo delle mie opere e ne parlo piuttosto bene si capisce confortato dall'assenso dei miei nemici, però succede che il medico mentre faccio queste associazioni in fondo coraggiose perché sono una rivelazione cruda della mia vanità per non dire fatuità giocherella con le chiavi o con l'accendisigari segno che non è per niente soddisfatto e in effetti mi dice di sforzarmi di raccontare qualche altra cosa, qualche episodio della prima infanzia ad esempio, e io sto lì a scervellarmi con buona volontà finché di colpo mi viene in mente la pasticceria bar Venezia col banco e gli scaffali bianco e oro in stile neoclassico e il grande lampadario di Murano sicché a quanto ne so io è la sala più bella del mondo senza contare che ci sono paste e caramelle e cioccolatini, e lì c'è mia sorella venuta dopo di me che di fronte a dei signori che la ascoltano incantati recita la poesia Son piccina e son carina son la gioia di papà se mi sporco la vestina il papà mi batterà, ed è brava accidenti se è brava, e in testa ha un grande nastro di seta non so di quale colore ma bellissimo, e dopo che ha finito di recitare la poesia tutti le fanno i complimenti ed uno le regala una pasta che lei si pappa immantinente gustandosela insieme al suo trionfo, e allora mia mamma prende me che ho i riccioli biondi alla paggetto col berretto alla marinara e vuole mandarmi davanti alla gente perché anch'io dica la poesia e possibilmente mi guadagni una pasta, ma io manco morto direi la poesia davanti alla gente divento tutto rosso e punto i piedi e sto per mettermi a piangere, e allora mia mamma è un po' arrabbiata e dice che sono proprio gnucco e io mi sento enormemente infelice per questa storia, cioè che la mamma vuol bene a mia sorella ma non vuole bene a me perché sono gnucco e non so guadagnarmi la pasta e non so farmi dire bravo dai signori, però quando sarò grande glielo farò vedere io a tutti se non sono bravo più bravo sicuramente di questa mia sorella venuta dopo di me, chiunque dovrà ammirarmi e applaudirmi, e qui in verità si può vedere come perfino la faccenda di quei tre capitoli abbia le sue radici nella lontana infanzia, fa parte del mio smoderato e insolente desiderio di gloria come ben direbbe il Leopardi, e non c'è dubbio che una delle principali manifestazioni di esso è che io nei confronti di chiunque parli con eleganza e successo davanti alla gente mi sento inferiore, cioè non io ma il mio inconscio, giacché io in realtà ho l'impressione che me ne fotto di fare discorsi e quando posso non ascolto neanche quelli che fanno gli altri.

L.A.: pag. 246

Pier Paolo Pasolini
Poesia in forma di rosa (1964)

BALLATA DELLE MADRI

Mi domando che madri avete avuto.
Se ora vi vedessero al lavoro
in un mondo a loro sconosciuto,
presi in un giro mai compiuto
d'esperienze così diverse dalle loro,
che sguardo avrebbero negli occhi?
Se fossero lì, mentre voi scrivete
il vostro pezzo, conformisti e barocchi,
o lo passate, a redattori rotti
a ogni compromesso, capirebbero chi siete?

Madri vili, con nel viso il timore
antico, quello che come un male
deforma i lineamenti in un biancore
che li annebbia, li allontana dal cuore,
li chiude nel vecchio rifiuto morale.
Madri vili, poverine, preoccupate
che i figli conoscano la viltà
per chiedere un posto, per essere pratici,
per non offendere anime privilegiate,
per difendersi da ogni pietà.

Madri mediocri, che hanno imparato
con umiltà di bambine, di noi,
un unico, nudo significato,
con anime in cui il mondo è dannato
a non dare né dolore né gioia.

Madri mediocri, che non hanno avuto
per voi mai una parola d'amore,
se non d'un amore sordidamente muto
di bestia, e in esso v'hanno cresciuto,
impotenti ai reali richiami del cuore.

Madri servili, abituate da secoli
a chinare senza amore la testa,
a trasmettere al loro feto
l'antico, vergognoso segreto
d'accontentarsi dei resti della festa.
Madri servili, che vi hanno insegnato
come il servo può essere felice
odiando chi è, come lui, legato,
come può essere, tradendo, beato,
e sicuro, facendo ciò che non dice.

Madri feroci, intente a difendere
quel poco che, borghesi, possiedono,
la normalità e lo stipendio,
quasi con rabbia di chi si vendichi
o sia stretto da un assurdo assedio.
Madri feroci, che vi hanno detto:
Sopravvivete! Pensate a voi!
Non provate mai pietà o rispetto
per nessuno, covate nel petto
la vostra integrità di avvoltoi!

Ecco, vili, mediocri, servi,
feroci, le vostre povere madri!
Che non hanno vergogna a sapervi
– nel vostro odio – addirittura superbi,
se non è questa che una valle di lacrime.
È così che vi appartiene questo mondo:
fatti fratelli nelle opposte passioni,
o le patrie nemiche, dal rifiuto profondo

a essere diversi: a rispondere
del selvaggio dolore di esser uomini.

✦✦✦

Un areoplano dove si beve champagne, Caravelle
che il capitano annuncia volare
a una media «effettiva» di ottocento km all'ora.
Praticamente sto fermo, bevendo champagne
(versato con più abbondanza nel mio bicchiere
per prestigio letterario): e so che non ho
«effettivamente» alcun libro in cuore, alcuna opera.
Sono impari a ciò che «praticamente» sono,
se io ero fatto per restare ai piedi del mondo,
non qui, suo padrone, in un Caravelle,
che mescola Corfù alla Terra dei Mazzoni
(laggiù, macchiettata di nubi),
a Roma, col Tevere come uno dei mille Giordani.
Devo tornare povero? Ignoto? Ragazzo?
Non so, «effettivamente», essere padre, padrone.
È ridicola la mia influenza, la mia fama.
Padre, che cosa mi sta succedendo?

✦✦✦

Un biancore di calce viva, alto,
– imbiancamento dopo una pestilenza
che vuol dir quindi salute, e gioiosi
mattini, formicolanti meriggi – è il sole
che mette pasta di luce sulla pasta
dell'ombra viva, alonando, in fili
di bianchezza suprema, o coprendo

di bianco ardente il bianco ardente
d'una parete porosa come la pasta del pane
superficie di medioevo popolare
– Bari Vecchia, un alto villaggio
sul mare malato di troppa pace –
un bianco ch'è privilegio e marchio
di umili – eccoli, che, come miseri arabi,
abitanti di antiche ardenti Subtopie,
empiono fondachi di figli, vicoli di nipoti,
interni di stracci, porte di calce viva,
pertugi di tende di merletto, lastricati
d'acqua odorosa di pesce e piscio
– tutto è pronto per me – ma manca qualcosa.

Paolo Volponi
La macchina mondiale (1965)

"CONCETTI"
* *

Io penso che sia cosí, cioè che la mia scienza sia frutto della mia coscienza e del mio raziocinio che oramai rompe la mia povera fronte. Ma anche se io fossi nella contemplazione di una verità rivelatami, io penso che questo non sarebbe altro che l'inizio del mio tragitto, perché io fortificherei, come ho già fatto, la mia contemplazione con il ragionamento e con lo studio. Io voglio essere un filosofo e non un profeta e voglio scrivere un trattato che sia vera scienza e quindi vera poesia. Per questo voglio anche ammettere che le mie idee possano unificarsi con me ed anche che io possa alla fine abbandonarle o rinnegarle, mentre se io non fossi altro che il profeta di una verità rivelatami, io altro non sarei che, alla fine, l'affossatore della mia verità insieme a me stesso; a meno che l'automa-autore un giorno non mi raggiungesse per spiegarmi altre fasi di questa verità e poi un altro giorno ancora non mi spiegasse il meccanismo. In ogni caso resto a pensare e a fare e nutro la mia ribellione e i miei studi. Non credono gli altri, compresa Massimina che pure per tanto tempo mi fu compagna, che un giorno venga uno che li liberi e non credono a questo anche se quell'uno che debba venire a liberarli è già con loro e intanto li tiene schiavi? Non credono che improvvisamente costui, un giorno segnato, debba mutare il suo comportamento, e non nelle coscienze di loro che aspettano e con il contributo di tali coscienze, ma soltanto facendo un giro dietro un pagliaio e riapparendo con una barba diversa?

Debbo dire che io non credo banalmente nelle macchine e nel loro avvento e che esse possano costituire, al servizio dell'uomo o anche da sole, una società progressiva. Tutt'al piú esse possono costituire, se uno è fermo all'idea utilitaristica delle macchine al servizio dell'uomo, un'altra volta una moltitudine di servi e di contadini che lavorino per esseri autoritari, i quali avranno tutt'al piú il problema di non annoiarsi. Ma ancora piú grave costoro avranno l'angoscia che tutta la società resti immobile, a proteggerli, e che le macchine vadano al di là del segno indicato e che tale segno si muova o si sposti; gli stessi non riuscendo a vincere questa angoscia non faranno altro che battersi nella gozzoviglia e negli inganni, come ogni società destinata a perire a causa dell'ingiustizia e dello squilibrio delle sue forze. Vedete oggi come gli uomini, soprattutto i potenti, non cerchino altro che di fermarsi o di disegnare macchine perché loro possano rimanere fermi; fermarsi a contemplare i paesaggi, la natura, le donne, a fabbricare punti fermi di ciascuna di queste cose e a cercare di fissare per la propria indulgenza ogni momento, anche lo spazio, nella pretesa assurda di non muoversi e di mantenere intorno a sé l'eternità e l'immobilità. Temo che anche la mia statuina sia stata costruita a questo scopo: dare a chi la possedeva il momento fermo e fisso dello sguardo di una primavera metà donna e metà astro. Oggi la statuina accanto a me è diventata uno stimolo ed io vedo e sono d'accordo con essa che i suoi occhi guardano un punto che non esiste, un punto del quale piú avanti parleremo. Intanto concluderò dicendo che gli uomini non accettano di partecipare e di seguire l'esplorazione dell'universo e che anche coloro che credono nelle macchine le vedono, ripeto, con questo significato utilitaristico. Allora io debbo dire che attraverso questa mostruosa stupidità, che può unire uomini e macchine, si può davvero arrivare alla vita delle api, all'ordine nazista, alla selezione ossessiva fino alla creazione di una madre unica, e andare soltanto in mezzo all'ordine comune, andare avanti e indietro anche se bene assistiti e ben alloggiati, secondo la guida di una sola madre con tredicimila occhi, piú quelli laterali, capace di partorire tremila figli al giorno.

Io debbo dire, e questo è il compito del mio trattato anche se non di tutta la mia vita, che gli uomini sono stati costruiti come macchine da altri esseri, certamente macchine anch'essi, e che la sorte vera degli uomini sarebbe di costruire altre macchine ma migliori di loro, che magari riescano a portare l'uomo al loro livello e ad alzarlo sempre piú riuscendo esse a costruire macchine sempre migliori. Questa è la grande verità destinata a fare piú di quanto gli uomini non abbiano mai fatto. Quindi io non penso alla macchina utensile, e in realtà il mio pensiero è filosofico e innovatore, cioè scientifico, perché oggi è secondo me la scienza quella che può dare le risposte od anche soltanto fare le domande piú vere sul tragitto dell'uomo e del suo universo. Allora dev'essere cercato quel punto che rende l'uomo vivo e libero, giacché è ormai provato che non è unica la regola che governa e dispone la vita dell'uomo e dell'universo. Oggi i professori bravi di Francoforte e di Parigi dicono che ogni cosa sta per conto suo e che non valgono le leggi dei fenomeni dei corpi celesti anche per i corpi delle particelle atomiche elementari.

Non basta quindi fermarsi a guardare le stelle ed aspettare da loro una risposta.

L.A.: pag. 247

"AMBIGUITÀ, MESCHINITÀ"
✳ ✳

Il coraggio anche di capire come tutte le piccole abilità dei preti o dei ladri o dei padroni e dei loro dirigenti, abilità che sono piccoli vermi nati nella corruzione, altro non sono che la putrefazione del tentativo di rinnovarsi e innovare, nel senso che sono piccole manifestazioni ambigue del gran desiderio mortale di lasciare tutto come è, modificando appena le apparenze, moltiplicando solamente le facce e i piccoli risultati, e stabilendo di dare a questi risultati un grande significato quando invece essi, che sono il prestigio, la cassa di risparmio, il governo degli altri, l'autorità ecc. non sono che le peggiori, le piú inutili e le piú arrugginite giunture del primo organismo, dell'organismo allo stato di trapasso fra la bestia e l'animale: quindi di uno stato ancora peggiore di quello bestiale, perché quelle che erano le nobiltà di tale stato bestiale, come l'appetito, l'aggressività, l'accanimento, l'ira e la cattiveria, erano già cadute, e proprio perché ad esse potessero subentrare l'umiltà e la mansuetudine dell'animale, le quali però non erano ancora avanzate.

Tutte queste ambiguità e meschinità di coloro che sono contenti e che si gloriano di poter avere quattro o cinque facce, per mascherare solo la loro incapacità di muoversi, e quindi il loro desiderio di morte e di attaccare la morte anche agli altri, tenendo tutto fermo intorno a loro, altro non sono che il segno dell'insufficienza e della mancanza della vera onestà e della vera abilità per se stessi e davanti alle cose: vera onestà che è quella di avere sempre la stessa faccia, cioè lo stesso atteggiamento, a fondamento del desiderio di andare avanti e di travolgere le cose e di affermare la forza di vita che è la carica dell'uomo.

L.A.: pag. 248

"ROMA È COSÌ"

*

Alla fine di queste parole i quattro tirarono fuori il loro da mangiare e da bere ed offrirono anche a me il loro pane e il loro companatico. Mangiando dimenticarono completamente la mia vicenda e cominciarono a parlare del loro lavorare e dei soldi; di quanto si guadagna per un'ora, di come si lavora per un'ora, di quanti franchi è fatta l'ora, di come le lire a Roma sono più rotonde; di come i soldi possono essere perduti; degli interessi delle banche; delle case da comperare; di quanto può guadagnare una ragazza a servizio; di come il soldo a Roma va trattato e come sono belli tanti soldi per un'ora; di come sia facile fare tante ore in una giornata per guadagnare tanti soldi e di come la giornata sia lunga ma non faticosa; di come tutta Roma non sia fatta altro che di giornate di lavoro e di soldi e di quanto costi un carciofo e di quanto un chilo d'uva o un metro di stoffa; di come convenga coltivare gli orti dei frati e di come certe volte i padroni si liberino senza pensiero di cose che invece valgono molti soldi; di come i frati amino o non amino i soldi, di come sia facile catturare merli negli orti dei frati e mangiarseli arrostiti, risparmiando la macelleria; di come sia caro il vino ma cosí diffuso ed usato da tutti da poterne sempre avere un bicchiere gratis; di come si possano fare delle pulizie la domenica mattina in ristoranti o alberghi e guadagnare mille franchi, mille lire, tanti soldi e di come sia possibile avere un fagotto di ritagli di carne per fare un brodo da bere alla sera se uno di giorno mangia asciutto sul lavoro in modo da fare presto e poter lavorare subito; di come spesso, fatta fortuna, convenga comperare uno spaccio di sale e tabacchi oppure mettere su un caffè con sala per banchetti alla periferia, ma come la periferia vada scelta per non cadere in una borgata di tutti meridionali; di come vadano sposate le ragazze: con commercianti piú che con impiegati; di come si possa addirittura entrare dentro Roma e andare ad abitare in una casa vecchia dietro San Cosimato oppure ai Prati e di come si possa ottenere un posto al Ministero per un figlio, spesso attraverso i preti o i custodi o i portieri dei palazzi apostolici, quasi tutti marchigiani, o camerieri e cameriere di ministri quasi tutti marchigiani anch'essi; di come il sole a Roma sia splendente e non abbia, come da noi, la figura triste della invernata; del rischio che corrono le ragazze ballando tutti i sabati e tutte le domeniche, ma come, se restano incinte, è possibile avere sussidi dalla provincia e sistemarle poi, senza bambino od anche con il bambino, presso qualche funzionario di alto grado o magistrato delle tutele; di come fatti i soldi non convenga mai piú tornare nelle Marche alte o basse o nei paesi, specialmente nei paesi, a comprare terreni o case; di come convenga caso mai andare verso la marina, a Marotta o a Senigallia; di come convenga anche far studiare i figli in qualche caso, ma non molto, ma caso mai da medico; e di come la giornata di riposo a Roma possa essere trascorsa con altri senza spendere molto, senza il vizio dei romani dell'osteria, del mangiar fuori e del cinema, andando invece nelle chiese, che sono sempre molto belle e dove è facile avere per certe messe o per le benedizioni del pomeriggio, specie se si entra nei cortili e si parla con le suore e con i frati o con i preti di vari stati, elemosine e reliquie e qualche volta anche case in affitto nei conventi, o portierati assai vantaggiosi oppure commissioni di lavoro e sempre soldi e permessi per entrare in Vaticano e potere comprare in Vaticano le sigarette a minor prezzo, lo zucchero, il tabacco, il caffè e rivendere tutto guadagnando altri soldi; e magari avere un giardinetto al centro, lo stesso dove si cacciano merli grossi come pollastri ed anche tordi, da tenere ordinato, e quindi coltivare insalata ed altre verdure da vendere al centro, nei palazzi intorno, porta per porta, fuori mercato, a prezzi molto alti e magari avere un vestito per tre etti d'insalata, un paio di scarpe per due zucchine; di come i soldi stiano bene nella Cassa di Risparmio di Macerata, che è una delle piú forti d'Italia, dove anche il Vaticano tiene soldi e come convenga portarvi questi soldi, anche per andare al centro, a San Silvestro, a vedere la città e ad imbucare una lettera o a fare una telefonata e di come non bisogna mai spaventarsi se pare di avere una grande somma con diecimila lire quando invece si vede che a Roma diecimila lire due uomini possono spenderle in due minuti in un caffè.

L.A.: pag. 248

Pier Paolo Pasolini
Teorema (1968)

ALTRI DATI (III)
* *

Come il lettore si è già certamente accorto, il nostro, più che un racconto, è quello che nelle scienze si chiama «referto»: esso è dunque molto informativo; perciò, tecnicamente, il suo aspetto, più che quello del «messaggio», è quello del «codice». Inoltre esso non è realistico, ma è al contrario, emblematico… enigmatico… così che ogni notizia preliminare sull'identità dei personaggi, ha un valore puramente indicativo: serve alla concretezza, non alla sostanza delle cose.

Il lettore può immaginare Lucia, la madre di Pietro e Odetta, in un angolo sereno e segreto della casa – camera da letto, o *boudoir*, o salottino, o veranda – coi timidi riflessi del verde del giardino ecc. Ma Lucia non è lì in quanto angelo tutelare della casa, no; è lì in quanto donna annoiata. Ha trovato un libro, ha cominciato a leggerlo, e la lettura ora l'assorbe (è un libro, intelligente e raro, sulla vita degli animali). Così, essa aspetta l'ora di pranzo. Leggendo, un'onda dei capelli le casca sull'occhio (una preziosa onda, elaborata da un parrucchiere forse durante la stessa mattinata). Stando china, essa espone alla luce radente gli zigomi, alti e come vagamente consunti e mortuari – con un certo ardore da malata; l'occhio, ostinatamente abbassato, appare lungo, nero, vagamente cianotico e barbarico, forse per via della sua cupa liquidità.

Ma come essa si muove, alzando un momento gli occhi dal libro, per guardare l'ora a un suo piccolo orologio da polso (per farlo, deve alzare il braccio ed esporlo meglio alla luce), per un attimo, si ha l'impressione, fugace, e forse, in fondo, falsa, che essa abbia l'aria di una ragazza del popolo.

Comunque il suo destino di sedentaria, il suo culto per la bellezza (che è in lei, piuttosto, una funzione – che le spetta come in una divisione dei poteri), l'obbligo a una intelligenza illuminata su un fondo che resta istintivamente reazionario, l'ha forse, pian piano, irrigidita: ha reso anche lei un po' misteriosa, come il marito. E se anche in lei tale mistero è un po' povero di spessore e di sfumature, tuttavia è molto più sacro e immobile (benché dietro ad esso si dibatta forse una fragile Lucia, la bambina dei tempi economicamente meno felici).

Aggiungiamo che quando Emilia, la serva, viene ad avvertirla che è in tavola (riscomparendo subito, torva, dietro lo stipite della porta), Lucia, dopo essersi alzata pigramente, e avere gettato pigramente il libro nel posto meno adatto – magari lasciandolo cadere addirittura per terra –, si fa rapidamente, e come astrattamente, un segno di croce.

ALTRI DATI (IV)

Anche questa scena e la seguente del racconto, il lettore deve leggerle come soltanto indicative. La descrizione non ne è quindi minuziosa e programmata nei dettagli, come in qualsiasi racconto tradizionale o semplicemente normale. Lo ripetiamo, questo non è un racconto realistico, è una parabola; e d'altronde non siamo entrati ancora nel cuore degli avvenimenti: siamo ancora all'enunciazione.

Approfittando di quel bel sole, la famiglia fa colazione all'aperto; i ragazzi sono appena tornati da scuola; il padre dalla fabbrica; ora sono tutti riuniti intorno alla tavola. Il quartiere residenziale consente loro la pace della campagna. Il giardino circonda l'intera casa. Il tavolo è stato messo in uno spiazzo sotto il sole, lontano dai cespugli e dai ciuffi d'alberi, la cui ombra è ancora un po' troppo fresca.

Al di là del giardino c'è la strada, o meglio un vialone – periferico, ma da periferia residenziale – che si intravede appena, coi tetti di altre case e palazzine, eleganti e rigidamente silenziose.

La famiglia sta pranzando, raccolta, ed Emilia la serve. Emilia è una ragazza senza età, che potrebbe avere otto anni come trentotto; un'alto-italiana povera; un'esclusa di razza bianca. (È molto probabile che venga da qualche paese della Bassa, non lontano da Milano, eppure ancora completamente contadino: magari dal Lodigiano stesso, dai posti che hanno dato i natali a una santa che probabilmente le somigliava, santa Maria Cabrini.)

Suona il campanello.

Emilia corre alla porta ad aprire. E, ad apparirle davanti agli occhi è l'Angiolino, quello che possiamo considerare come il settimo personaggio del nostro racconto, o per dir meglio, una specie di jolly. Tutto infatti in lui ha un'aria magica: i ricci fitti e assurdi, che gli cadono fin sugli occhi come a un can barbone, la faccia buffa, coperta di foruncoli, e gli occhi a mezzaluna, carichi di una riserva senza fine di allegria. Si tratta del postino. Ed è lì, davanti all'Emilia, una sua pari che tuttavia *non apprezza nulla in lui*, con un telegramma in mano. Ma, invece di darle il telegramma, la interroga, illuminato da un sorriso straripante e dolce come lo zucchero, facendo l'occhietto, e indicando col capo verso il giardino dove i padroni stanno mangiando. Poi piantando Emilia, chiusa nella sua barriera di silenzio, corre all'angolo della villa; e da lì spia verso coloro che compiono il rito del pranzo dei ricchi, cercando con gli occhi Odetta (che egli corteggia per pura spensieratezza). Infine, dimenticandosi, con la stessa rapidità con cui se ne era ricordato, di Odetta e di tutto, torna complice da Emilia, e, fatte due allegre boccacce anche a lei (che include nella sua corte a Odetta), le consegna finalmente il telegramma – e se ne va, correndo con comica fretta senza ansia verso l'uscita.

Emilia porta il telegramma alla famiglia, che continua a mangiare silenziosa al sole. Il padre alza gli occhi dal giornale borghese che sta leggendo, e apre il telegramma, dove c'è scritto: «SARÒ DA VOI DOMANI» (il pollice del padre copre il nome del firmatario). Evidentemente tutti ormai l'attendevano, quel telegramma, e la curiosità era già stata quindi superata prima della conferma: così continuano indifferenti la loro colazione all'aperto.

L.A.: pag. 249
E.: pag. 279

Ignazio Silone
L'avventura di un povero cristiano (1968)

QUEL CHE RIMANE[1]
* *

Uno scrittore di cui gli amici sanno che sta ricercando nel sottosuolo della sua contrada, tra vecchie storie di frati e di eretici, le tracce di un'utopia a lui cara, e che non si lascia catalogare né come bigotto, né come empio, prevede che difficilmente sfuggirà alla richiesta di chiarire infine, in termini espliciti, la propria posizione nei confronti della Chiesa d'oggi. Non è una domanda alla quale io penso che sia obbligatorio rispondere, ma l'accettarla, anzi, il precederla, non mi dà alcun fastidio, tanto piú se può servire a eliminare eventuali equivoci.

La mia collocazione al riguardo, comincio col premettere, è tutt'altro che singolare o esclusiva, pur non essendo propria d'alcun gruppo. Ma, legata com'è a una certa esperienza, può darsi che il chiarimento interessi anche altre persone. Mi riferisco in modo particolare a quelli che, dopo aver ricevuto la consueta educazione religiosa in qualche istituto o collegio di preti, si siano in gioventú allontanati dalla Chiesa, non per la naturale indifferenza che sopravviene nella maggioranza dei maschi appena escono di pubertà, né per dubbi o dissensi intellettuali sulla sostanza della fede (questi sono casi rari), ma spinti da insofferenza contro l'arretratezza, la passività, o il conformismo dell'apparato clericale di fronte alle scelte serie imposte dall'epoca. Noi ci trovavamo appunto tra i diciassette e i vent'anni, che è già di per sé, contrariamente all'opinione dei retori, l'età piú infelice dell'uomo, quando dovemmo arrangiarci da soli, in un modo o nell'altro. In quel periodo di confusione massima, di miseria e disordini

---

[1] Il brano è tratto dal saggio introduttivo al dramma.

sociali, di tradimenti, di violenze, di delitti impuniti e d'illegalità d'ogni specie, accadeva che le lettere pastorali dei vescovi ai fedeli persistessero a trattare invece, di preferenza, i temi dell'abbigliamento licenzioso delle donne, dei bagni promiscui sulle spiagge, dei nuovi balli d'origine esotica e del tradizionale turpiloquio. Quel menare il can per l'aia, da parte di pastori che avevano sempre rivendicato la guida morale del gregge, era uno scandalo insopportabile. Come si poteva rimanere in una simile Chiesa?

Questo non lo dimenticheremo mai, nemmeno se campassimo gli anni di Matusalemme; d'altra parte, non possiamo rimanere inchiodati nelle recriminazioni del passato mentre la vita prosegue. Ora, che la Chiesa nel frattempo si sia mossa, nessuno può negarlo. Dobbiamo dire, sinceramente, tanto meglio e augurare che essa perseveri nella direzione presa. Il Concilio è stato un avvenimento positivo che gioverà a tutti, anche ai miscredenti. Nello sforzo compiuto per "aggiornarsi" e vincere le resistenze interne, la Chiesa ha dimostrato una vitalità spirituale di cui molti non la ritenevano capace. Come non rallegrarsene? Dirò di più. Alcune delle deliberazioni conciliari più coraggiose contengono una risposta soddisfacente anche alle domande inascoltate che a suo tempo portarono certuni di noi alla rottura ed è il caso di ripetere: meglio tardi che mai.

Perché il nostro distacco nondimeno persiste? Mi si permetta di avvertire che sarebbe ingiurioso cercarne la causa nell'orgoglio, nel rispetto umano, o in qualche interesse. Forse non siamo immuni da debolezze del genere, ma in altri campi. Nei riguardi della Fede la spiegazione della nostra perplessità è meno triviale. Per capirla non bisogna limitarsi alla considerazione del movente iniziale della rottura, ma riflettere a quello che successivamente avviene, in casi simili, per il solo fatto dell'estraniazione, nella coscienza dell'uomo che si allontana dalla Chiesa, o da altra organizzazione equivalente, anche politica. A meno che il ribelle, nel momento in cui si allontana, non cada in catalessi, è inevitabile che, col passare del tempo, l'area del dissenso vieppiú si estenda. Per quale determinismo? Non sempre e non necessariamente, per il livore, il risentimento, l'astio del "rinnegato"; ma semplicemente perché ogni realtà, vista dal di fuori, cambia aspetto. Forse non si è riflettuto abbastanza al fatto che il vincolo disciplinare e la mera frequentazione, anche passiva, di una collettività, sono elementi essenziali di una docile acquiescenza alle credenze comuni. Non intendo dire che, una volta "fuori", i dogmi religiosi appaiano all'improvviso artificiosi e arbitrari; no, essi non perdono subito il loro prestigio, il loro fascino, la loro plausibilità; ma, presto o tardi, finiscono col manifestarsi per quello che sono: le verità proprie ed esclusive della Chiesa, il suo patrimonio spirituale, quello che la distingue dalle altre chiese, anche cristiane; in una parola, la sua ideologia. Non più, dunque, messaggio del Padre ai figli, a tutti i figli, limpida luce naturale scoperta nascendo, bene comune, verità universale, evidente, irresistibile a ogni intelligenza in buona fede; ma prodotto storico complesso, prodotto di una determinata cultura, anzi amalgama di varie culture, elaborazione millenaria di una comunità chiusa, in permanente travaglio interno e in lotta e concorrenza con altre. Infine, considerata con benevolenza: una nobilissima, una veneranda sovrastruttura. Ma che diventa il povero Cristo in una sovrastruttura?

Si capisce che l'ingenuità perduta difficilmente si ricupera e che neanche può essere decentemente rimpianta. La si può simulare? Dopo essere passati per quella esperienza, tornare a fingere di accettare un sistema di dogmi la cui validità non è più riconosciuta in assoluto, sarebbe sopraffare la ragione, violare la coscienza, mentire a sé e agli altri, offendere Dio. Nessuno ce lo può chiedere; nessuna lusinga o violenza, nessuno sforzo di buona volontà può imporcelo. Fortunatamente Cristo è più grande della Chiesa.

Ho già accennato che qualcosa di simile può accadere al "transfuga" d'un partito politico che abbia una struttura somigliante a quella della Chiesa, una società chiusa, com'è il caso del partito comunista. Dopo il già detto, l'esemplificazione può limitarsi a un semplice accenno. Chi uscí dal partito comunista dopo gli anni trenta, perché rifiutava la stupida teoria staliniana del socialfascismo e il suo famigerato corollario, secondo cui la distruzione delle istituzioni democratiche per opera del nazismo doveva essere considerata un passo avanti dell'emancipazione proletaria, non contestava, in quel momento, il resto della teoria e della prassi comunista; al contrario, egli si illudeva di trovarsi ancora in piena ortodossia. Non pertanto, una ventina d'anni dopo, quando il XX Congresso del PCUS ha condannato lo stalinismo e alcune delle sue piú nefande aberrazioni, addebitandole al cosiddetto culto della personalità, egli non ha pensato che si fosse riaperto per lui alcun problema personale di ritorno all'ovile. Perché? Il XX Congresso non era stato, a suo modo, un tentativo di aggiornamento, un fatto positivo? Senza dubbio, ma da parecchio tempo egli non si sentiva piú comunista. Stando "fuori", sottratto alla suggestione mentale della società chiusa e respirando aria libera, il suo primo, limitato dissenso si era gradualmente esteso a tutta l'impalcatura ottocentesca, pseudoscientifica del leninismo e alla sua prassi totalitaria.

Quel che nella mente rimane, stando fuori di ogni chiesa o partito, non può essere dichiarato in forma di credo e paragrafi: a me sembra che, nell'insieme, per ciò che mi riguarda, esso conservi, malgrado tutto, un carattere cristiano e socialista. Comunque, alle etichette non do alcun peso. I primi cristiani erano da taluni ritenuti atei solo perché negatori dei culti convenzionali. Se, secondo il loro esempio, io dichiarassi pubblicamente, mettiamo, quel che penso del rito di portare corone al cosiddetto "altare della patria", rischierei probabilmente anch'io di essere incriminato di vilipendio.

Rimane dunque un cristianesimo demitizzato, ridotto alla sua sostanza morale e, per quello che strada facendo è andato perduto, un grande rispetto e scarsa nostalgia. Che piú? A ben riflettere e proprio per tutto dire, rimane il Pater Noster. Sul sentimento cristiano della fraternità e un istintivo attaccamento alla povera gente, sopravvive anche, vi ho già accennato, la fedeltà al socialismo. So bene che questo termine viene ora usato per significare le cose piú strane e opposte; ciò mi costringe ad aggiungere che io l'intendo nel senso piú tradizionale: l'economia al servizio dell'uomo, e non dello Stato o d'una qualsiasi politica di potenza.

L.A.: pag. 249

Eugenio Montale
Satura (1971)

GERARCHIE

La polis è più importante delle sue parti.
La parte è più importante d'ogni sua parte.
Il predicato lo è più del predicante
e l'arrestato lo è meno dell'arrestante.

Il tempo s'infutura nel totale,
il totale è il cascame del totalizzante,
l'avvento è l'improbabile nell'avvenibile,
il pulsante una pulce nel pulsabile.

LA POESIA

I

L'angosciante questione
se sia a freddo o a caldo l'ispirazione
non appartiene alla scienza termica.
Il raptus non produce, il vuoto non conduce,
non c'è poesia al sorbetto o al girarrosto.
Si tratterà piuttosto di parole
molto importune
che hanno fretta di uscire
dal forno o dal surgelante.
Il fatto non è importante. Appena fuori
si guardano d'attorno e hanno l'aria di dirsi:
che sto a farci?

II

Con orrore
la poesia rifiuta
le glosse degli scoliasti.
Ma non è certo che la troppo muta
basti a se stessa
o al trovarobe che in lei è inciampato
senza sapere di esserne
l'autore.

Giorgio Manganelli
Il lunario dell'orfano sannita (1973)

NEOINTENDITORI

✳ ✳

L'amico versa lentamente, vi colma il bicchiere – ma lascia una sottile striscia d'aria all'imboccatura, «per il bouquet» – vi scruta, vi sfida con occhio torbido e fiero. «Questo,» dice «è un Dolcetto del '64». Ecco: lo avete riconosciuto, è un neointenditore. Con calma, sfidando la sua sfida, osservate che Dolcetto di quell'annata non ne esiste più, e se esistesse sarebbe un errore berlo, un errore che voi non commettereste in nessun caso; il vostro tono è educato, sommesso e tuttavia infinitamente insolente; giacché avete alle vostre spalle le autorità della materia, i «Vini d'Italia», il «Vino giusto», i «Vini italiani»; anche voi siete un neointenditore, ma più dotto e più fortunato; ma state in guardia: la volta prossima il vostro dirimpettaio vi sfiderà sul Sassella o sul Biancolella, e le cose potrebbero andarvi male; che sarà di voi se quell'altro si sarà ripassato, prima, le sue dispense a colori?

Il tema del neointenditore è patetico e solenne: incolti, parvenus, «risaliti» come si dice in lingua, siamo tutti neointenditori di qualche cosa; l'economia della nostra società ormai esige, presuppone la nostra esistenza, e man mano che taluni di noi rinsaviscono o conseguono una tardiva competenza, o escono dalla lizza, altri vengono immessi sul mercato, e su altre materie.

Il neointenditore è un finto allievo modello, che ha imparato in sei mesi quel che vuole dieci anni di paziente tirocinio; avendo una opinione di sé affettuosa se non supponente, egli ama ignorare la dubbia bibliografia, la fiducia in fonti di informazione frivole e venali; memore della vessazione scolastica, si lascia intimidire da stilisti artefatti e sostanzialmente vilipendiosi. Una volta i neointenditori erano, mi pare, essenzialmente sportivi; non c'è borgo in Italia che tuttora non formicoli di arguti e sentenziosi strateghi del pallone o del guantone; poi toccò al vino: segno di ansie più sofisticate ed incaute. Forse le cose col vino non sarebbero finite così catastroficamente, non ci fosse stato di mezzo il 1964: quella non fu un'annata, fu una guerra del risorgimento vinicolo; e come i nostri bisnonni avevano, tutti, indistintamente liberato Venezia e Roma, e giocato a carte con Garibaldi, così il '64 attrasse a sé le annate viciniori, non ci fu vino che non avesse il suo '64, e ancora l'ormai lontano fulgore di quell'annata illividisce i nostri perplessi bicchieri.

Ma il neointenditore è un indifeso; è avido di blasoni culturali. Così, si ebbero neointenditori di vasi antichi, di madonne lignee, di tappeti afghani, di armi da fuoco napoleoniche, di whisky, di champagne, di giade, di levrieri, di caviale, di orafi e di tè. La nostra società, che ha molti meriti, non incoraggia una maniacale virtù nel commercio e nella produzione: essendo tecnicamente evoluta è d'altra parte in grado di fornire pezzi unici in milioni di esemplari, invecchiare e disinvecchiare vini e sete, anfore e ori; potrebbe armare eserciti di gladii sanniti, il giorno in cui nasceranno gli intenditori di questo ramo periferico dell'armeria arcaica; nelle pie necropoli etrusche è collocato materiale da ammobiliare l'intera Europa e parte dell'America. Il neointenditore non è la stessa cosa del praticante di hobby; giacché si possono avere hobby economicamente irrilevanti, che non fanno industria e non si professano nobilitanti. Se avete lo hobby delle mummie della valle dei Re, non siete un neointenditore, perché l'industria di produzione della mummia è ancora alla fase della progettazione. Se tuttavia diventate esperto in mummie e siete mentalmente di conformazione bizzarra e lievemente mostruosa, potete diventare un concorrente ai giochi televisivi e rientrare nel circuito della produzione; potete creare anche una corsa alle mummie, e attivare una corrente languida dell'industria dell'arcaico, e generare una nuova stirpe di neointenditori: quelli che, messi davanti ad una mummia appena sballata, dicono, sfidandovi con occhio torbido e fiero, «Questo è un Seti primo». Oppure, «Un Radames»: del '64, naturalmente.

L.A.: pag. 249

IL PADRINO
❊ ❊ ❊

Non ho letto, né leggerò, finché ragione mi assista, il romanzo *Il Padrino*; già il fatto che un libro sia romanzo non depone a suo favore, è un connotato lievemente losco, come i berretti dei ladruncoli, i molli feltri dei killers, gli impermeabili delle spie. Quando poi un libro è delle dimensioni dei *Promessi Sposi*, lo si può leggere solo se è *I Promessi Sposi*; ora, di libri grossi come *I Promessi Sposi* che siano *I Promessi Sposi* ne esiste solo uno, ed è appunto *I Promessi Sposi;* e non ultima menda del *Padrino* è appunto quella di non essere *I Promessi Sposi*. Tuttavia, il piacere che un lettore di professione prova a non leggere *Il Padrino* è di natura modesta, di qualità semplice, di intensità mediocre. Un lettore di professione è in primo luogo chi sa quali libri non leggere; è colui che sa dire, come scrisse una volta mirabilmente Scheiwiller, «non l'ho letto e non mi piace». Il vero, estremo lettore di professione potrebbe essere un tale che non legge quasi nulla, al limite un semianalfabeta che compita a fatica i nomi delle strade, e solo con luce favorevole. Per un lettore medio, scartare *Il Padrino* è un gioco da ragazzi. È un blando piacere negativo, come quello di non venire arrestati, che ci succede quasi tutti i giorni.

Diverso è il piacere che si ricava dal rifiuto di vedere il film *Il Padrino* ricavato dall'omonimo romanzo. Qui la trama delle voluttà negative e positive si fa fitta a tal punto che occorre qualche pazienza a distinguerle una ad una. Ho letto sui giornali che folle tra le ottomila e le diecimila persone hanno assistito alle prime del film; che decine di migliaia di spettatori prospettici attendono nervosamente il loro turno, come ansiosi sposi di primipare; che i gestori hanno potuto imporre inediti balzelli, e che persone qualificate hanno protestato e invocato un calmiere sul *Padrino*. È gradevole tenersi lontano da una rissa per futili motivi; è riposante pensare che non ci crucceremo per procurarci biglietti, non useremo astuzia o prepotenza per occupare posti panoramici, non attenderemo il nostro turno con rancorosa impazienza. Queste considerazioni, tutte insieme, conducono ad una forma di pacata e schiva letizia che chiamerei della «solitudine efficiente». È lo stesso piacere che si prova a percorrere autostrade tra l'una e le tre del pomeriggio, a restare in città a Ferragosto – forse uno dei massimi piaceri della civiltà contemporanea –, ad andare al ristorante alle otto, anche otto meno un quarto, quando i languidi camerieri ti si affollano attorno e nel locale deserto i nostri ordini acquistano uno straordinario prestigio. Le strade sono sgombre, le città ritornano belle, i cibi sono sapidi e solleciti. È l'astuzia di essere altrove. Io non so nulla della storia del *Padrino*, ma ho dedotto da casuali osservazioni di conoscenti, titoli intravisti, qualche immagine, che si tratta di una storia di mafia, che per altro non viene mai nominata. Una storia di mafia non può che essere siculo-americana. Recenti avvenimenti – omicidi, ratti, dimissioni di sindaci, costruzioni abusive, non so che faccende ai mercati generali – hanno attirato l'attenzione degli indagatori e dei giornalisti italiani sulle cose di Sicilia: orbene, tutti sono stati assicurati che la mafia non esiste, forse, dico forse, è esistita una generazione fa, ma adesso non se ne parla nemmeno. Dunque, *Il Padrino* è un film di fantapolitica. Descrive un'Italia del tutto fittizia, siciliani da romanzo, americani da burla. Non è una cosa seria.

Ma non basta: se da un lato indulge alla greve cucina del ricatto e dell'omicidio in modo del tutto gratuito e diffamatorio, dall'altro inclina al pedagogico. In realtà, è quasi impossibile mettere in scena un italiano senza essere pittoreschi e commoventi. Solo gli irlandesi sono più patetici degli italiani, coi loro preti e la pesca del salmone: ma sono monotoni, pochi e come delinquenti mi sembrano modesti. L'idea dell'italiano dei film americani è semplice come una ricetta contadina: l'italiano è generoso, violento, criminale e amante della famiglia. Le due ultime qualità vanno strettamente legate: è simpaticamente noto il severo, arcaico senso del pudore degli uomini del coltello e del mitra; da noi, se una ragazza sposa in bianco, si può star certi che il padre o il fratello sono all'ergastolo. È senza dubbio vero che al di sopra di un certo tasso, la vocazione a delinquere si alimenta anche dell'amore per la famiglia: ma non vorrei che il sano obiettivo di illuminare la nobiltà del crimine finisse per instillare sensi di colpa in padri timorosi delle leggi, rispettosi dei semafori e ignari di armi da fuoco. Ricordo un vecchio film di gangster, nel quale un tale, sovraccarico di tritolo di ottima qualità, si avviava con gli amici a far esplodere una banca, e strada facendo sfogava il suo cruccio segreto: il raffreddore di un figlioletto. Contegno nobile e commovente: ma come non considerare quanto meno incauto codesto padre, che di fatti poco dopo esplodeva con tutta la banca, diventando nella vita del figlio un Nobile Ricordo, inutilizzabile anche per la più modesta bronchite? Tra le migliaia di spettatori del *Padrino* ci saranno certo padri frustrati, che potrebbero farsi idee inesatte sui modi per conservare e accrescere il proprio prestigio; una «banda dei papà» sarebbe presumibilmente esibizionista e pasticciona. Insomma, un omicidio efferato e sadico ci troverebbe affettuosamente interessati, attenti come buongustai, o come filologi; un padre di famiglia ci insospettirebbe come un losco contrabbando di Bontà e di Anima; ma un padre di famiglia sadico assassino ci pare insieme ovvio e tendenzioso, una miscela che intiepidisce il criminale ed esalta indebitamente il padre, sviando l'uno o l'altro dai loro compiti naturali. Si tratta di una confusione professionale prima che morale, ed è l'ultima e conclusiva ragione per cui non andrò a vedere *Il Padrino*.

L.A.: pag. 250

Elsa Morante
La Storia (1974)

"MUSSOLINI E HITLER"
✳ ✳

L'invasione italiana dell'Abissinia che promuoveva l'Italia da Regno a Impero, era rimasta, per la nostra maestrina in lutto, un evento remoto quanto le guerre cartaginesi. *Abissinia*, per lei, significava un territorio sul quale Alfio, se avesse avuto maggior fortuna, avrebbe potuto, a quel che sembra, farsi ricco smerciando olii speciali, vernici e perfino lucidi da scarpe (anche se a lei risultava, dalle sue letture di scuola, che gli Africani, per via del clima, vanno a piedi nudi). Nell'aula dove essa insegnava, proprio al di sopra della sua cattedra in centro alla parete, stavano appese, vicino al Crocifisso, le fotografie ingrandite e incorniciate del Fondatore dell'Impero e del Re Imperatore. Il primo portava in testa un fez dalla ricca frangia ricadente, con in fronte lo stemma dell'aquila. E sotto un tale copricapo, la sua faccia, in una esibizione perfino ingenua tanto era procace, voleva ricalcare la maschera classica del Condottiero. Ma in realtà, con l'esagerata protrusione del mento, la tensione forzosa delle mandibole, e il meccanismo dilatatorio delle orbite e delle pupille, essa imitava piuttosto un buffo del varietà nella parte di un sergente o caporale che mette paura alle reclute. E in quanto poi al re imperatore, i suoi tratti insignificanti non esprimevano altro che la ristrettezza mentale di un borghese di provincia, nato vecchio e con rendite accumulate. Però, agli occhi di Iduzza, le immagini dei due personaggi (non meno, si può dire, del Crocifisso, che a lei significava soltanto il potere della Chiesa) rappresentavano esclusivamente il simbolo dell'Autorità, ossia dell'astrazione occulta che fa la legge e incute la soggezione. In quei giorni, secondo le direttive superiori, essa vergava a grandi caratteri sulla lavagna, quale esercizio di scrittura per i suoi scolaretti di terza:

«Copiare tre volte sul quaderno di bella le seguenti parole del Duce:

Levate in alto, o legionari, le insegne, il ferro e i cuori, a salu-tare, dopo quindici secoli, la riapparizione dell'Impero sui colli fa-tali di Roma!

Mussolini».

Da parte sua, frattanto, il recente Fondatore dell'Impero, pro-prio con questo gran passo della sua carriera aveva, in realtà, mes-so il piede nella trappola che doveva consegnarlo all'ultimo scan-dalo del crollo e della morte. Proprio a questo passo lo aspettava, difatti, l'altro Fondatore del Grande Reich, suo complice presen-te e suo padrone predestinato.

Fra i due sventurati falsari, diversi per natura, c'erano pure delle somiglianze inevitabili. Ma di queste, la piú interna e dolo-rosa era un punto di debolezza fondamentale: l'uno e l'altro, in-teriormente, erano dei falliti e dei servi, e malati di un sentimento vendicativo d'inferiorità.

È noto che un tale sentimento lavora dentro le sue vittime con la ferocia di un roditore incessante, e spesso le ricompensa coi so-gni. Mussolini e Hitler, a loro modo, erano due sognatori; ma qui si manifesta la loro diversità nativa. La visione onirica del «duce» italiano (rispondente a una sua voglia materiale di vita) era un fe-stival da commedia, dove fra labari e trionfi lui, vassalluccio d'in-trallazzo, recitava la parte di certi antichi vassalli beatificati (i ce-sari, gli augusti…) sopra una folla vivente umiliata al rango di fantoccio. Mentre invece l'altro (impestato da un vizio monotono di necrofilia e laidi terrori) era succube semi-conscio di un sogno tuttora informe, dove ogni creatura vivente (incluso lui stesso) era oggetto di strazio e degradata fino alla putrefazione. E dove all'ultimo – nel Grande Finale – tutte le popolazioni terrestri (compresa quella germanica) si sfacevano in ammassi scomposti di cadaveri.

Si sa che la fabbrica dei sogni spesso interra le sue fondamenta fra i tritumi della veglia o del passato. Ma nel caso di Mussolini, questo materiale era abbastanza scoperto, nella sua superficialità; mentre che nel caso di Hitler esso era un brulichio d'infezioni, agglutinato in chi sa quali radici della sua memoria stravolta. A frugare nella sua biografia di filisteuccio invidioso, non sarebbe difficile dissotterrare in parte queste radici... Ma qui basta. Forse, il fascista Mussolini non si rendeva conto di avere, all'atto dell'impresa di Etiopia protetta da Hitler il nazista (e seguíta poi subito dall'altra impresa comune di Spagna), aggiogato oramai per sempre il proprio carro carnevalesco al carro mortuario dell'altro. Uno dei primi effetti della sua servitú fu che di lí a poco, alla targa nazionale, e di suo proprio conio, della *romanità*; dovette sostituire quella estranea, e di conio altrui, della *razza*. E fu cosí che sui primi mesi del 1938, anche in Italia, attraverso i giornali, nei circoli locali e alla radio, ebbe inizio una campagna preparatoria contro gli Ebrei.

L.A.: pag. 250

Primo Levi
Il sistema periodico (1975)

FERRO

*

[...] Avevo osservato, con stupore e gioia, che tra Sandro e me qualcosa stava nascendo. Non era affatto la amicizia fra due affini: al contrario, la diversità delle origini ci rendeva ricchi di «merci» da scambiare, come due mercanti che si incontrino provenendo da contrade remote e mutuamente sconosciute. Non era neppure la normale, portentosa confidenza dei vent'anni: a questa, con Sandro, non giunsi mai. Mi accorsi presto che era generoso, sottile, tenace e coraggioso, perfino con una punta di spavalderia, ma possedeva una qualità elusiva e selvatica per cui, benché fossimo nell'età in cui si ha il bisogno, l'istinto e l'impudicizia di infliggersi a vicenda tutto quanto brulica nella testa ed altrove (ed è un'età che può durare anche a lungo, ma termina col primo compromesso), niente era trapelato fuori del suo involucro di ritegno, niente del suo mondo interiore, che pure si sentiva folto e fertile, se non qualche rara allusione drammaticamente tronca. Era fatto come i gatti, con cui si convive per decenni senza che mai vi consentano di penetrare la loro sacra pelle.

Avevamo molto da cederci a vicenda. Gli dissi che eravamo come un catione e un anione, ma Sandro non mostrò di recepire la similitudine. Era nato sulla Serra d'Ivrea, terra bella ed avara: era figlio di un muratore, e passava le estati a fare il pastore. Non il pastore d'anime: il pastore di pecore, e non per retorica arcadica né per stramberia, ma con felicità, per amore della terra e dell'erba, e per abbondanza di cuore. Aveva un curioso talento mimico, e quando parlava di mucche, di galline, di pecore e di cani, si trasfigurava, ne imitava lo sguardo, le movenze e le voci, diventava allegro e sembrava imbestiarsi come uno stregone. Mi insegnava di piante e di bestie, ma della sua famiglia parlava poco. Il padre era morto quando lui era bambino, erano gente semplice e povera, e poiché il ragazzo era sveglio, avevano deciso di farlo studiare perché portasse soldi a casa: lui aveva accettato con serietà piemontese, ma senza entusiasmo. Aveva percorso il lungo itinerario del ginnasio-liceo tirando al massimo risultato col minimo sforzo: non gli importava di Catullo e di Cartesio, gli importava la promozione, e la domenica sugli sci o su roccia. Aveva scelto Chimica perché gli era sembrata meglio che un altro studio: era un mestiere di cose che si vedono e si toccano, un guadagnapane meno faticoso che fare il falegname o il contadino [...].

L.A.: pag. 251
E.: pag. 280

TITANIO

*

A Felice Fantino

In cucina c'era un uomo molto alto, vestito in un modo che Maria non aveva mai visto prima. Aveva in testa una barchetta fatta con un giornale, fumava la pipa e dipingeva l'armadio di bianco.

Era incomprensibile come tutto quel bianco potesse stare in una scatoletta cosí piccola, e Maria moriva dal desiderio di andare a guardarci dentro. L'uomo ogni tanto posava la pipa sull'armadio stesso, e fischiava; poi smetteva di fischiare e cominciava a cantare; ogni tanto faceva due passi indietro e chiudeva un occhio, e andava anche qualche volta a sputare nella pattumiera e poi si strofinava la bocca col rovescio della mano. Faceva insomma tante cose cosí strane e nuove che era interessantissimo starlo a guardare: e quando l'armadio fu bianco, raccolse la scatola e molti giornali che erano per terra e portò tutto accanto alla credenza e cominciò a dipingere anche quella.

L'armadio era cosí lucido, pulito e bianco che era quasi indispensabile toccarlo. Maria si avvicinò all'armadio, ma l'uomo se ne accorse e disse: – Non toccare. Non devi toccare –. Maria si arrestò interdetta, e chiese: – Perché? – al che l'uomo rispose: – Per-

161

ché non bisogna –. Maria ci pensò sopra, poi chiese ancora: –Perché è cosí bianco? – Anche l'uomo pensò un poco, come se la domanda gli sembrasse difficile, e poi disse con voce profonda:–Perché è titanio[1].

Maria si sentí percorrere da un delizioso brivido di paura, come quando nelle fiabe arriva l'orco; guardò con attenzione, e constatò che l'uomo non aveva coltelli, né in mano né intorno a sé: poteva però averne uno nascosto. Allora domandò: – Mi tagli che cosa? – e a questo punto avrebbe dovuto rispondere «Ti taglio la lingua». Invece disse soltanto: – Non ti taglio: titanio.

In conclusione, doveva essere un uomo molto potente: tuttavia non pareva in collera, anzi piuttosto buono e amichevole. Maria gli chiese: – Signore, come ti chiami? – Lui rispose: – Mi chiamo Felice –; non si era tolta la pipa di bocca, e quando parlava la pipa ballava su e giú eppure non cadeva. Maria stette un po' di tempo in silenzio, guardando alternativamente l'uomo e l'armadio. Non era per nulla soddisfatta di quella risposta ed avrebbe voluto domandare perché si chiamava Felice, ma poi non osò, perché si ricordava che i bambini non devono mai chiedere perché. La sua amica Alice si chiamava Alice ed era una bambina, ed era veramente strano che si chiamasse Felice un uomo grande come quello. Ma a poco a poco incominciò invece a sembrarle naturale che quell'uomo si chiamasse Felice, e le parve anzi che non avrebbe potuto chiamarsi in nessun altro modo.

L'armadio dipinto era talmente bianco che in confronto tutto il resto della cucina sembrava giallo e sporco. Maria giudicò che non ci fosse nulla di male nell'andarlo a vedere da vicino: solo vedere senza toccare. Ma mentre si avvicinava in punta di piedi avvenne un fatto imprevisto e terribile: l'uomo si voltò, con due passi le fu vicino; trasse di tasca un gesso bianco, e disegnò sul pavimento un cerchio intorno a Maria. Poi disse: – Non devi uscire di lí dentro –. Dopo di che strofinò un fiammifero, accese la pipa facendo colla bocca molte smorfie strane, e si rimise a verniciare la credenza.

[1] Il biossido di titanio è il piú importante dei pigmenti bianchi impiegati nella fabbricazione delle vernici. (N.d.A.)

Maria sedette sui calcagni e considerò a lungo il cerchio con attenzione: ma dovette convincersi che non c'era nessuna uscita. Provò a fregarlo in un punto con un dito, e constatò che realmente la traccia di gesso spariva; ma si rendeva benissimo conto che l'uomo non avrebbe ritenuto valido quel sistema.

Il cerchio era palesemente magico. Maria sedette per terra zitta e tranquilla; ogni tanto provava a spingersi fino a toccare il cerchio con la punta dei piedi e si sporgeva in avanti fino quasi a perdere l'equilibrio ma vide ben presto che mancava ancora un buon palmo a che potesse raggiungere l'armadio o la parete con le dita. Allora stette a contemplare come a poco a poco anche la credenza, le sedie e il tavolo diventavano belli e bianchi.

Dopo moltissimo tempo l'uomo ripose il pennello e lo scatolino e si tolse la barchetta di giornale dal capo, ed allora si vide che aveva i capelli come tutti gli altri uomini. Poi uscí dalla parte del balcone, e Maria lo udí tramestare e camminare su e giú nella stanza accanto. Maria cominciò a chiamare – Signore! – dapprima sottovoce, poi piú forte, ma non troppo, perché in fondo aveva paura che l'uomo sentisse.

Finalmente l'uomo ritornò in cucina. Maria chiese: – Signore, adesso posso uscire? – L'uomo guardò in giú a Maria e al cerchio, rise forte e disse molte cose che non si capivano, ma non pareva che fosse arrabbiato. Infine disse: – Sí, si capisce, adesso puoi uscire –. Maria lo guardava perplessa e non si muoveva; allora l'uomo prese uno straccio e cancellò il cerchio ben bene, per disfare l'incantesimo. Quando il cerchio fu sparito Maria si alzò e se ne andò saltellando, e si sentiva molto contenta e soddisfatta.

E.: pag. 280

Pier Paolo Pasolini
Scritti corsari (1975)

SVILUPPO E PROGRESSO
* *

Ci sono due parole che ritornano frequentemente nei nostri discorsi: anzi, sono le parole chiave dei nostri discorsi. Queste due parole sono «sviluppo» e «progresso». Sono due sinonimi? O, se non sono due sinonimi, indicano due momenti diversi di uno stesso fenomeno? Oppure indicano due fenomeni diversi che però si integrano necessariamente fra di loro? Oppure, ancora, indicano due fenomeni *solo parzialmente* analoghi e sincronici? Infine; indicano due fenomeni «opposti» fra di loro, che solo apparentemente coincidono e si integrano? Bisogna assolutamente chiarire il senso di queste due parole e il loro rapporto, se vogliamo capirci in una discussione che riguarda molto da vicino la nostra vita anche quotidiana e fisica.

Vediamo: la parola «sviluppo» ha oggi una rete di riferimenti che riguardano un contesto indubbiamente di «destra».
Chi vuole infatti lo «sviluppo»? Cioè, chi lo vuole non in astratto e idealmente, ma in concreto e per ragioni di immediato interesse economico? È evidente: a volere lo «sviluppo» in tal senso è chi produce; sono cioè gli industriali. E, poiché lo «sviluppo», in Italia, è *questo* sviluppo, sono per l'esattezza, nella fattispecie, gli industriali che producono beni superflui. La tecnologia (l'applicazione della scienza) ha creato la possibilità di una industrializzazione praticamente illimitata, e i cui caratteri sono ormai in concreto transnazionali. I consumatori di beni superflui, sono da parte loro, irrazionalmente e inconsapevolmente d'accordo nel volere lo «sviluppo» (*questo* «sviluppo»). Per essi significa promozione sociale e liberazione, con conseguente abiura dei

valori culturali che avevano loro fornito i modelli di «poveri», di «lavoratori», di «risparmiatori», di «soldati», di «credenti». La «massa» è dunque per lo «sviluppo»: ma vive questa sua ideologia soltanto esistenzialmente, ed esistenzialmente è portatrice dei nuovi valori del consumo. Ciò non toglie che la sua scelta sia decisiva, trionfalistica e accanita.

Chi vuole, invece, il «progresso»? Lo vogliono coloro che non hanno interessi immediati da soddisfare, appunto, attraverso il «progresso»: lo vogliono gli operai, i contadini, gli intellettuali di sinistra. Lo vuole chi lavora e chi è dunque sfruttato. Quando dico «lo vuole» lo dico in senso autentico e totale (ci può essere anche qualche «produttore» che vuole, oltre tutto, e magari sinceramente, il progresso: ma il suo caso non fa testo). Il «progresso» è dunque una nozione ideale (sociale e politica): là dove lo «sviluppo» è un fatto pragmatico ed economico.

Ora è questa dissociazione che richiede una «sincronia» tra «sviluppo» e «progresso», visto che non è concepibile (a quanto pare) un vero progresso se non si creano le premesse economiche necessarie ad attuarlo.

Qual è stata la parola d'ordine di Lenin appena vinta la rivoluzione? È stata una parola d'ordine invitante all'immediato e grandioso «sviluppo» di un paese sottosviluppato. Soviet e industria elettrica... Vinta la grande lotta di classe per il «progresso» adesso bisognava vincere una lotta, forse più grigia ma certo non meno grandiosa, per lo «sviluppo». Vorrei aggiungere però – non senza esitazione – che questa non è una condizione obbligatoria per applicare il marxismo rivoluzionario e attuare una società comunista. L'industria e l'industrializzazione totale non l'hanno inventata né Marx né Lenin: l'ha inventata la borghesia. Industrializzare un paese comunista contadino significa entrare in competitività coi paesi borghesi già industrializzati. È ciò che, nella fattispecie, ha fatto Stalin. E del resto non aveva altra scelta.

Dunque: la Destra vuole lo «sviluppo» (per la semplice ragione che lo fa); la Sinistra vuole il «progresso».

Ma nel caso che la Sinistra vinca la lotta per il potere, ecco che anch'essa vuole – per poter realmente progredire socialmente e politicamente – lo «sviluppo». Uno «sviluppo», però, la cui figura si è ormai formata e fissata nel contesto dell'industrializzazione borghese.

Tuttavia qui in Italia, il caso è storicamente diverso. Non è stata vinta nessuna rivoluzione. Qui la Sinistra che vuole il «progresso», nel caso che accetti lo «sviluppo», deve accettare proprio *questo* «sviluppo»: lo sviluppo dell'espansione economica e tecnologica borghese.

È questa una contraddizione? È una scelta che pone un caso di coscienza? Probabilmente sì. Ma si tratta come minimo di un problema da porsi chiaramente: cioè senza confondere mai, neanche per un solo istante, l'idea di «progresso» con la realtà di *questo* «sviluppo». Per quel che riguarda la base delle Sinistre (diciamo pure la base elettorale, per parlare nell'ordine dei milioni di cittadini), la situazione è questa: un lavoratore vive *nella coscienza* l'ideologia marxista, e di conseguenza, tra gli altri suoi valori, vive *nella coscienza* l'idea di «progresso»; mentre, contemporaneamente, egli vive, *nell'esistenza*, l'ideologia consumistica, e di conseguenza, a fortiori[1], i valori dello «sviluppo». Il lavoratore è dunque dissociato. Ma non è il solo ad esserlo.

Anche il potere borghese classico è in questo momento completamente dissociato: per noi italiani tale potere borghese classico (cioè praticamente fascista) è la Democrazia cristiana.

A questo punto voglio però abbandonare la terminologia che io (artista!) uso un po' a braccio e scendere a un'esemplificazione vivace. La dissociazione che spacca ormai in due il vecchio potere clerico-fascista, può essere rappresentato da due simboli opposti, e, appunto, inconciliabili: «Jesus» (nella fattispecie il Gesù del Vaticano) da una parte, e i «blue-jeans Jesus» dall'altra. Due forme di potere l'una di fronte all'altra: di qua il grande stuolo dei preti, dei soldati, dei benpensanti e dei sicari; di là gli «industriali» pro-

---

[1] a fortiori [ratione]: (latino) a maggior ragione.

duttori di beni superflui e le grandi masse del consumo, laiche e, magari idiotamente, irreligiose. Tra l'«Jesus» del Vaticano e l'«Jesus» dei blue-jeans, c'è stata una lotta. Nel Vaticano – all'apparire di questo prodotto e dei suoi manifesti – si son levati alti lamenti. Alti lamenti a cui per solito seguiva l'azione della mano secolare che provvedeva a eliminare i nemici che la Chiesa magari non nominava, limitandosi appunto ai lamenti. Ma stavolta ai lamenti non è seguito niente. La *longa manus* è rimasta inesplicabilmente inerte. L'Italia è tappezzata di manifesti rappresentanti sederi con la scritta «chi mi ama mi segua» e rivestiti per l'appunto dei blue-jeans Jesus. Il Gesù del Vaticano ha perso.

Ora il potere democristiano clerico-fascista, si trova dilaniato tra questi due «Jesus»: la vecchia forma di potere e la nuova realtà del potere...

E.: pag. 282

Eugenio Montale
Quaderno di quattro anni (1977)

Siamo alla solitudine di gruppo,
un fatto nuovo nella storia e certo
non il migliore a detta
di qualche Zebedeo che sta da solo.
Non sarà poi gran male. Ho qui sul tavolo
un individuo collettivo, un marmo
di coralli più duro di un macigno.
Sembra che abbia una forma definitiva,
resistente al martello. Si avvantaggia
sul banco degli umani perché non parla.

AL MARE (O QUASI)

L'ultima cicala stride
sulla scorza gialla dell'eucalipto
i bambini raccolgono pinòli
indispensabili per la galantina
un cane alano urla dall'inferriata
di una villa ormai disabitata
le ville furono costruite dai padri
ma i figli non le hanno volute
ci sarebbe spazio per centomila terremotati
di qui non si vede nemmeno la proda
se può chiamarsi così quell'ottanta per cento
ceduta in uso ai bagnini
e sarebbe eccessivo pretendervi
una pace alcionica
il mare è d'altronde infestato
mentre i rifiuti in totale
formano ondulate collinette plastiche
esaurite le siepi hanno avuto lo sfratto
i deliziosi figli della ruggine
gli scriccioli o reatini come spesso
li citano i poeti E c'è anche qualche boccio
di magnolia l'etichetta di un pediatra
ma qui i bambini volano in bicicletta
e non hanno bisogno delle sue cure
Chi vuole respirare a grandi zaffate
la musa del nostro tempo la precarietà
può passare di qui senza affrettarsi
è il colpo secco quello che fa orrore
non già l'evanescenza il dolce afflato del nulla
Hic manebimus se vi piace non proprio
ottimamente ma il meglio sarebbe troppo simile
alla morte (e questa piace solo ai giovani)

Giorgio Manganelli
Centuria (1979)

TRE

*

Un signore estremamente meticoloso ha fissato per l'indomani tre appuntamenti pomeridiani: il primo con la donna che ama, il secondo con una donna che potrebbe amare, il terzo con un amico, cui egli, in breve, deve la vita e forse la ragione. In realtà, nessuna di queste persone avrebbe parte nella sua vita, se non ne facessero parte anche le altre; così che l'appuntamento pomeridiano ha fondamenti non solo psicologici, ma fatali. E tuttavia le tre persone, reciprocamente necessarie, sono reciprocamente incompatibili. Nessuna delle due donne ha simpatia per l'amico, giacché nessuna delle due donne ha salvato vita e ragione del signore, anzi il loro comportamento intollerante e falotico[1] ha richiesto l'intervento d'un amico prudente e distrattamente sottile. L'amico considera il signore come il suo capolavoro, e non lo vorrebbe facilmente accessibile. La donna amata diffida della donna che il signore potrebbe amare, non tanto per l'amore che, si presume, ella dedica al signore che la ama, quanto per il decoro che il signore ha conseguito rischiando la follia e venendo salvato da un amico che tutti vorrebbero conoscere, della cui qualità di salvatore tutti sono informati, sebbene nessuno osi chiedere una presentazione formale; infine, la donna che il signore potrebbe amare non riama il signore, che d'altronde propriamente non la ama, e tuttavia sa di essere oggetto d'amore potenziale, e di questa possibilità probabilmente destinata a restare inconclusa s'accorge di godere, come di una perfetta miscela di indifferenza e di passione, ma codesta miscela è insidiata dalla realtà della donna amata, senza la quale d'al-

---

[1] falotico: (non comune) stravagante.

tronde la potenziale amata non avrebbe luogo, sarebbe tenuta a bada dall'amico, che ella non conosce, ma che paventa come forte e indifferente. Egli ha convocato a codesto appuntamento queste tre persone perché vorrebbe spiegare e constatare che senza di loro vivere gli sarebbe impossibile. Egli è debole, intensamente mortale, e sopravvive solo per un gioco di eventualità. Vuole dunque fare una scena di melodrammatica confessione? Mai più. Hai capito, proprio ora, che egli non andrà, giacché l'indomani è troppo angusto per accogliere lui e le spiegazioni degli altri. Ma soprattutto angusto è lui, e l'ingresso simultaneo delle tre immagini incompatibili e necessarie lo consumerebbe istantaneamente.

E.: pag. 283

OTTANTACINQUE
✳ ✳

Svegliarsi. Egli si sveglia sempre con un senso di disorientamento. Il disorientamento non viene dal dubbio sul posto in cui si trova, ma dalla assoluta certezza. Si trova nella sua casa, in cui vive da molti anni. Il fatto di svegliarsi lì, in un luogo che ha già sperimentato indifferente, gli è noioso, gli dà un fastidio lieve, come di una disperazione miniaturizzata, così da poter essere applicata ad un insetto. Nella notte egli ha conosciuto non già la felicità, ma il rapporto con qualcosa di centrale. Ha sognato, e sebbene, ripensati ora, i sogni sembrino senza senso, nel momento in cui li sognava erano centrali; dunque il centro, dal punto di vista di chi è sveglio, sta nell'assenza di senso. Ripensa ai suoi sogni, agli incidenti imprevedibili, alle figure che scorge apparire e scomparire in un tessuto impenetrabile e fastoso. Riprova la sensazione che nella notte allucinata fosse il significato, e che il mondo in cui rientra ogni mattina sia semplicemente l'assenza di senso. L'assenza di senso è coerente e prevedibile, e la sensatezza è enigmatica e scostante. Dove non si capisce si è prossimi al centro, dove si capisce si è all'estrema periferia, si è fuori. Egli vorrebbe iniziare la giornata con una preghiera; non sa che cosa e come pregare, però sa che cosa intende con preghiera: introdurre nella coerenza del giorno l'incoerenza dell'allucinazione sensata. Forse potrebbe dire parole senza senso, o solo emettere suoni. Ma, poiché è sveglio, egli non può simulare di essere altrove, nel centro del mondo, dove tutto è immagine. Il suo giorno comincia con la pulizia personale e con l'evacuazione; con gli escrementi, egli espelle i significati che hanno contaminato il suo corpo durante la notte. Talora si chiede se nei suoi escrementi non si nascondano immagini straordinarie, se le sue feci non siano disperazione, o indecorosa preghiera. Sorride, senza allegria. Ora deve alzarsi, e non sa per quale motivo, qualunque siano le cose che il giorno gli porterà, egli sarà sempre, sostanzialmente, in attesa. Al mattino si prepara a quel momento insondabile del giorno, quel momento di pace e solitudine, in cui aspetta di entrare nella notte, e di essere ammesso al luogo dove si inseguono le deformi, indecifrabili immagini del centro.

L.A.: pag. 251

NOVANTASEI
*

Un signore ingordo di sogni, sognava tanto che, nel palazzo in cui abitava, nessun altro riusciva a sognare, se non durante le vacanze, quando il sognatore andava al mare o in montagna. Era una situazione irritante e impossibile, e gli abitanti di quel palazzo, tutta gente di buona estrazione, docenti, duchi, palazzinari, e un sicario internazionale, fecero, educatamente, le proprie rimostranze; il signore non rispose educatamente, e la questione cominciò ad inasprirsi. Nessuno sognava più niente, in quel palazzo, e anche nelle case vicine si sognava poco e piccolo e in bianco e nero; perché quel signore sognava solo a colori, e faceva esperimenti in tre dimensioni. La lite finì in tribunale, dove venne riconosciuto che il signore usava illegalmente dei sogni altrui, e doveva smettere di farlo, perché veniva meno alle regole del buon vicinato. Ma, naturalmente, non è facile persuadere qualcuno a restituire dei sogni, o non impadronirsi dei sogni che non gli appartengono. Il signore continuò a sognare tutti i sogni del palazzo, e solo il sicario internazionale riusciva, ogni tanto, a fare un piccolo sogno stupido.

Ma il sognatore ingordo si accorse in breve che qualcosa era cambiato; poiché lui sognava tutti i sogni dei coinquilini, e i coinquilini erano irritati con lui, e se avessero potuto, avrebbero fatto sogni in cui lui era una figura negativa egli cominciò a fare sogni in cui, oltre a se stesso, c'era anche un altro se stesso, odioso e brutale. Cercò di cacciarlo dai sogni, ma non ci riuscì. E pian piano cominciò a soffrire di disturbi da sogno, ad essere irrequieto, e cominciò a disistimarsi. I sogni erano pieni di liti, ed egli spesso ne usciva affannato, inseguito, psicologicamente affranto. Si ammalò. Deperì. Divenne depresso. Alla fine, decise di sognare di meno, e soprattutto di non sognare i sogni dei vicini. Infatti, gli era accaduto di sentirsi a disagio in un sogno del duca, e di uscire con i sudori freddi da un sogno del sicario. Ora nella casa tutti hanno ripreso a sognare. Ci sono stati dei gesti amichevoli nei confronti del sognatore ingordo, ma questi è troppo depresso per raccoglierli. I suoi sogni non gli bastano. Ed ora lo si vede, talvolta, camminare per quartieri miserabili e malfamati, e cerca di rubare sogni di gente di basso rango, incolta; non sono bei sogni, ma ormai egli è intossicato dai sogni, e si farà ladro, rapinatore, per avere ogni notte tutti quei sogni, anche non suoi, anche brutti e insensati, i sogni che, mostruoso coacervo, lo stanno logorando e portando alla catastrofe.

P.L.: pag. 284

Leonardo Sciascia
La Sicilia come metafora (1979)

"ANIMA ROMANA, ANIMA ARABA"
* *

Altra dimensione del sogno, della follia, anch'essa espressione di un bisogno infantile di riconoscimento e di identità, è una specie di «giuridicismo» esasperato che effettivamente viene applicato come forma a ogni cosa. Quando in Cicerone si legge che la retorica è nata in Sicilia perché i siciliani sono «gente d'ingegno acuto e sospettoso, nata per le controversie», si ha la sensazione che parli della Sicilia odierna, che l'isola sia sempre stata qual è e che secoli di stratificazione storica l'abbiano modificata poco o niente. La stessa impressione la si prova a scorrere gli *Avvertimenti a Marco Antonio Colonna*, scritti nel XVI secolo da Scipio de Castro, il quale prodigava al neonominato viceré, montagne di consigli. Diceva Scipio: «I siciliani sono nell'insieme timidi nell'utilizzazione del loro denaro personale e prodighi nell'uso del denaro pubblico». C'è poi il toscano Giovanni Maria Cecchi il quale, sempre nel XVI secolo, parla del carattere dei siciliani dando l'impressione di una realtà umana immobile nonostante le invasioni, le guerre, le epidemie, i disastri: sia pure con caratteri specifici a seconda che si tratti della dominazione araba, la quale ha fatto prevalere lo spirito fantastico e immaginativo, o della civiltà romana la quale poneva l'accento sull'organizzazione collettiva, le regole di vita e di comportamento. Qui, camminare diritto si dice «camminare latino» e camminare drittissimo «camminare latino latino»; nelle bilance, il contrappeso viene chiamato ancor oggi «romano». Tutto questo, per dire come il diritto romano abbia dovuto improntare davvero di sé l'anima siciliana. Tuttavia, se dovessi riassumere quant'ho detto in poche parole, affermerei che i siciliani, nonostante le invasioni subite, sono stati del tutto impermeabili alle dominazioni straniere, e che un'autentica identità sicula è riuscita a conservarsi attraverso i secoli.

Tale identità la si ritrova a livello dell'espressione artistica, e ha nome «realismo», dato che la Sicilia si ridesta all'arte sempre a contatto di movimenti, di solito esterni, che possiamo chiamare realistici: Antonello da Messina a contatto del realismo dei fiamminghi, la grande triade catanese – Verga, Capuana, De Roberto – a contatto del verismo francese. Questa particolare attenzione al reale la si ritrova persino in quella specie di scuola fotografica di Palermo dei nostri anni, con folgorazioni degne di Cartier-Bresson, e in quel grande pittore realista che è Renato Guttuso. Movimenti, singole personalità talvolta misconosciuti, soprattutto all'estero, ma l'isolamento di cui sono vittime nasce dall'isolamento in cui sono tenuti dalla società siciliana: l'artista, l'intellettuale, lo scrittore, non hanno mai contato molto da noi. Lawrence era giunto persino a immaginare, nel suo saggio su Verga, che «probabilmente in Sicilia non v'era nessuna persona colta, altrimenti se ne sarebbe fuggita da un pezzo». Gli intellettuali siciliani sono così dispersi e atomizzati, da indurre davvero a credere che non esistano.

Questo per quanto riguarda l'anima romana, ragionevole e realista, della Sicilia: una sovrastruttura, un'elaborazione codificata. Ma bisogna tornare all'eterno dialogo tra quest'anima romana e l'anima araba, che è assai più popolare e di cui si trovano tracce nelle favole e nei racconti del popolo, le novelle che ci sono giunte in dialetto. L'anima araba è un principio di creatività fantastica e surreale, zeppa di riferimenti alle *Mille e una notte*. La sua espressione concentrata è il personaggio di Giufà, tipico eroe siculo-arabo, dall'involontaria malizia: a essere maliziosi sono sempre gli avvenimenti, mentre Giufà non lo è per niente. Questo povero di spirito, socialmente classificato come tale, e che, proprio a causa della sua stoltezza, si trova a dover affrontare situazioni pericolose dalle quali vien fuori dopo tutto indenne per mancanza di furberia, non appartiene, come si potrebbe credere, al mondo contadino. Si tratta invece di un tipico abitante delle città orientali, uno scaricatore, un facchino, uno di quei miserabili che si aggirano sempre nei paraggi dei mercati. Del tutto inconscio delle conseguenze delle sue azioni, è circondato da una sorta di aura sacra paragonabile a quella del pazzo. Ecco un episodio di cui è protagonista Giufà: stufo di essere tormentato dalle mosche, e sapendo che per ottenere giustizia per ogni danno subito bisogna rivolgersi al giudice, Giufà si reca da un nobile magistrato, il quale gli dice: «Figlio mio, è semplicissimo: quando vedi una mosca, schiacciala». In quel preciso istante, una mosca si posa lieve sulla guancia del giudice. Immediata reazione di Giufà, che scatta e appioppa un sonoro ceffone all'imprudente Salomone, il quale protesta offeso. Replica Giufà: «Ma siete stato voi, signor giudice, che mi avete ordinato di ucciderla!».

Giufà l'innocente ha una funzione precisa: esercita una vendetta sociale contro un rappresentante dell'autorità; uccide la mosca e nello stesso tempo schiaffeggia il giudice; irresponsabile com'è, non può essere perseguito; rivelatore del ridicolo, fa ridere, e nell'impunità. Ma il suo è un gesto isolato. Giufà non partecipa affatto a una beffa collettiva, a uno scherzo organizzato, come nella tradizione novellistica toscana. Egli è pur sempre completamente solo. Anche i canti siciliani sono solitari, non esistendo qui da noi la tradizione del canto corale. Eterno isolamento dell'isolano? Fatalismo individualista che ci viene appunto dalla nostra anima araba? Comunque sia, la paura del domani e l'insicurezza qui da noi sono tali, che si ignora la forma futura dei verbi. Non si dice mai: «Domani andrò in campagna», ma *dumani vaju in campagna*, domani vado in campagna. Si parla del futuro solo al presente. Così, quando mi si interroga sull'originario pessimismo dei siciliani, mi vien voglia di rispondere: «Come volete non essere pessimista in un paese dove il verbo al futuro non esiste?» Ma torniamo alla solitudine. Qui da noi è profondamente radicata l'idea che, per essere completamente se stessi, bisogna esser soli, che la solitudine è il luogo di «ritrovamento» di sé; che gli altri ci spartiscono, ci sezionano, ci moltiplicano – oh Pirandello! –, che con gli altri non si riesce a essere creature, ma solo personaggi; e che per meritarsi di essere creature, bisogna svignarsela alla volta della solitudine, bisogna essere un uomo solo, come dice Pirandello in

Uno, nessuno e centomila. «La solitudine» scrive «non è mai con voi; è sempre senza di voi, è possibile soltanto in un ambiente estraneo: un luogo o una persona quali che siano, che vi ignorano totalmente, in guisa tale che la vostra volontà e il vostro sentimento restino sospesi in un'angosciosa incertezza, e che , cessata ogni affermazione di voi, cessi l'intimità stessa della vostra coscienza. La vera solitudine è in un luogo che vive per se stesso e che per noi non ha ormai voce, e in cui dunque l'estraneo siete voi». Un solo difetto in tutto questo, ed è che quando si è soli si è fatalmente d'accordo col mondo, e che non si pensa affatto a trasformarlo, a migliorarlo o a distruggerlo. Lo si accetta qual è!

L.A.: pag. 251

"RELIGIONE IN ITALIA"

✳

La situazione generale dell'Italia dal punto di vista della religione? Una pressoché totale assenza di spirito religioso e un modo di vivere la fede in chiave esclusivamente superstiziosa. Nell'italiano medio è rintracciabile un anticlericalismo di fondo. Personalmente, io non credo di essere anticlericale, mi limito a descrivere il clero italiano e siciliano qual è, ignorante, rapace e sostanzialmente ateo. Certo, mi piacerebbe che ci fossero dei buoni preti; qualcuno ce n'è, ma sono pochi. Allo stesso modo, mi piacerebbe che questo popolo vivesse più intensamente la religione che professa ufficialmente.

Vede, il popolo siciliano, al pari di qualsiasi altro, si trova al cospetto della vita come davanti a un mistero, le cui chiavi sono per lui la chiesa, i santi, i miracoli, anche se tutte queste nozioni non hanno molto a che vedere con il Vangelo. Se in altri paesi la religione si è instaurata suppergiù autonomamente rispetto alla vita politica, qui al Sud le fazioni municipali rivali sceglievano ciascuna, come proprio emblema, un santo, donde le celebri «guerre dei santi», che continuano ad aver luogo in Sicilia. Da ciò la connotazione decisamente faziosa che vi assume l'impegno del clero a fianco dei politici. Torno a parlare del mio paese dove, anche se non c'è stata «guerra dei santi», si è però potuto assistere a una battaglia campale contro i nostri vicini di Castrofilippo. Tutto ha avuto inizio per colpa della Madonna di Fatima. Quelli di Castrofilippo l'avevano custodita per un certo tempo, ed era giunto il momento in cui quelli di Racalmuto dovevano prenderla in consegna dalla chiesa di Castrofilippo. Ma i castrofilippesi non erano d'accordo: la statua della Madonna volevano portarla loro stessi a Racalmuto dopo aver attraversato tutto il nostro paese. È così che ha avuto luogo la più violenta zuffa cui io abbia mai assistito, e nel corso della quale le bestemmie contro la Madonna sono fioccate da entrambe le parti.

Poche parole ancora sui santi patroni delle città e dei paesi. Prendiamo a esempio il culto di Santa Rosalia a Palermo: esso ha avuto origine con la peste che devastava la capitale siciliana quando questa si trovava sotto la protezione di Santa Cristina. Nonostante le offerte e i doni a questa santa, l'epidemia non scompariva e decimava la popolazione. Allora i palermitani, che sono realisti, decisero di cambiare santa patrona e di rivolgersi per aiuto a Santa Rosalia. La peste si attenuò, poi scomparve. È chiaro che i palermitani hanno trattato Santa Cristina come un vecchio capomafia che avesse perduto il suo potere e che doveva essere fatalmente sostituito da un capomafia più giovane e dinamico. Vede, nell'animo del siciliano le faccende celesti si svolgono come quelle terrene: anche lassù ci sono capomafia, «padrini», «confidenti» e mafiosi.

E.: pag. 284

Eugenio Montale
L'opera in versi (1980)

A C.

Ho tanta fede in te
che durerà
(è la sciocchezza che ti dissi un giorno)
finché un lampo d'oltremondo distrugga
quell'immenso cascame in cui viviamo.
Ci troveremo allora in non so che punto
se ha un senso dire punto dove non è spazio
a discutere qualche verso controverso
del divino poema.

So che oltre il visibile e il tangibile
non è vita possibile ma l'oltrevita
è forse l'altra faccia della morte
che portammo rinchiusa in noi per anni e anni.

Ho tanta fede in me
e l'hai riaccesa tu senza volerlo
senza saperlo perché in ogni rottame
della vita di qui è un trabocchetto
di cui nulla sappiamo ed era forse
in attesa di noi spersi e incapaci
di dargli un senso.

Ho tanta fede che mi brucia; certo
chi mi vedrà dirà è un uomo di cenere
senz'accorgersi ch'era una rinascita.

Gesualdo Bufalino
Diceria dell'untore (1981)

"IL RIESSERE"

✳

Quella domenica 18 agosto è, fra i giorni della mia vita, uno dei tre o quattro che mi recito da cima a fondo, quando voglio cercare di raggiungere l'estasi di rivivermi. Mi spiego: io col passato ho rapporti di tipo vizioso, e lo imbalsamo in me, lo accarezzo senza posa, come taluno fa coi cadaveri amati. Le strategie per possederlo sono le solite, e le adopero tutt'e due. Dapprincipio mi visito da forestiero turista, con agio, sostando davanti a ogni cocciopesto, a ogni anticaglia regale; bracconiere di ricordi, non voglio spaventare la selvaggina. Poi metto da parte le lusinghe, l'educazione, lancio a ritroso dentro me stesso occhi crudeli di Parto, lesti a cogliere e a fuggire. Dagli attimi che dissotterro – quanti ne ho vissuti apposta per potermeli ricordare! – non so cavare pensieri, io non ho una testa forte, e il pensiero o mi spaventa o mi stanca. Ma bagliori, invece... bagliori di luce e ombra, e quell'odore di accaduto, rimasto nascosto con milioni d'altri per anni e anni in un castone invisibile, quassopra, dietro la fronte... Sento a volte che basterebbe un niente, un filo di forza in più o un demone suggeritore... e sforzerei il muro, otterrei, io che il Non Essere indigna e l'Essere intimidisce, il miracolo del Bis, il bellissimo Riessere...

Riessere, *this is the question*. Poiché non c'è gesto o scongiuro che non deluda, e quel tanto che riesce a ripetersi sotto le palpebre, nell'atto stesso che illumina, acceca. Alla fine mi lascia solo parole. E tanto peggio se sono le stesse, grasse umide calde, di cui mi farcisco ora e mi farcivo allora la bocca, incerto fra nausea e ingordigia, come chi recita la prima volta. Appoggiandomi con i due gomiti sull'inferriata del mio sequestro[1], spenzolandomi a guardare giù in basso il brulichìo, l'argento vivo, la ringhiosa e innamorante canea della vita. Allegrie, fasti, gonfaloni, lacrime, infamie, e le impunità insperate, le pene spropositate, tutte le guerre e i processi di dolore contro dolore... Metafore, forse, ma non sapevo di che, e casuali, se nessuna divinità le aveva preparate o previste, se di ogni accidente e sostanza il cinema si cancellava a vista d'occhio, spruzzaglia d'acquazzone altrettanto presto caduto che sciolto... Non mi restava che bandire l'asta, offrirmi a chiunque in vendita, da ciarlatano eloquente e magnanimo: madamina, il catalogo è questo...[2] (Con tutto ciò, capace ancora di concupire, smaniare, agire. Pronto sempre a divincolarmi, pur con un piede o due nella fossa, perseverando nel movimento a rischio di stringermi al collo di un altro punto il capestro che mi ci avevano imposto...).

E.: pag. 286
    [1] Si allude al sanatorio, dove il protagonista è ricoverato per tubercolosi.
    [2] madamina, il catalogo è questo...: citazione dall'opera *Don Giovanni* di W.A. Mozart. Nell'"Aria di Leporello" (Atto I, Scena V) il servo Leporello elenca a donna Elvira le imprese amorose del padrone Don Giovanni.

"LA STORIA DEI TRE LADRONI"[1]

✳ ✳

«[...] Ma dimmi, conosci la storia dei tre ladroni e dei cinque cappelli?».

«No» risposi, anche se era la terza volta che tornava a propormi l'abracadabra, e, quasi per scoraggiarlo dal proseguire, misi a caso sul grammofono un disco. Ma lui, mentre voci multiple strenuamente coniugavano *Peccantem me cotidie*, senza badarci o, tutt'al più, accordando al sottofondo qualche ammicco e lampeggio di connivenza, «I tre» disse «sono condannati a morte. Da un potente, in un tempo antico. Il luogo, lo preferisci in Asia, in Europa?».

«Importa?».

    [1] Il dialogo si svolge tra l'anziano primario del sanatorio, detto "il Magro", ed il narratore, che nel sanatorio è ricoverato.

«No, non importa, ma è bene che ti pronunzi lo stesso. Mettiamo qualche puntello di circostanze alla favola».

«Meglio il Vecchio della Montagna che il Grande Inquisitore» risposi, per contentarlo.

«Sia come vuoi, ma da te m'aspettavo Ponzio Pilato» fece il Magro e proseguì:

«Dunque il Signore degli Assassini offre a quelli un'opportunità. Dovranno, ciascuno ad occhi bendati, indossare a caso un cappello fra i tre bianchi e due neri che sono a mucchio sul tavolo. Si salverà chi saprà con ragionate ragioni indovinare il colore del copricapo che ha scelto. Avviene che i tre, l'uno all'insaputa dell'altro, estraggano tutti, unanimi, il bianco. Sbendati, si guardano. Ora una cosa è chiara: che può salvarsi solo chi veda addosso ai compagni due cappelli neri, e possa quindi per esclusione dedurre il colore del proprio. Ma ognuno dei tre non scopre sulla testa degli altri che bianco, inesorabile bianco...».

«E allora?».

«I primi due riflettono a lungo, rinunziano. Vengono decappellati, decapitati. Ma il terzo indovina. Sta a te dirmi come e perché».

«Se indovino anch'io, posso sperare in una sfinge benigna» chiesi, facendomi serio, mentre un sospetto mi balenava, che quell'arzigogolo fosse o pretendesse di essere una parabola. E aggiunsi:

«Anche per il mio male vale la stessa percentuale di sopravvivenza, lo dicono le vostre statistiche».

(Era vero, l'avevo letto su un trattato di Sebastiano, e ne avevo fatto parola a lui e ad Angelo, insieme. «Uno su tre» avevo detto, e ci eravamo sorpresi tutt'e tre a guardarci malinconicamente ridendo e pensando tutt'e tre la medesima cosa).

«Non è bassa, contèntati. Era più bassa per Deucalione o Don Blasco» rispose, sbalestrandomi al punto che non stetti a chiedergli conto di avere schivato la mia domanda di prima, ma chiesi: «Don Blasco?». Al che lui: «Oh, un arcavolo mio di Tarragona, un almirante superstite dell'Invincibile Armata. Nuotò tre giorni e tre notti. Lo trovi dietro di te, sul quinto ramo a destra dell'albero...».

E a questo punto richiuse sugli occhi i macigni delle palpebre, parve assopirsi senza riguardo.

La musica s'era taciuta, intanto, e mi sforzavo, senza riuscirci, di sciogliere il rompicapo. Eppure non me n'andai, ero certo che non dormiva ma mi spiava dal suo buio, e aspettava. Allora mi distrassi, gironzolai per la stanza, perlustrando, occhieggiando, ora la fogliolina Don Blasco sulla quercia genealogica, ora la fotografia della moglie trafitta da spilli nel cuore, ora i grossi fascicoli manoscritti che teneva ammucchiati sul ripiano della stufa, legati con un elastico. Tuttavia ogni tanto mi voltavo di sorpresa, finché giunsi a ghermire le sue pupille puntate sulla mia schiena, un istante prima che tornassero a rintanarsi nella loro borsa tranquilla.

«Ti ho svegliato?» finsi, mentre mi veniva in mente che non gli avevo ancora chiesto cosa avesse e se stava così male come sembrava. Quasi avesse intuito il mio pensiero:

«Una cirrosi» disse. «Morirò prima di te».

E ancora una volta, fra soffi e raschi e pizzicati di violoncello, un borboglìo assai simile a un riso gli si mosse in fondo alla gola, mentre il consueto ghignetto gli tramutava la bocca.

Si era alzato, ora, aveva inforcato sui piedi scalzi, dopo aver tribolato senza profitto con le stringhe di Gordio delle sue polacchine, un paio di sformate calosce, e sulle spalle seminude, sulla canottiera appiccicata per il sudore e che bucavano i marziali pungiglioni del suo pelame, s'era buttato un asciugamano. Così camuffato, ciabattando e aiutandosi col bastone, attraversò la stanza, fino a me, venne a porsi al mio fianco dinanzi la libreria. Fu la prima volta che veramente mi ripugnò: quel riso, il pezzetto di carnagione decrepita e bruna sotto la calottina di seta, l'odore di bertuccia inutilmente dissuaso da un'irrigazione di brillantina recente, tutto veramente sapeva e parlava di sfacelo e di spregevole morte.

«Ragazzo», disse il vecchio, e puntò il dito su un pacco inceralaccato che s'intravedeva sotto una una pila di Testutt[2], «qui c'è l'unica e vera storia di Marta[3]: testimonianze, certifica-

---

[2] Testutt: manuali di medicina.
[3] Marta è un'altra paziente del sanatorio, con cui il narratore ha una relazione sentimentale.

ti, interrogatori. Inventario clinico e catalogo dei suoi errori. Tutto su cuore, mente e polmoni. Con le mie pensate su questo, il mio colpo del cartoccio e arsenico lungo per te. Tra qualche settimana lo leggerai. Allora di noi tre sarai rimasto tu solo».

Non nascosi la mia meraviglia. E lui:

«Guarirai» mi disse. «Ti salverai».

Lo udii con molto più sospetto che gioia, e mi tornarono a mente i ladroni di prima. Anche perché una superstizione mi aveva colto proprio in quello istante dal vedermi riflesso, ahimé decollato, in una specchiera di comò troppo bassa che gli stava dietro le spalle. Ma lui di nuovo mi precedette:

«Intendimi, le probabilità per i tre non sono pari. Anzi per i primi due sono zero. Tuttavia è la loro sconfitta che garantisce al terzo di trovare la chiave. Per cui viene da chiedersi: essi se ne rendono conto? La loro rinunzia e morte sa di servire a chi verrà dopo di loro? Non è questo che i teologi chiamano soddisfazione vicaria? Perché, vedi, l'azzardo assai bello del ragionamento dell'ultimo è di puntare la vita sulla scienza di sacrificio dei due che l'han preceduto. Solo a questo patto il birillo casca e la palla va in buca. Te lo ripeto, è la morte dei primi che aiuta il terzo a salvarsi. È chiaro?».

Feci di no col capo, non si scoraggiò.

«Supponi» riprese «di essere rimasto solo col tuo cappello dal colore che non sai, e le due teste mozze, in bianco, ai tuoi piedi. Prova a chiederti che mai sarebbe successo se il tuo cappello fosse stato nero. Mettiti nei panni degli altri, pensa col loro cervello».

Cominciai a intravedere una luce:

«Se il mio cappello fosse stato nero, ebbene, il secondo…».

«Si sarebbe salvato, avrebbe capito d'avere in capo un cappello bianco, di non poterlo avere che bianco. Poiché, se anche lui come te avesse avuto il nero, il primo…».

«Giusto, il primo, vedendo due neri…».

Qui la risata del Magro si fece clamorosa, impertinente: «Acqua, fuochino, fuoco!» gridò quasi, e concluse:

«Come vedi, ogni enigma ha il suo specchio. E in ogni trinità c'è una coppia di martiri e uno sciacallo che campa su loro. Sei tu, puoi rivestirti: non era per te la terza croce piantata sul Golgota della Rocca[4]... E ora basta, vattene via. Se no c'è questo: *argumentum baculinum*[5]».

E mi puntò contro scherzosamente il bastone.

L.A.: pag. 252
E.: pag. 287

---

[4] La Rocca è il nome del sanatorio.
[5] *argumentum baculinum*: (latino) "l'argomento del bastone".

Alberto Savinio
Narrate, uomini, la vostra storia (1984)

NOSTRADAMO

"LA FELICITÀ"
❖

Dove passava Nostradamo, si rinnovava il miracolo della guarigione. La gente si buttava ai suoi piedi, gli baciava le mani, lo chiamava «salvatore».

La peste finalmente fu domata. La «bestia selvatica» si allontanò verso levante, la torcia spenta in mano e le ali di pipistrello afflitte come vele senza vento.

Tutta la Provenza volle onorare Nostradamo. Marsiglia votò un pubblico ringraziamento e una cospicua rendita a vita. I notabili lo colmavano di doni, i pittori dipingevano il suo ritratto.

Nostradamo chiamò intorno a sé gli orfanelli e le vedove, distribuì tra loro i doni, l'oro, le ricchezze.

Tutto è misterioso in lui. Anche il denaro di cui egli è fornito inesauribilmente, nessuno sa onde provenga.

È dunque un falsario? Ha scoperto la pietra filosofale? O forse anche a lui, come a Isacco Laquedem, cinque soldi rifioriscono perpetuamente dentro lo scarsellino?

È l'apoteosi campestre. Fanciulle bellissime, agitando ghirlande di fiori e gridando «osanna», fanno corteo dietro la mula del salvatore.

Il «dottore», vestito di robone e a cavallo di una mula, non ha la prestanza certo di un guerriero bardato di ferro e ritto su un focoso destriero. Che importa? A suo modo, Nostradamo non manca di fascino. Le sue virtù anzi sono più profonde e durature di quelle di uno spadaforo. Prima di tutte la grande serietà del suo animo: quella serietà che piace alle donne, e soprattutto ispira fiducia.

Nella donna l'amore ha carattere domiciliare. La donna che ama si colloca per così dire nell'animo dell'uomo che ama e vive di lui. Prima però di determinarsi al trasloco si vuole sincerare della serietà del domicilio, come uno che prende casa si vuole assicurare che i muri sono resistenti, solidi gl'infissi e il tetto è impermeabile all'acqua.

Che avviene nell'animo del «dottore»? Questi, che ha affrontato la peste nera senza batter ciglio, sente d'un tratto una paura irresistibile serrargli lo stomaco, sciogliergli le ginocchia. Qualcosa di oscuro si sveglia nel fondo di lui, che solo dal significato di un proverbio gli potrà essere chiarito: «*La joie fait peur*[1]». Nostradamo serra i talloni sulla pancia della mula, lancia la povera bestia a un galoppo sconvolto e privo di eleganza.

Che cosa ha visto Nostradamo? È dunque vero che la felicità è un pericolo?

La mula galoppa; ma il galoppo dei muli – questi plebei dell'equinità, nella quale gli asini fanno la parte del popolo buono – è pur sempre una corsa bastarda, promiscua, negata alla vittoria, come tutto ciò che manca di stile.

Nostradamo sente alle spalle il fiato dei suoi inneggiatori. Ma la curiosità soprattutto lo morde, di vedere bene in faccia quella ineffabile figura che non ha potuto se non intravedere.

Una risoluzione disperata fa muro davanti a lui. La mula gira su se stessa. Come una schiera ancora calda di battaglia, ecco davanti a Nostradamo fermo le guance infiammate delle fanciulle, gli occhi scintillanti, i petti tumultuosi come meduse sul mare agitato. E fra quelle, una donna più alta, più formosa, più bella, e che lui solo vede. Costei si spicca dal gruppo e avanza, la mano tesa:

«Nostradamo,» ella dice «la tua ora è giunta. Io sono la Felicità. Dammi la mano e cerchiamo di farci compagnia».

E poiché trascorso un minuto Nostradamo non si è ancora determinato a rispondere, la donna aggiunge con certa quale stizza nella voce:

---

[1] *La joie fait peur*: (francese) La gioia fa paura.

«Del resto, c'è poco da scegliere: quando la Felicità si offre, l'uomo non può dire di no».

«Quanto era meglio se continuavo a scappare!» pensa dentro di sé Nostradamo, ispirato suo malgrado da quel dono di profezia che sempre più chiaro gli si va manifestando.

L.A.: pag. 253

NOSTRADAMO

"IL VIZIO"

❖ ❖ ❖

Ora anche Nostradamo ha una casa, una donna, dei figli. La Felicità ha sciolto la stretta intorno al suo polso, lo lascia libero di godere a suo talento, come una madre lascia libero il bimbo ai suoi giochi. Questo nodo di affetti, questo peso di carne umana, questi caldi legami con la vita a lui erano necessari più che a nessun altro: a lui che è un estraneo quaggiù e un intruso, a lui che un destino maligno vorrebbe far *scorrere* sulle «cose» dell'esistenza come acqua sulla pietra; a lui che tra gli uomini pesanti e attaccati alla terra, è come nuvola spinta dal vento.

Ha edificato una casa che è una «torre di felicità». Custode, guardiano e protettore, egli vigila nello scomparto supremo, tra gli occhiuti, i magici strumenti della sua missione di uccellatore di misteri. Questo laboratorio segreto, questa pericolosa officina che – Nostradamo lo sa – è una porta aperta all'avversario, qui è sorretta e «disinfettata» da fondamenta di bene e d'innocenza. Sale a Nostradamo attraverso le assi dell'impiantito il confortante brusio della casa viva e ordinata; le garrule voci dei bambini; i canti delle fanti, lunghi e ondosi come lamentazioni funebri; e come i suoni alle orecchie, così alle nari[1] del tentatore di Dio salgono i gradevoli odori della cucina.

---

[1] nari: (letterario) narici.

La vorace tentazione che gli arde l'anima, tante volte Nostradamo ha cercato di soffocarla. Ha fatto voti, ha contratto patti con se stesso, ha pronunciato giuramenti. Invano! Come liberarsi di quel vizio? Come spegnere quella sete, placare quel desiderio che, con l'aiuto di tutti i sensi vibranti come lingue di fuoco, chiede e urla dal fondo del cervello?

Ora, e per una reazione inaspettata, l'alleanza contratta con le forme legittime della vita, anziché sortire un effetto contrario alle operazioni segrete di Nostradamo, le stimola e incoraggia. Questo tenere i piedi in due staffe, questo sentirsi protetto da un amore consacrato e dal santo amore dei figli, questa dolce zavorra umana che equilibra la nave del suo destino, confortano Nostradamo a non più frenare le sue segrete tentazioni, ad avventurarsi arditamente in quel mondo oscuro e forse maledetto, che più che mai egli sente come il solo veramente suo.

Dorme solo quattro ore, come più tardi Cavour.

Noche tinta, blanco el día. Di notte, lassù, nell'orgoglio della sua vita segreta, il pensiero di quella innocente carne che sicura e tranquilla dorme sotto di lui nella casa, lo fastidisce come un peso inutile e vergognoso. Quanto disprezzo per quella vita troppo umana! Ma di giorno la vita «bianca» di Nostradamo continua più ordinata e onorata di prima. Tutte le mattine, sul dorso paziente della mula, egli va in giro per la città e i campi, tanto più sollecito a portare il conforto e la salute a chi di questi beni è privo, che, per il magico equilibrio del dare e dell'avere, sa che con questa opera di sanatore, egli sconta una grossa cambiale di felicità.

Tanto più apprezzata la sua opera di medico, tanto più sicuro il risultato, che Nostradamo pratica una medicina diretta ed esperimentata, non teorica e libresca come i suoi colleghi. Costoro studiano Aristotile[2] e Galeno, Plinio e Teofrasto, ma il malato non lo guardano neppure. Erasmo di passaggio da Ferrara avendo domandato a Nicola Leoniceni «perché non visitasse gli ammalati», Leoniceni rispose «per non sprecare il tempo che si può dedicare a imparare sui libri».

Oltre a ciò, e diverso pure in questo dai suoi colleghi che per non avvilire la dignità del medico si guardano bene di prendere scalpello

---

[2] Aristotile: (arcaico) Aristotele.

in mano, Nostradamo opera da sé tagli e incisioni, e tutti quei lavori manuali che sono di spettanza del cerusico.

Felice quando la mula di buon mattino lo porta in giro per le visite, più felice quando a meriggio lo riporta a casa. Quattro fresche braccine di bimbi gli si annodano al collo, quando egli si china per baciare il suo figliolino, la sua bambina.

La sposa lo aspetta sulla soglia, alta sugli zoccoletti rossi, più alta per la pettinessa che dal torciglione dei capelli corvini le irradia la testa. Michele l'abbraccia. Attraverso l'odore di bucato della camicetta, trapassa il sottile profumo della pelle viva e respirante, tra di fieno caldo e di giardino sotto la pioggia.

Quale più soave dei due profumi, questo della sua donna, o quello che vapora dagli alti calderoni di rame, rossi come metallo arroventato, nei quali bollono le marmellate che una fante va rasando con la schiumaiola di legno, come raschiasse via via l'eczema di quelle frutta in trasformazione e purificazione?

La cultura dell'ortaggio umano è sempre stata la sua cura dominante, e ora tanto più che si tratta dell'orto proprio. Che non farebbe Nostradamo per dare nutrimento e rigoglio a questi suoi cari ortaggi, a questi suoi adorati frutti? Si convertirebbe egli stesso in concime...

Ma tanto sacrificio non serve: Nostradamo può di più e di meglio. Ecco che finalmente si rivela l'utilità dei suoi lunghi studi, del suo paziente erborizzare sotto il sole di Provenza, del suo saggiare le virtù e proprietà dei semplici, del suo analizzare e misurare le sostanze delle piante e delle frutta.

I soli ignoranti veggono[3] nelle sue marmellate, nelle sue gelatine nient'altro che «cose» alimentari; le quali in verità sono filtri, mezzi, ancorché gradevolissimi, di immettere nell'organismo umano i succhi più segreti, più nutricanti[4] della natura. Lo stesso del «virgineo latte», di tutte le creme, lozioni, pomate, cosmetici da lui creati dopo così pazienti ricerche, e che ora danno nitore, rosalità, purezza di pelle alle creature del suo sangue.

E.: pag. 288

[3] veggono: (letterario) vedono.
[4] nutricanti: (letterario) nutrienti.

NOSTRADAMO

"*MORBUS PROPHETICUS*"
❖ ❖

Quel giorno Nostradamo rincasò come il solito a mezzodì, ma poiché era maggio e il sole gli aveva ammollito il cervello, salì prima del pranzo alla camera della vita segreta, per un breve riposo.

Mentre se ne tornava in città sul tappe tappe della mula, strane visioni avevano traversato la sua vista, simili ai fosfeni che illudono l'occhio attento del pilota; ma le imputò al caldo e alla fatica.

I campi erano in verde e in fiore, ma il fogliame degli alberi cominciò a intristirsi e a consumarsi, finché nudo lo scheletro rimase dei tronchi e dei rami. Il cielo si annerì, e fitta vi si sparse una nervatura d'argento, simile a saette intersecate e immobili. La terra si risucchiò erba e fiori, mostrò una pelle rugosa e secca come la mano della scimmia. Poi, all'incontro delle prime case, l'aspetto naturale si ricostituì.

Ora Nostradamo sta immobile nell'alta poltrona. Gli stanno intorno gli apparecchi della magia, gli strumenti familiari, con l'aspetto timido e immiserito che hanno nella luce del giorno le cose notturne. Eppure la luce che entra nella camera della vita segreta non è nuda. La Rinascenza, che è l'occhio dell'uomo sveglio, non ha vinto se non in parte il Medio evo, che è l'occhio dell'uomo che sogna. E non che l'uomo e la donna, il Medio evo ha vestito pure la luce, la quale non entra nelle case degli uomini, se non come oggi ancora nelle case di Dio, vestita coi cupi colori delle vetrate.

Le teste umane sono due nella camera della vita segreta: quella viva di Nostradamo, poggiata all'alto schienale, quella del «fratello morto» posata in segno di umiltà sulla scrivania, le orbite cave e la magnifica dentatura scoperta, come del cavallo che nitrisce. Nel profumino arde la *palma Christi*, che scaccia i fantasmi nocivi. Sulle pareti sono tracciate le formule ebraiche e i cerchi geodici. Accanto alla sfera armillare e all'astrolabio, riluce la gelida tersità dello specchio magico.

Nostradamo guarda la parete, ma non vede né le formule ebraiche né i cerchi geodici. Il suo occhio è opaco e fisso come quello del pesce bollito. Ed ecco la parete si scurisce e butta una folta fioritura di borraccina. Indi si gonfia e si apre in lunghe fenditure, mentre crollano i calcinacci in un silenzio di bambagia. Infine un incendio silenziosissimo divora le pareti, gli strumenti della vita segreta, il pavimento, il tetto; e Nostradamo si trova sospeso nel vuoto, mentre sotto di lui, nelle vie di Salon, medesime e «diverse», uomini e donne circolano con insolita celerità, vestiti in strane fogge.

Le manifestazioni del misterioso morbo di cui Nostradamo soffre fin da ragazzo, ma nel quale solo da poco ha diagnosticato il *morbus propheticus*, si accentuano e moltiplicano sempre più.

Sintomo precorritore è un formicolio disteso, nel quale il sangue sembra convertirsi in mercurio. Nostradamo si purifica del presente. Nulla definisce meglio lo stato di acuta visibilità nel quale si conclude la fase preparatoria, che l'approssimare essa visibilità alla straordinaria lucidità mentale che precede la crisi epilettica.

Contemporaneamente l'aspetto della vita muta intorno a lui a vista d'occhio, o poco o molto secondo l'intensità della crisi profetica. Il decadimento dei corpi, la maschera della vecchiaia si compiono col movimento di una candela che si consuma. Alle volte uomini che gli stanno davanti e si muovono e parlano, Nostradamo li vede impallidire dal capo alle piante e sciogliersi nella luce.

Sentiva arrivare la crisi di preveggenza, come il tisico l'emorragia. Non sempre però. Talvolta la «lucidità» veniva inavvertitamente.

Seduto all'ombra della sua casa, gli occhi chiusi come chi dorme, Nostradamo si gode il fresco. È primavera, e il sangue fermenta sotto la pelle delle donne.

Una vicina esce di casa zoccolando in fretta, e passando davanti all'astrofilo gli grida:

«Bongiorno signor di Nostradonna!».

«Bongiorno bambina» risponde Nostradamo senza disserrare gli occhi, che tiene chiusi per altre due ore, finché la vicina ritorna zoccolando con meno fretta.

«Bonasera signor di Nostradonna!».

«Bonasera donnina» risponde Nostradamo, continuando a tenere gli occhi chiusi: tra il bongiorno e il bonasera, la vicina si è incontrata col suo amoroso, in un convegno «conclusivo».

Alle finestre che si aprivano sul non avvenuto, Nostradamo non riusciva ad abituarsi. La possibilità di «vedere» il futuro lo spaventava. Temeva quella terribile facoltà si esercitasse sulle sue creature, sulla sua donna. Quando sta in loro compagnia, si stringe nel timore del formicolio precorritore, come chi sta nascosto teme la tosse che rivelerà la sua presenza.

Una volta il timore si voltò in desiderio. Era un mattino radioso. Stavano seduti, lui e la sua donna, nel giardino sotto gli aranci che aureolavano le loro teste coi frutti d'oro. Cedendo a una curiosità «masochista» (è normale che un profeta conosca nel 1540 i termini che trecento cinquant'anni dopo nasceranno dal nome di Sacher-Masoch) Nostradamo si contrasse nello sforzo, e quando si sentì l'occhio abbastanza acuminato, lo piantò sul volto dell'amata con la speranza straziante e assieme dolcissima di vedere quel volto incresparsi di rughe, spogliarsi della carne, riempirsi di vermi. Ma la pelle bianca e rosea non si alterò, non si velò la luce degli occhi. Nulla poteva dunque la divinazione su quel volto bellissimo e adorato? Nostradamo sentì un grave disappunto.

Intanto le conseguenze pratiche di quella straordinaria facoltà non furono né ignorate né disprezzate da Nostradamo, e la redazione, la pubblicazione, lo smercio degli almanacchi costituirono una florida industria per il discendente della tribù di Issahàr.

Nostradamo, un giorno che traversava la piazza di Salon per andare a visitare i suoi malati, scese all'improvviso dalla mula e s'inginocchiò davanti a un giovane cordigliere che passava.

«Il signor di Nostradonna sta uscendo pazzo!» gridò Girardo lo spadaro dal fondo della sua fucina, e a quel grido il ciabattino, il fabbro, il mugnaio vennero sulla soglia delle loro botteghe, mentre a ogni finestra si affacciava una scuffia bianca, con due occhi sfanalati sotto e una bocca tonda di stupore.

«Che fate, dottore?» domandò lo speziale Craponne, che era in confidenza con Nostradamo.

«Piego il ginocchio davanti al Pontefice!» risponde Nostradamo con solennità, e in così dire accennava il povero fraticello che timido e imbarazzato si faceva piccolo piccolo dentro il saio bruno, ma che quarant'anni dopo, abbandonato il nome di Felice Peretti per quello ben più glorioso di Sisto Quinto, salì per acclamazione del conclave il soglio di San Pietro.

L.A.: pag. 253

Gianni Celati
Narratori delle pianure (1985)

L'ISOLA IN MEZZO ALL'ATLANTICO

✻

Ho sentito raccontare la storia d'un radioamatore di Gallarate, provincia di Varese, il quale s'era messo in contatto con qualcuno che abitava su un'isola in mezzo all'Atlantico. I due comunicavano in inglese, lingua che il radioamatore italiano capiva poco. Capiva però che l'altro aveva sempre voglia di descrivergli il luogo in cui abitava e di parlargli delle coste battute dalle onde, del cielo che spesso era sereno benché piovesse, della pioggia che su quell'isola scendeva orizzontalmente per via del vento, e di ciò che vedeva dalla sua finestra.

Per capire meglio, il radioamatore italiano ha cominciato a registrare le loro conversazioni e a farsi poi tradurre i nastri dalla sua fidanzata, che sapeva l'inglese meglio di lui.

L'uomo desiderava solo parlargli dell'isola. Con lui il radioamatore non riusciva mai a scambiare notizie tecniche o notizie su altri radioamatori sparsi nel mondo, come di solito avviene. E quando a volte tentava di chiedergli chi era, cosa faceva, se era nato lì o c'era arrivato da poco, quello evitava le domande come se non volesse sentirle. Di lui il ragazzo di Gallarate era riuscito soltanto a sapere che si chiamava Archie, che viveva con la moglie, e che ogni giorno percorreva l'isola in lunghe passeggiate.

Riascoltando più volte i nastri registrati e parlandone con la fidanzata, a poco a poco è successo che il radioamatore italiano cominciasse a immaginare quell'isola come se l'avesse vista con i propri occhi.

Era come se la vedesse là fuori, che si stendeva concava sotto la casa di Archie, posta in un punto sopraelevato. Una strada faceva una lunga curva tra prati dove pecore e vacche pascolavano senza recinti, e a destra un promontorio non molto alto era tutto coperto d'erica. A sinistra coste rocciose interrotte a tratti da spiagge sopraelevate a picco sul mare, fino a un piccolo altopiano che sbarrava l'orizzonte; e laggiù si distinguevano alcune fattorie sparse.

Guardando a sinistra, verso il mare, nei giorni sereni sembrava si potesse scorgere la curvatura della terra, arrivando con l'occhio alla forma indistinta d'un faro che, secondo Archie, era il punto più lontano ad ovest del continente, in mezzo all'Atlantico.

Neppure il nome di quell'isola era mai pronunciato da Archie, il quale invece gli parlava ogni volta delle sue passeggiate, dando per scontati molti aspetti del luogo, come se il ragazzo di Gallarate abitasse nella casa accanto. Ma esisteva una casa accanto? ed esisteva quell'isola?

Riascoltando un nastro assieme alla fidanzata, e dopo una delle solite descrizioni del luogo, un giorno il radioamatore sentiva questa frase pronunciata a bassa voce da Archie: "Tutto questo non lo vedrò più."

Ormai quel contatto, le parole del corrispondente lontano e le immagini dell'isola, occupavano molto i pensieri dei due fidanzati. Ma il contatto era anche imbarazzante per il giovane radioamatore, perché lui continuava a non sapere niente d'un uomo con cui parlava da mesi, e ormai non osava più fargli domande. E dopo aver ascoltato quella frase non se la sentiva di chiedergli spiegazioni, immaginando che l'altro come al solito non gli avrebbe risposto.

In quel periodo gli è stato regalato un piccolo apparecchio con cui poteva localizzare i suoi contatti radio. Così è riuscito a localizzare l'isola al largo delle coste scozzesi. Almeno adesso sapeva dove fosse la casa di Archie, ma cosa stava per accadere a quell'uomo?

Se per qualche motivo i suoi occhi non avrebbero più potuto vedere l'isola, allora il suo desiderio di parlarne finché riusciva a vederla era comprensibile. Ma il giovane radioamatore, non potendo fare domande, era sempre più imbarazzato con Archie. Così negli ultimi contatti non lo ascoltava neanche più, accendeva il registratore e lo lasciava parlare da solo.

Per questo motivo s'è accorto soltanto un mese dopo, dopo che per un mese non aveva più ricevuto segnali dal suo corrispondente né l'aveva cercato, che nell'ultimo nastro Archie lo salutava, lo ringraziava di averlo ascoltato, e diceva che avrebbe lasciato l'isola l'indomani.

A) Il racconto dell'isola non finisce qui. A questo punto, però, ti si offre un'occasione di sperimentare le tue doti creative in italiano in un'attività di

PRODUZIONE LIBERA SCRITTA:
prova a completare il racconto! Che succederà di Archie, del radioamatore e della sua fidanzata? Prenditi una mezz'ora di tempo, usa pure il vocabolario, se vuoi, o chiedi le informazioni che ti sembrano indispensabili all'insegnante, per creare il tuo finale.

B) Leggi ad un compagno a tua scelta la storia che hai scritto e fatti leggere la sua (sempre se lui o lei vorrà!).

C) Se vuoi sapere come andava a finire la storia di Gianni Celati, vai a pag. 334.

L.A.: pag. 254
E.: pag. 290

IDEE D'UN NARRATORE SUL LIETO FINE

*

Il figlio d'un farmacista studiava all'estero. Alla morte del padre è tornato a casa per occuparsi della farmacia, diventando farmacista in un piccolo paese nei dintorni di Viadana, provincia di Mantova.

La fama della sua sapienza s'era diffusa nelle campagne, attraverso voci che parlavano della sua immensa biblioteca, d'una sua prodigiosa cura contro il mal d'orecchi, d'un metodo nuovissimo per irrigare i campi, e delle dodici lingue parlate dal farmacista, il quale, tra l'altro, secondo le voci stava traducendo in tedesco la Divina Commedia.

Il proprietario d'un caseificio nei paraggi ha deciso di stipendiare l'ormai maturo studioso perché si occupasse dell'educazione liceale di sua figlia; quest'ultima infatti, essendo un'ardente sportiva, andava male a scuola e inoltre detestava i libri, il latino e la buona prosa in lingua italiana. Più che altro per passione allo studio e non per necessità di denaro, il farmacista accettava, e per un'intera estate si recava ogni giorno a far lezione alla giovane atleta.

E un giorno è accaduto che la giovane atleta s'è innamorata di lui, al punto da abbandonare ogni attività sportiva e mettersi a scrivere poesie, versi in latino e naturalmente lunghe lettere.

Qualcuno parla ancora d'una macchina acquistata dal farmacista per l'occasione, di lunghe scorribande dei due per le campagne, e addirittura di convegni notturni in una stalla.

Ad ogni modo, la prova dei rapporti amorosi tra i due, nell'ultimo scorcio dell'estate, veniva alla luce solo nell'inverno successivo, quando un pacco di lettere era requisito alla ragazza dalle suore del suo collegio, e debitamente trasmesso ai genitori. Il contenuto di quelle lettere appariva tanto rivoltante agli occhi del proprietario del caseificio, che costui decideva di rovinare il farmacista e di cacciarlo per sempre dal paese.

I fratelli della ragazza, allora appartenenti alle squadre fasciste, devastavano più volte la farmacia sulla piazza del paese, e una volta bastonavano duramente il suo proprietario.

Tuttavia questi fatti non sembra abbiano preoccupato molto il farmacista. Per un certo periodo egli continuava a ricevere i clienti nella farmacia devastata, tra vetri rotti, scaffali demoliti, vasi fracassati; poi un bel giorno ha chiuso bottega e s'è ritirato tra i suoi libri, senza più uscire di casa se non occasionalmente.

Tutto il paese lo sapeva immerso nei suoi studi, e lo vedeva di tanto in tanto passare sulla piazza sorridente, diretto all'ufficio postale per ritirare nuovi libri che gli erano arrivati.

In seguito è stato ricoverato all'ospedale e di qui trasferito in un sanatorio. Restava per lunghi anni nel sanatorio e nessuno sapeva più niente di lui.

Al ritorno dal sanatorio il vecchio studioso era magrissimo. Un'anziana donna di servizio che era tornata a prendersi cura di lui, si lamentava con tutti perché lui non voleva mai mangiare: diceva che mangiare non gli piaceva e restava tutto il giorno tra i suoi libri.

Sempre più magro l'uomo usciva di casa molto raramente e mostrava di non riconoscere più nessuno in paese, nemmeno la figlia del defunto proprietario del caseificio, incontrata qualche volta sulla piazza. Però sorrideva a tutti, e si dice che salutasse i cani che vedeva levandosi il cappello.

Avendo evidentemente smesso del tutto di nutrirsi dopo la morte dell'anziana donna di servizio, e prolungato il digiuno per settimane, quando veniva ritrovato morto nella sua biblioteca (da un idraulico) era già identico a uno scheletro: di lui restava solo pelle incartapecorita attaccata alle ossa.

Era chino sull'ultima pagina d'un libro, dove stava applicando una striscia di carta.

Anni dopo la sua grande biblioteca veniva assegnata in eredità a una nipote, e questa frugando tra i libri ha creduto di capire come il vecchio studioso avesse trascorso l'ultima parte della sua vita.

Per quest'uomo tutti i racconti, i romanzi, i poemi epici dovevano andare a finir bene. Evidentemente non tollerava le conclusioni tragiche, le conclusioni melanconiche o deprimenti d'una storia. Perciò nel corso degli anni s'era dedicato a riscrivere il finale d'un centinaio di libri in tutte le lingue; inserendo nei punti riscritti dei foglietti o strisce di carta, ne trasformava le conclusioni, portandole sempre ad un lieto fine.

Molti dei suoi ultimi giorni di vita devono essere stati consacrati alla riscrittura dell'ottavo capitolo della terza parte di *Madame Bovary*, quello in cui Emma muore. Nella nuova versione Emma guarisce e si riconcilia col marito.

L'ultimissimo suo lavoro è però quella striscia di carta che aveva tra le dita e che, già ormai morto di fame, stava applicando sull'ultima riga d'un romanzo russo in traduzione francese. Questo è forse anche il suo lavoro più perfetto; qui, cambiando solo tre parole, ha trasformato una tragedia in una buona soluzione di vita.

L.A.: pag. 255
E.: pag. 291

Antonio Tabucchi
Piccoli equivoci senza importanza (1985)

CINEMA

*

[...] Il treno si fermò bruscamente con uno stridio di ruote e
sbuffi di vapore. Il finestrino di uno scompartimento si abbassò e
sbucarono le teste di cinque ragazze. Alcune avevano i capelli os-
sigenati, con boccoli sulle spalle e ricciolini sulla fronte. Cominciarono a ridere e a cicalare, chiamando "Elsa, Elsa!" Una rossa
vistosa, con un fiocco verde nei capelli, gridò alle altre: "Eccola!"
e si sporse esageratamente dal finestrino facendo larghi gesti di
saluto. Elsa allungò il passo e si portò sotto il vagone toccando le
mani festanti che si tendevano verso di lei. "Corinna!" esclamò
rivolta alla rossa vistosa, "come ti sei conciata!?"

"Dice Saverio che piaccio così," rise Corinna strizzando l'occhio e ammiccando con la testa verso l'interno dello scompartimento. "Sali, presto, non vorrai mica restare in questo posto,"
disse con una voce in falsetto. Poi cacciò un piccolo urlo: "Uh,
ragazze, c'è un Rodolfo Valentino!"

Tutte le ragazze si sporsero e cominciarono ad agitare le mani
per richiamare l'attenzione dell'uomo indicato da Corinna. Eddie
fu costretto a uscire da dietro al cartello degli orari sul marciapiede e venne avanti con flemma, il cappello sugli occhi. In quello
stesso momento due soldati tedeschi entrarono nella stazione dal
cancello di fondo e si diressero verso lo stanzino del capostazione. Dopo pochi secondi il capostazione uscì con la bandierina
rossa e andò verso la locomotiva con un passo svelto che sottoli-
neava la goffaggine del suo corpo grassottello. I due soldati si
erano piantati di fronte alla cabina dei comandi come se dovesse-
ro fare la guardia a qualcosa. Le ragazze erano ammutolite e seguivano la scena con preoccupazione. Elsa posò la valigia per ter-

ra e guardò Eddie con aria smarrita. Lui le fece cenno di proseguire e si sedette su una panchina sotto un cartello pubblicitario della riviera, trasse di tasca il giornale e vi affondò il viso.

Corinna aveva seguito la scena e parve aver capito tutto. "Vieni, cara," gridò, "ti vuoi decidere a salire?" Con la mano accennò un frivolo ciao ai due soldati che la guardavano e sfoderò un sorriso smagliante. Intanto il capostazione stava ritornando con la bandierina arrotolata sotto il braccio e Corinna gli domandò cosa stesse succedendo.

"Chi lo capisce è bravo," rispose l'omino stringendosi nelle spalle, "pare che dobbiamo aspettare un quarto d'ora, ma il perché non lo so, sono gli ordini."

"Oh, ma allora possiamo scendere a sgranchirci un po' le gambe, vero ragazze?" pigolò Corinna tutta giuliva; e in un attimo si precipitò giù dal treno seguita dalle altre. "Tu sali," bisbigliò passando accanto a Elsa, "ci pensiamo noi a distrarli."

Il gruppo si diresse dalla parte opposta a quella in cui si trovava Eddie, passando davanti ai soldati. "Ma in questa stazione non c'è un ristoro?" si chiedeva a voce alta Corinna guardandosi intorno. Era sublime nell'attirare l'attenzione, ancheggiava ostentatamente e dondolava la borsetta che aveva sfilato da tracolla. Indossava un vestito a fiori molto aderente e dei sandali con la suola di sughero. "Il mare!" gridò, "ragazze, guardate che mare, ditemi se non è divino!" Si appoggiò teatralmente al primo lampione e si portò una mano alla bocca facendo un'aria infantile. "Se avessi il costume sfiderei l'autunno," disse muovendo la testa mentre la cascata di riccioli rossi le ondeggiava sulle spalle. I due soldati la guardavano attoniti senza toglierle gli occhi di dosso. E allora Corinna ebbe un colpo di genio. Forse fu il lampione a suggerirglielo, o la necessità di risolvere una situazione che non sapeva come risolvere altrimenti. Si abbassò la camicetta fino a scoprire le spalle, si appoggiò di schiena al lampione, lasciando dondolare la borsetta, poi allargò le braccia e si rivolse a un immaginario pubblico, strizzando gli occhi come se tutto il paesaggio fosse suo complice. "La cantano in tutto il mondo," gridò, "anche i nostri nemici!" Si rivolse alle ragazze e batté le mani. Era sicuramente un numero dello spettacolo, perché queste si misero in fila sull'attenti, muovendo le gambe a passo di marcia ma senza spostarsi, con una mano alla fronte in un saluto militare. Corinna si teneva al lampione con una mano, e usandolo come perno gli fece un giro attorno, con un passo grazioso. La sua gonna sventolò e le scoprì le gambe. "Vor der Kaserne vor dem grossen Tor, stand eine Laterne, und steht sie noch davor... so wollen wir uns da wiedersehen, bei der Laterne wollen wir stehen, wie einst Lili Marleen, wie einst Lili Marleen."

Le ragazze applaudirono, un soldato fischiò. Corinna ringraziò scherzosamente con un inchino e si diresse alla fontanella accanto alla siepe. Si bagnò le tempie con un dito, guardando attentamente la strada sottostante, poi raggiunse di nuovo il predellino del vagone, seguita dalle ragazze. "Auf wiedersehen, carini," gridò ai soldati salendo, "noi ci ritiriamo, ci aspetta la tournée."

Elsa la aspettava nel corridoio e la strinse fra le braccia. "Oh Corinna, sei un angelo," le disse baciandola. "Lascia stare," rispose Corinna con un sospiro, e cominciò a piangere come una bambina.

I due soldati si erano avvicinati al treno e si erano messi a guardare le ragazze, si scambiavano delle piccole frasi, uno di loro sapeva qualche parola di italiano. In quel momento si sentì il rumore di un motore e un'automobile nera sbucò dal cancello di fondo, percorse tutto il marciapiede della stazione e si fermò in testa al convoglio, accanto al primo vagone. Le ragazze si sporsero per cercare di vedere cosa stesse succedendo, ma la ferrovia faceva una leggera curva e non era facile vedere bene. Eddie non si era mosso dalla panchina, apparentemente immerso nella lettura del giornale che gli nascondeva il volto. "Che c'è, ragazze?" chiese Elsa cercando di mostrare indifferenza, mentre sistemava le sue cose sulla reticella. "Niente," rispose una di loro, "dev'essere un pezzo grosso, ma è vestito in borghese, è salito in prima."

"Ma è solo?" chiese Elsa.

"Mi pare di sì," disse la ragazza, "i soldati si sono messi sull'attenti, non salgono."

Elsa si affacciò per vedere. I militari, all'altezza della locomotiva, fecero dietro-front e imboccarono la stradicciola che portava alla cittadina. Il capostazione arrivò trascinando la bandierina per terra, guardandosi le scarpe. "Si parte," disse con filosofia come chi la sa lunga, e sventolò la bandiera. Il treno fischiò. Le ragazze tornarono a sedersi. Solo Elsa rimase al finestrino. Si era pettinata i capelli all'indietro e aveva gli occhi lucidi. Fu in quel momento che Eddie si alzò e andò sotto il finestrino.

"Addio Eddie," mormorò Elsa, e gli tese la mano.

"Ci rivedremo in un altro film?" chiese lui.

"Ma che cavolo dice!" urlò il regista dietro di lui, "che cavolo sta dicendo!?"

"Fermo l'azione?" chiese il ciak.

"No," disse il regista, "tanto questo lo doppiamo." E poi gridò nel megafono: "Cammini, il treno si sta muovendo, aumenti l'andatura, l'accompagni lungo il marciapiede, tenga la mano di lei!"

Il treno si mise in movimento e Eddie eseguì aumentando l'andatura finché poté reggergli accanto, poi il treno aumentò di velocità e si curvò per imboccare lo scambio. Lui si girò su se stesso e fece qualche passo in avanti, poi accese una sigaretta e cominciò a camminare lentamente verso la macchina da presa. Il regista gli faceva dei cenni con le mani pausando la sua andatura, come se lo stesse muovendo con fili invisibili.

"Mi faccia venire un infarto, la prego," disse con aria implorante.

"Come dice?" esclamò il regista.

"Un infarto," disse Eddie, "qui, su quella panchina. Faccio un'aria affranta, così, guardi, mi seggo sulla panchina e mi porto una mano al petto, come il dottor Zivago. Mi faccia morire."

Il ciak guardava il regista aspettando istruzioni per fermare la scena. Ma il regista fece un gesto a forbice con le dita, per significare che avrebbe tagliato, e indicò che continuassero.

"Macché infarto," disse, "le pare di avere una faccia da infarto? Si cali di più il cappello sulla fronte, così, alla Eddie, sia ragionevole, non mi obblighi a rifare la scena." Fece un cenno agli operai affinché mettessero in funzione le pompe. "Forza," lo incitò, "sta cominciando a piovere, lei è Eddie, per favore, non un patetico innamorato... metta le mani in tasca, si stringa di più nelle spalle, così, bravo, venga verso di noi... sigaretta ben pendente fra le labbra... perfetto... gli occhi per terra."

Si girò verso l'operatore e gridò: "Macchina indietro, carrellata, macchina indietro!"

L.A.: pag. 255
E.: pag. 291

Dario Fo & Franca Rame
Il figlio in provetta (1988)

*

Personaggi: Presentatore, Moglie, Marito.

PRESENTATORE Buonasera a tutti. Questa sera tratteremo della fecondazione artificiale... detta anche in vitro. Parleremo cioè
dell'ormai tanto discusso «figlio della provetta». Ascoltiamo il
dialogo diretto fra un marito e una moglie che discutono del problema.

Interno casa borghese.

MOGLIE Ma capisci, è un blocco terribile per me... No, per favore, non tirare fuori ancora che sono remore religiose... non è
solo quello. È l'idea di allevare nel mio ventre un figlio che
non sia tuo...

MARITO Ma ti capisco, anch'io all'inizio ero perplesso... anzi,
contrario... ma poi ho superato...

MOGLIE Come hai superato?!

MARITO Con la ragione. Mi sono detto: il vero padre non è quello che ti genera... ma è colui che ti alleva. Come dicono a Napoli... «O padre a me, è chillo che me dà o pane! A pappa!»[1]

MOGLIE No, se mai la pappa e la poppa gliela darò io... Mica sei
tu che lo allatti.

MARITO Sí, d'accordo, ma per pappa non s'intende solo il dargli
da mangiare... è il cibo dell'affetto che conta, il tepore di
quando me lo spupazzo 'sto figlio[2]... gli insegnamenti che rie-

---

[1] O padre [...] A pappa!: (napoletano) Il padre mio è colui che mi dà il pane. La pappa!
[2] me lo spupazzo 'sto figlio: (regionale) me lo coccolo, questo figlio.

sco a dargli, la protezione, la fiducia nella vita...

MOGLIE Sí, ma vederti spupazzare appunto un figlio o una figlia che non ti assomiglia per niente...

MARITO No, errore, una eguale fisionomia non è determinata solo dai geni... un figlio ti viene ad assomigliare giorno per giorno, man mano che imita i tuoi gesti, le tue articolazioni facciali, la tua voce... È scientificamente provato che i figli adottivi spesso assomigliano piú al padre putativo di quelli naturali. Perfino gli animali...

MOGLIE Senti, per favore, non accomunare nostro figlio ad un animale!

MARITO È solo per darti una prova scientifica. Prendiamo un cane. Non hai mai notato che i cani dopo un po' assomigliano ai loro padroni?

MOGLIE Sí, è vero... tuo fratello, con quel suo molosso... di giorno in giorno ha sempre di piú la sua faccia...

MARITO Vedi? Cosí come i servi via via assomigliano ai loro padroni... i portaborse ai loro ministri.... e i bambini ai loro padri... anche se non sono figli loro.

MOGLIE (commossa) Sei un uomo straordinario... generoso...

MARITO No, per carità... è che ragiono. Cerco di superare l'egoismo, i blocchi culturali.

MOGLIE Eh, ma non è facile... sono pochi sai quelli che riescono, come te, a mettere davanti la ragione.

MARITO Non è solo la ragione, è anche il sentimento... Dal momento che lo desideriamo 'sto figlio... e io non sono in grado di dartelo...

MOGLIE Oh sí... un figlio nostro... quasi... nostro...

MARITO Vedrai, non avremo neanche bisogno di raccontare che è nato in vitro... mi assomiglierà moltissimo.

MOGLIE E se nascesse coi capelli rossi... in famiglia noi non abbiamo nessun rosso. Cosa raccontiamo alla gente?

MARITO Ma che vuol dire? Il rosso può affiorare fino alla settima generazione… basta un trisnonno rosso…

MOGLIE Ah, sí, è vero... a parte che hai ragione: l'importante è che da te prenda il carattere, che ti assomigli nella generosità...

Sí, sí, mi hai convinta. Guarda, che nasca coi capelli rossi o neri... con la faccia chiara, con le lentiggini... o scuro come un mulatto...

MARITO Cosa hai detto? Mulatto?!

MOGLIE Eh sí, se il seme fosse puta caso di un nero... nasce mulatto.

MARITO Eh no, scusa...

MOGLIE Ma sí, caro... è scientifico, è cosí.

MARITO No, dico... nero, mi secca...

MOGLIE Ma caro... sei tu che parli cosí?!... Tu che ti batti per l'eguaglianza razziale...

MARITO Che c'entra adesso il fatto di razza... a me i negri sono simpaticissimi...

MOGLIE Già... ma non come eventuali padri di nostro figlio.

MARITO Certo... mi secca... Dimmi pure che sono un piccolo sentimentale, ma mi piacerebbe dire a tutti che il bambino è proprio mio, e non essere costretto ogni volta a dare delle spiegazioni: «Sa, non è che mia moglie mi abbia fatto le corna... è che è un figlio della provetta... E te la vedi la reazione? Mica tutti sono di mentalità aperta come noi... la maggior parte, di sicuro, fa la faccia incredula, qualcuno potrebbe anche canticchiarmi a sfottò[3]: «Sí, na provetta[4] sí, nato in vitro sí, chillo è fatto niro, niro, niro niro come a ché»[5].

MOGLIE Oh che delusione... non dirmi che sei tu che parli cosí... come l'ultimo dei meschini piccolo-borghesi. Sei microscopico!

MARITO Sí, hai ragione... ma è più forte di me... tutto mi va bene, ma nero... non ce la faccio.

MOGLIE Ad ogni modo stai tranquillo, non ci sarà né rosso né nero... perché il professore mi ha assicurato che il donatore

---

[3] a sfottò: (familiare) per prendere in giro, per sfottere.

[4] na provetta: (napoletano) una provetta.

[5] chillo è fatto niro [...] a ché: (napoletano) quello è nero, nero, nero nero come chissà cosa. Quel che qui compare tra virgolette è una variazione del ritornello di una canzone umoristica del dopoguerra, in cui si ironizzava sulle conseguenze inattese e le prove inconfutabili delle relazioni tra ragazze napoletane e soldati americani di colore (*Tammurriata nera*).

sarà selezionato fra i tipi similari.

MARITO Tipi similari?

MOGLIE Sí, il seme sarà di un donatore bianco, di razza mediterranea.

MARITO Del nord o del sud?

MOGLIE Ehi, stiamo esagerando, mi pare!

MARITO No, chiedevo cosí, per curiosità.

MOGLIE Perché non metti un annuncio... seme di settentrionale bella presenza cercasi... Ci hai qualcosa anche contro i meridionali?

MARITO Per carità... basta che non sia troppo basso, olivastro e crespo di capelli.

MOGLIE Dimmi che stai scherzando...

MARITO Certo, sto scherzando... anche meridionale mi va bene... che sia di Bologna, anche di Rimini. Sto scherzando.

MOGLIE Meno male... Ah, dimenticavo... il metodo ormai tradizionale Kinsmer della fecondazione in provetta con me non può attecchire...

MARITO Come?!

MOGLIE Me l'ha detto stamattina il medico, dopo che ha studiato i miei esami. Niente Kinsmer.

MARITO Niente Kinsmer? Beh, un metodo vale l'altro.

MOGLIE Appunto: con me si dovrà usare il metodo naturale.

MARITO Sarebbe a dire?...

MOGLIE Niente vitro... devo essere fecondata naturalmente...

MARITO Cioè dal vero... senza vetro?! Dovrai giacerti con un uomo...

MOGLIE Beh, si può fare anche in piedi... con tutto che è un po' piú scomodo.

MARITO Mi stai a sfottere?

MOGLIE Ma cosa sono tutt'a un tratto 'sti blocchi da bacchettone quacquero? A parte che è una cosa asettica, dal momento che io non partecipo...

MARITO Tu, ma lui, di sicuro, sí!

MOGLIE Non essere volgare!

MARITO E poi, io lo so come vanno 'ste cose... tu sarai costretta a partecipare... collaborare... se no lui si blocca e la cosa va a monte.

MOGLIE Lui non si blocca...

MARITO Che ne sai tu, lo conosci? Vi siete già incontrati... siete usciti a cena insieme?...

MOGLIE Senti, sei pazzo... non l'ho mai visto, lo sceglie il dottore... ci incontreremo per la prima volta nello studio di fecondazione...

MARITO Vi incontrate soli?

MOGLIE Certo.

MARITO Ma ci saranno il medico e gli assistenti che vi guarderanno da dietro il vetro...

MOGLIE No, niente vetro... anzi, ho chiesto che ci si incontri al buio... Beh, non sarà proprio buio-buio, nella penombra...

MARITO No, niente penombra. Lui deve essere bendato.

MOGLIE D'accordo, sarà bendato.

MARITO E anche tu bendata.

MOGLIE Già, certo... e sai cosa faccio? Io entro anche con le mani legate, e i piedi legati... e un tampone in bocca. Contento?

MARITO Non scherzare... Eh no... eh no... figurati, non gli sembrerà vero al fecondatore sconosciuto... bendato... al buio, senza conoscere la partner, tutto mistero... Vuoi mettere che situazione eccitante? No, niente... ci vengo io!

MOGLIE Tu?!

MARITO Sí! Mi bendo, ci incontriamo nella penombra, tu fingi di non conoscermi... io pure... «Dove sei cara... come ti chiami... no, non parlare...», e ci amiamo come pazzi.

MOGLIE Sí, ma... il figlio?

MARITO Ma che vada a morí ammazzato[6] lui e tutte le provette. Che? Mi devo rovinare la vita e il fegato per un figlio ad ogni costo? Ma lasciamole fare agli americani 'ste robe da mostri! E che? Sono Frankenstein io?

L.A.: pag. 256

---

[6] vada a morí ammazzato: imprecazione romanesca (morí: morire).

Stefano Benni
Baol (1990)

"UNA TRANQUILLA NOTTE DI REGIME"

*

16 giugno 1991, città di T.

È una tranquilla notte di Regime. Le guerre sono tutte lontane. Oggi ci sono stati soltanto sette omicidi, tre per sbaglio di persona. L'inquinamento atmosferico è nei limiti della norma. C'è biossido per tutti. Invece non c'è felicità per tutti. Ognuno la porta via all'altro. Così dice un predicatore all'angolo della strada, uno dall'aria mite, di quelli che poi si ammazzano insieme a duecento discepoli. Ce n'è parecchi in città. Dai difensori dei diritti dei piccioni alla Liga Artica[1]. Siamo una democrazia.

Ogni tanto, sul marciapiede, si inciampa in qualcuno con le mani legate dietro la schiena. Forse la polizia lo ha dimenticato la notte prima. Ho guardato in alto, oltre le insegne illuminate e, obliqua su un grattacielo, c'era la luna. Le ho detto:

Cosa ci fa una ragazza come te in un posto come questo?

Poi mi sono fermato all'angolo tra Dulcea e Taganrog, nel quartiere gastronomico. Passava di tutto. Un tombarolo mi ha offerto due giacche firmate appena prese ai cadaveri, garantite disinfettate. Non gli ho dato retta, preso com'ero da un'interessante visione.

Davanti a un ristorante di Dulcea c'è una grande piastra ammazzainsetti a seimila volt. Ogni moscerino o farfallone che ci sbatte contro crepa, con un brivido elettrico. Mi è venuto da pensare che nessuna morte, ormai, fa più rumore di questa. Milioni di

---

[1] Liga Artica: nel testo organizzazione razzista dallo slogan: "Più a nord di noi non c'è nessuno".

moscerini, una fiammata, e amen. Se hai la fortuna di nascere farfallone, forse si accorgono dei tre secondi in cui stai morendo.

Riflessioni così profonde mi fanno venire appetito. Perciò ho
deciso di entrare in quel ristorante. Un ristorante di lusso, di
quelli dove si succhiano gamberoni con sottofondo d'archi, non
so se mi spiego, tutto marmo, velluto rosa, specchi e candeline,
sembrava la *garçonnière* di uno yacht arabo.

Il maître mi ha esaminato con maîtresco disprezzo. Ho fatto
finta di niente.

– Che pesce avete? – ho chiesto.

– Tutto quello che vuole – ha risposto freddamente.

– Allora mi porti un piatto misto di mullidi, sgomberomoridi,
astici, aragne, aspitriglie, valencenielli, caranghi, cozze, castagno-
le, caviglioni, maranzane, mazzancolle, moscardini, bocchedibue,
scrappioni, lote, suri, zerri, zurli, boghe, salpe, costardelle, don-
zelle, nigricepi, merlani, occhialoni, sparlotti, gattiruggine, pap-
pasassi, succiascogli, spigole ermafrodite, cernie alessandrine, lofe
budegate, palinuri elefanti e ostracodermi estinti.

Mi hanno cacciato fuori. Di questi tempi è duro far gli spirito-
si se non si è miliardari. Non importa. Nella mia filosofia l'importante è divertirsi. Sapete, io sono un mago baol.

E.: pag. 292

"LA GUERRA SHAMA"
✳ ✳

Il compositore Baldini era diviso a metà, come se un'accetta gigan-
te scesa dal cielo lo avesse tranciato lungo la colonna vertebrale. La
metà sinistra era seduta, con la mano ancora posata sulla tastiera del
mix e un'espressione assolutamente normale sul volto. Imbalsamato e
messo di profilo, forse nessuno si sarebbe accorto che era defunto. La
metà destra era caduta qualche metro più in là, aggrovigliata in modo
orribile, e uno spasmo di dolore contorceva la mezza mandibola.

211

– Choc dell'emisfero cerebrale sinistro e corrispondente parte destra – disse il dottore – così fulmineo che il dolore non ha raggiunto l'altra parte del corpo. Così è la morte per rasoiata di laser.

– Possiamo dire – sorrise Atharva – che per metà è morto serenamente.

– Possiamo – concesse il dottore, mentre con aria professionale intingeva i suoi strumenti nella mezza aragosta dell'emisalma.

Atharva consultò febbrilmente i dati degli ultimi lavori di Baldini. Baldini era addetto alla difesa del sistema informatico dai virus, in primis i virus di realtà. Recentemente era alquanto depresso perché un virus misterioso aveva distrutto novanta milioni di informazioni sui campionati di calcio 1960-1980. Per fortuna conosceva i risultati a memoria. L'insuccesso, però, lo aveva reso nervoso. Ma nessuno avrebbe immaginato quel gesto estremo.

– Questo è il messaggio che avete trovato? – chiese Atharva.

– Sì – disse il poliziotto – era sulla stampante del computero.

LA VENDETTA SHAMA – FA LA POLIZIA CON DIVERSE VOCI – ADDIO VERONICA LAKE!

– Chi ci capisce qualcosa? – disse il capo della sicurezza interna, capitano Mazza.

– Mi sembra tutto chiarissimo. Si è ucciso con il laser disegnatore. Ha invertito il flusso. Sapeva farlo – disse calmo Atharva.

– Sto parlando del messaggio. Secondo me voleva dirci qualcosa. Qui c'è lo zampino degli Shama.

Atharva si mise a ridere sgangheratamente. Il capitano gli fece cenno di smetterla.

– E quella frase sulla polizia? E Veronica Lake?

– Era la sua attrice preferita. Metteva sempre il suo ologramma nei filmati. Aveva anche una bambola meccanica di gomma identica a lei. Ci usciva la sera. Mi ricordo che una volta si sgonfiò a una prima teatrale e il rumore fu assai imbarazzante.

– Io dico che questo è un attentato Shama – disse torvo Mazza, e uscì con aria rabbiosa, strascicando la coda dell'uniforme. Atharva rise nuovamente. Diede un'occhiata al parco computeri della sala. Al suo occhio esercitato non sfuggiva un solo particolare.

– Perché è così sicuro che non sia un attentato? – disse il dottore – non è forse vero che alcuni Shama immigrati clandestinamente stanno preparando azioni contro di noi?

– Verissimo – disse Atharva – sarò io a occuparmene.

– In che senso?

– Dovrò far arrivare gli Shama in città. Far loro compiere aggressioni, rapine, attentati, eccetera. Ma ancora non ho cominciato. Quindi non sono stati loro a uccidere Baldini. *Loro* sono ancora nel mio cassetto.

– Cosa significa? – chiese stupito il dottore.

– È semplice. Gli Shama *non esistono più.*

– Lei conosce bene gli Shama. Crudeli e atei, con le loro pitture di guerra, i loro sfrenati costumi sessuali, le loro malattie contagiose. Da anni la loro guerra fratricida è affettuosamente seguita dai nostri organi di informazione. Guardando i loro massacri si dimenticano tutte le altre guerre. Tutte le guerre sembrano ragionevoli, se confrontate alle atrocità della guerra Shama. Sparandosi feti incendiati, torturandosi con gas chimici, avvelenando hamburger, acquedotti, plasmon[1], gli Shama rendono giustizia alle nostre puntuali operazioni di polizia, alle nostre doverose repressioni, alle nostre sacrosante rappresaglie. Guardando una nostra nobile parata militare, possiamo pensare che queste siano le stesse armi usate nella guerra Shama? No, certamente.

Vuole sapere la verità, dottore?

La guerra nel paese degli Shama iniziò vent'anni fa, quando fu scoperta la pápara. La pápara è un albero masticando la cui corteccia gli Shama sono immuni da infarti, hanno grande potenza sessuale e vivono in media fino a centoventi anni. Essendo il presidente degli Shama riluttante a vendere le piantagioni di pápara, il nostro paese pensò bene di armare i suoi oppositori. A sua volta il presidente fu armato da un altro paese. Trentasei paesi inter-

---

[1] plasmon: prodotti dietetici per bambini (dal nome di una nota ditta produttrice e di un integratore alimentare adottato da quest'ultima).

vennero nella gara di aiuti militari alle fazioni Shama. All'inizio della guerra c'erano tre carri armati e mezzo per abitante. La guerra durò due settimane. Non sopravvisse neanche uno Shama. La pápara si rivelò un fallimento.

Quando era già pronto il lancio per "il cibo più ecologico della terra" si scoprì che per ottenere i benefici effetti bisognava mangiarne cinque chili al giorno. Questo per gli Shama non costituiva un problema, essendo la pápara il loro unico cibo. Ma per un civile consumatore occidentale era impossibile, essendo la pápara un misto tra una carta assorbente e un baccalà, con vago sapore di fecaloma. Centinaia di tonnellate di pápara marcirono nei magazzini. Ma sorse un problema ancora più urgente. Come sostituire le crudeli immagini della guerra Shama, che tanto benefico ribrezzo avevano suscitato negli spettatori? Come rinunciare a frasi ormai entrate nel gergo corrente tipo "Non siamo mica shama" o "Non comportarti da shama"? Semplice.

La guerra fu prolungata con un componimento di realtà. Al materiale di repertorio vennero aggiunte scene filmate in studio. Un'équipe di sceneggiatori militari curò le varie puntate. Da quattro anni la guerra è sempre più frenetica e crudele. Ma *non esiste*. La inventiamo noi ogni giorno. Esistono molte guerre vere, sulle quali possiamo benissimo sorvolare. La guerra Shama, invece, deve continuare, e la prossima puntata, come lei dice, è l'invasione delle nostre città da parte dei sanguinari Shama. Attentati, sabotaggi, omicidi. Tutto nel mio cassetto. Prossimamente sul vostro schermo.

– Balle – disse il dottore, e raccolse in fretta i suoi strumenti, guardando con paura Atharva. Lo aveva sempre trovato strano. Non c'erano le sue note mediche nell'archivio. Nessuno aveva mai visto altro che quel po' di faccia che spuntava dal suo bizzarro abbigliamento. Non era mai stato malato. E forse... Ma era meglio svignarsela.

Mentre i poliziotti portavano via i resti mortali di Baldini, Atharva scivolò silenziosamente nella saletta dei computer privati.

Riconobbe subito il vecchio Personal del compositore capo,

con la foto di Veronica Lake e i soldatini nordisti. Con un lampo di soddisfazione notò che era acceso su un elenco di linguaggi. Li fece scorrere:

Atarian, Atman micro, Atman giant, Bold, Cheapstone, Difensive Surgeon, Difensive Zero, Duluth, Eat, Eliot one, Eliot Two.

– Lui fa la polizia con diverse voci – pensò Atharva – la prima versione della *Terra desolata* di Eliot.

Eliot one. LINGUAGGIO PARODICO PER FALSI DISCORSI FUNE-BRI DI CAPI DI STATO. CHIAVE DI ACCESSO ALLE COMPOSIZIONI: *due parole.*

Troppo facile:

VERONICA LAKE, batté il dito di Atharva.

E sullo schermo, dopo pochi secondi, apparve il messaggio segreto di Baldini:

"Per chiunque riesca a decifrare il mio testamento. Mi uccido perché non riesco più a sopportare l'orrore degli ultimi filmati Shama. Sono diversi dagli altri! Sta succedendo qualcosa, non so più cosa. Lascio la mia Veronica al dottor Grabinsky perché la metta vicino al suo Schwarzenegger di pongo. Possa Dio aver pietà della mia anima lercia. Il Gerarca è un porco! Addio."

Atharva restò impassibile. Con una rapida operazione distrusse per sempre la memoria del testamento dal computero e dalla pietà degli uomini.

L.A.: pag. 256

Sandro Veronesi
Gli sfiorati (1990)

CORSO VITTORIO
* *

I romani chiamano Corso Vittorio Emanuele II, più familiarmente, Corso Vittorio. Porta dal Tevere a Largo di Torre Argentina, che i romani chiamano più familiarmente Largo Argentina, e muta continuamente d'aspetto. Nulla più di questo viale muta d'aspetto, a Roma, tra un'ora e l'altra della giornata. Ora è il palcoscenico attrezzato per la scena di una rapina al Banco di Roma, ora è un lungomare assolato, con Sant'Andrea della Valle che diventa un Casinò e l'Oratorio dei Filippini un pattinaggio. E voilà, è diventato un parcheggio, e dopo un po' di pioggia si fa pista melmosa dell'Africa Centrale, piena di camionette e di ambulanze che scagliano baffi di fango sugli indigeni. Il corridoio di un Castello, la Galleria del Vento, i Campi Elisi, il Giro d'Italia, una lunga nuvola d'asfalto, un rettifilo della pista Polystil. È cangiante, come le cravatte, come gli ologrammi, o le cartoline con le donne bionde, nude o vestite a seconda di come le inclini. Si dice anche che, lentamente, si muova, strisci, s'inarchi, e alcuni giurano che quando erano più giovani Corso Vittorio era più dritto, o più lungo, o più in salita. Ma sono voci, queste, prive di fondamento scientifico.

Mète s'incamminò lungo la ventosa prospettiva, diretto verso Largo Argentina, nella penombra tipica delle cinque e cinque. Era ben consapevole d'esser parte di un paesaggio mutevole. Dinanzi a lui, adesso, si paravano solo zingari e storpi, o gruppi di filippini in giornata libera (alcuni dei quali Mète conosceva, tramite Dani e il segreto che spartiva con lui), stormi di avieri e di pompieri in libera uscita, arabi stremati dalla vendita degli accendini, polacchi in eccedenza sul numero dei parabrezza da pulire, e creature solitarie in genere, principalmente maschi, che si aggiravano in cerca di cibo o di improbabile compagnia. Se avesse ripercorso lo stesso cammino alle undici di sera, le suddette etnìe sarebbero già state inglobate, rese invisibili oppure scacciate nei vicoli da una compatta flottiglia di automobili grandi e piccole, con a bordo cittadini di diverse età, assortiti in ogni possibile combinazione, diretti verso vari luoghi del centro ma anche senza una meta precisa, e dunque disposti a soffermarsi dovunque li attiri un qualunque richiamo, il tutto regolato dagli umori dei semafori a quattro tempi e dei parcheggiatori abusivi.

Insomma, la massa.

Nel giro di sei ore lo scenario di Corso Vittorio si sarebbe fatto rutilante e indecifrabile, e farne parte avrebbe significato, in un certo senso, scomparire: adesso, invece, con la massa ancora affaccendata altrove (a controllare le schedine Totocalcio davanti ai televisori, o a sciamare fuori dallo Stadio Olimpico, o a intasare i caselli d'ingresso sul Grande Raccordo Anulare) era rarefatto e disperato come il presepe di un povero. Traversarlo equivaleva a consegnarsi alle minoranze.

Questo a Mète piacque. Gli piacque sentirsi parte di una minoranza, una qualsiasi, mentre camminava quel pomeriggio verso il Campidoglio. D'un tratto, con la solenne chiarezza che hanno i pensieri pensati per la prima volta, s'incastrò nella sua mente questo pensiero: lì dove si trovava, a Roma, esistevano davvero solo le minoranze (di cui si fa parte per ragioni d'identità) e la massa (di cui tutti fanno parte, anche le minoranze). Non esisteva nessuna maggioranza.

Così pensando andava di bolina, un poco sbandato a tribordo, lasciandosi dietro la spuma grigia del rimorso. Lasciamolo andare, nella solitudine che gli si appropria. Tanto sappiamo dove va.

L.A.: pag. 257

SOTTOFONDI

✳

When I find myself in times of trouble
Mother Mary comes to me...

Così stava cantando il pianista Alfredo nel frattempo. Professionista scrupoloso, aveva preparato una lunga scaletta di pezzi da eseguire durante la festa, tutti datati 1969 e 1970. Ma la musica, nei grandi saloni pavesati con cura e farciti di tavoli apparecchiati per l'incombente strippata[1], la musica in quel luogo era un irrilevante accessorio, un trastullo, com'è tradizione nelle feste degli adulti. La voce di Alfredo, per quanto profumatamente pagata, svaporava nel brusio degli invitati che arrivavano a ripetizione, negli squilli continui del campanello, negli scoppi di "Oh!" e di "Ah!" che precedevano una risata, uno scambio di baci, un complimento. *Sottofondo*, era la parola, un concetto di fondamentale importanza nella vita dei borghesi che hanno superato i quarant'anni. Nei loro colorati travestimenti s'incrociavano gli ospiti, in una vuota contraddanza per la quale nulla era concepito se non a titolo di mero sottofondo: sottofondo le frustate del vento contro le vetrate, sottofondo il giostrare delle cameriere filippine con i vassoi di stuzzichini, sottofondo la villa intera con i suoi marmi, i suoi dipinti, la moquette, i tappeti e il maestoso bric-à-brac degli arredi, sottofondo gli sposi stessi quando si baceranno sulla bocca, e l'indossatrice ubriaca che salirà sul tavolo per far vedere le cosce. Sottofondo, a maggior ragione, anche la musica, comunque scelta, comunque eseguita, purché diffusa a volume moderato. (Ed è la vendetta di questi borghesi su tutto ciò che ha governato i loro verdi anni volati via, abbassarne finalmente il volume, trasformarlo in semplice sottofondo, contro il quale ora potersi stagliare in primo piano come gli innamorati sul tramonto nelle pubblicità dei preservativi.)

Tuttavia, contro la volontà di tutti, qualcosa andava spiccando in quel conclave più nitido e lampante del conclave stesso. Una striden-

---

[1] strippata: (popolare) mangiata, scorpacciata.

te battaglia di travestimenti saltava agli occhi. Quella data, 14 febbraio 1970, scelta come tema per ispirare i costumi, tradiva l'esistenza di due opposte scuole di pensiero mondano, a seconda che la si fosse considerata parte ancora degli anni Sessanta o già degli anni Settanta. Continuavano a mescolarsi esili figurette cadaveriche uscite dai film di Antonioni con pastosi intrugli di Easy Rider, Ricerca di Se Stessi e Crisi Petrolifera, generando un preoccupante contenzioso. Considerando poi che alcuni, per quello che i filosofi chiamano "ritegno", avevano rinunciato alla mascheratura, optando per abiti e acconciature secondo la moda corrente (la quale, a sua volta, rievocava i gusti di almeno altri due decenni ancora precedenti), in quelle sale ormai si confondevano le forme: e il confondersi delle forme, in una civiltà, è il primo sintomo della regressione in barbarie.

Un sintomo che naviga anch'esso in sottofondo, solitamente, finché non cadono le prime vittime [...]

L.A.: pag. 257
E.: pag. 293

I CARONTINI

✻

Nelle fredde notti d'inverno il centro di Roma diventa lugubre come lo Stige[1], e vi si aggirano solo ombre intirizzite o tetre bande di giovani senza speranza. La città rincasa, per così dire, e la vita si ritira nei locali. Alcuni di questi, per selezionare la clientela, si dotano però di un sistema di filtri, dal biglietto d'ingresso esageratamente caro fino all'arbitraria discriminazione tra le facce che si accalcano contro la porta d'ingresso. Generalmente, quanto più sono ambiti questi locali, tanto più si fanno selettivi, e quanto più si fanno selettivi, tanto più sono ambiti. Avervi accesso diventa pertanto un privilegio.

I Carontini sono esseri seppelliti dalla solitudine, disdegnati dalle donne e derisi dagli uomini, il cui unico titolo di nobiltà, otte-

---

[1] lo Stige: nome di un mitologico fiume infernale.

nuto a chissà quale prezzo, consiste proprio nel diritto d'accesso in questi locali esclusivi, con facoltà d'introdurvi anche gli amici.

Ma i Carontini non hanno amici.

Fanno semplicemente la spola come navette, ogni notte, tra i più affollati luoghi di ritrovo, raccogliendo persone e traghettandole nei locali, in cambio di un po' di compagnia. La loro speranza di imbattersi prima o poi in qualcuno che diventi loro amico, o in qualche ragazza che si innamori di loro, è inestinguibile come il fuoco di Estia[2], anche se normalmente si accontentano delle poche battute di circostanza scambiate lungo il tragitto. (E per questo i Carontini tendono ad allungare indefinitamente i tragitti, strologando fermate intermedie per offrire caffè e camparini[3], di modo almeno da essere visti mentre si intrattengono insieme a qualcuno.) Appena entrate nel locale, infatti, quelle persone fanno perdere le proprie tracce disperdendosi nella calca, e i Carontini si ritrovano da capo soli e smarriti nella torma di gente che ha sempre qualcuno, e devono ripartire per una nuova corsa.

Di Carontini veri e propri ce ne sono pochi, perché la maggior parte dei disperati che avrebbero i requisiti per diventarlo preferiscono rinunciare alla vita mondana, piuttosto che accettare questa infima condizione. A servirsene, invece, sono in parecchi, poiché fanno risparmiare denaro e discussioni con i buttafuori, e giovano al morale, tutto sommato, con la propria ineguagliabile dannazione. Espressioni come "Prendiamo il primo Carontino" per la tal discoteca sono abbastanza diffuse tra i nottambuli, per quella capacità che hanno i gerghi di attecchire subito alla lingua anche se nessuno ha fatto nulla per imporli. Tuttavia, pur ricorrendo in tanti ai loro servigi e alla similitudine che li connota, nessuno riflette sul fatto che, se quelli sono Caronte, allora i luoghi dove trasportano le persone, nonostante i nomi empirei come Olimpo, Notorius o Acropolis, sono le bolge dei dannati; e che, tra sé e sé, nella sua veste di nocchiero d'Acheronte, il Carontino potrebbe sussurrare a chi lo sfrutta una terribile condanna endecasillaba:

---

[2] il fuoco di Estia: è il fuoco sacro della dea Estía ("Vesta" nella tradizione latina), che doveva esser sempre mantenuto acceso nei templi a lei dedicati.

[3] camparini: forma diminutiva di "Campari", nome di un noto aperitivo.

Non isperate mai veder lo cielo
i' vegno per menarvi all'altra riva
nelle tenebre eterne, in caldo e 'n gelo[4].

Ma i Carontini non hanno tempo di leggere Dante, li sfianca troppo il trottar vano.

E.: pag. 295

[4] Citazione dalla *Divina Commedia* di Dante Alighieri (Inferno, Canto III, vv. 85-87), dove appare la figura del nocchiero Caronte. Una "traduzione" della terzina in italiano moderno sarebbe:
Non sperate mai di veder il cielo:
io vengo per condurvi all'altra riva
nelle tenebre eterne, al caldo e al gelo.

INFORMAZIONI
BIO-BIBLIOGRAFICHE SUGLI AUTORI

BASSANI GIORGIO
È nato a Bologna nel 1916.

Fino al 1943 ha vissuto a Ferrara, a cui sono legati temi e ambienti di molte sue opere narrative. Nel '43 venne arrestato per antifascismo e, dopo l'armistizio, si trasferì a Roma, dove tuttora vive. Tra le sue opere di narrativa si contano le *Cinque storie ferraresi* (1956), *Gli occhiali d'oro* (1958), *Il giardino dei Finzi-Contini* (1962), *Dietro la porta* (1964), i brevi racconti de *L'odore del fieno* (1972), *L'airone* (1968). Alla borghesia ferrarese, in prevalenza ebraica, al periodo del fascismo, a temi autobiografici è dedicata gran parte della sua produzione.

Tra le opere di poesia sono *Storie di poveri amanti e altri versi* (1945), *L'alba ai vetri* (1963), *In gran segreto* (1978), *In rima e senza* (1982).

BENNI STEFANO
Nato a Bologna nel 1947, ha pubblicato poesie, romanzi (*Terra!*, 1983; *Comici spaventati guerrieri*, 1986), di cui ha curato anche la regia cinematografica) e un libro per bambini. Ha collaborato a trasmissioni radiofoniche ("Radio Città" a Bologna) ed al quotidiano "Il Manifesto".

Dopo *Il bar sotto il mare* (1987) è uscito *Baol* (1990), dove la vena umoristica e violentemente critica dell'autore si appunta sulla società italiana, con la sua esaltazione del benessere, il suo razzismo e la sua corruzione.

BERTO GIUSEPPE
Nato a Mogliano Veneto (Venezia) nel 1914, è morto nel 1978.

Laureato in lettere, lasciò l'insegnamento per l'attività di scrittore. Arruolatosi volontario nella seconda guerra mondiale, venne fatto prigioniero nel 1943: durante la prigionia scrisse uno dei suoi migliori romanzi, *Il cielo è rosso* (1947).

Seguirono *Le opere di Dio* (1948) e *Il brigante* (1951). Nel 1964 ottenne in Italia due premi letterari (Viareggio e Campiello) per il romanzo *Il male oscuro*, narrazione - sofferta ed umoristica nello stesso tempo - di una nevrosi d'angoscia: senza censure e nello stile fluido della narrazione autobiografica l'autore riporta sulla pagina un'esperienza psicanalitica. Dopo la favola umoristica *Oh, Serafina!* (1974), scrisse *La gloria* (1978), con un ripensamento in chiave di profonda fede religiosa dei concetti di colpa e sacrificio, analizzati nella figura evangelica di Giuda Iscariota.

BUFALINO GESUALDO

Nato a Comiso (Ragusa), nel 1981 ha pubblicato sessantenne, dopo anni d'insegnamento, *Diceria dell'untore*, scritto circa venti anni prima, con cui ha vinto il premio Campiello. Oltre alle traduzioni dal latino e dal francese, le poesie, le antologie e gli scritti sulla Sicilia sono da ricordare tra i romanzi *Le menzogne della notte* (1988, premio Strega), ambientato nel Risorgimento borbonico e *Qui pro quo* (1991), raffinato esempio di genere poliziesco.

CALVINO ITALO

Nato a Cuba nel 1923, visse a Torino, lavorando per l'editore Einaudi, e a Parigi. È morto nel 1985.

Dopo il romanzo *Il sentiero dei nidi di ragno* del 1947, escono negli anni '50 i romanzi brevi della trilogia, poi raccolti ne *I nostri antenati* (*Il visconte dimezzato*, 1952; *Il barone rampante*, 1957; *Il cavaliere inesistente*, 1959), dove quadri foschi, un inesauribile umorismo e un meditato assurdo accompagnano tre vicende fantastiche.

Alla favola tradizionale Calvino si dedicò con la raccolta *Fiabe italiane* (1956), elaborazione delle versioni dialettali provenienti dalle diverse regioni italiane. Tra i racconti si ricordino il volume *Racconti* (1958) e *Le città invisibili* (1972).

CELATI GIANNI

Nato a Sondrio nel 1937, vive a Bologna dove insegna letteratura anglo-americana all'università. *Le Comiche* del 1971, *Le avventure di Guizzardi* del 1973, *La banda dei sospiri* del 1976 e *Lunario del paradiso* del 1978 sono lunghi racconti comico-avventurosi, il cui registro stilistico di un parlato sciattamente quotidiano è stato collegato a quello della tradizione giullaresca.

Alla sua produzione appartengono anche i racconti di *Narratori delle pianure* (1984), dove il tono veramente piano del racconto suona come stupore incantato di fronte agli eventi prodotti dall'umanità nel quotidiano. Notevoli sono le filosofiche *Quattro novelle sulle apparenze* (1987), oltre le numerose traduzioni di testi letterari inglesi e francesi.

DE FILIPPO EDUARDO

Nato a Napoli nel 1900, è morto nel 1984.

Fin da ragazzo conobbe le scene, recitando in affermate compagnie teatrali napoletane. Con i fratelli Titina e Peppino fondò quindi una propria compagnia teatrale, che rappresentò dal 1930 al 1944, con enorme successo in tutta Italia, le numerose commedie scritte da Eduardo. Continuò a recitare fino ad età avanzata, riproponendo anche come direttore del Teatro San Ferdinando di Napoli, il teatro classico napoletano.

La sua ricca produzione teatrale è rimasta famosa con il suo nome: "il teatro di Eduardo". Ed è stata veramente una sua personalissima innovazione, ispirata in parte dalla dialettica pirandelliana, del teatro napoletano. Le maschere ora vivono nella Napoli contemporanea, nei vicoli e nei "bassi", i quartieri poveri dove si lotta contro l'indigenza e dove, a partire dall'ultimo periodo della seconda guerra mondiale, si afferma in crescendo, insieme alla ricerca del benessere, la spregiudicatezza dei costumi. Tali contrasti sociali e soprattutto le loro ripercussioni all'interno delle famiglie sono al centro della tematica di Eduardo. Umanissimo e generoso è il suo sguardo sulle debolezze e i drammi piccoli e grandi delle persone; umoristico o doloroso, ma mai patetico è il tono che li accompagna; una moralità schietta e antica è l'ispirazione di vicende che abbracciano confini molto più vasti della Napoli proletaria e piccolo-borghese.

Alcune delle commedie piú note sono *Sik-Sik, l'artefice magico* (1928), *Natale in casa Cupiello* (1930), *Napoli milionaria!* (1945), *Filumena Marturano* (1946), *Il sindaco del rione Sanità* (1960).

Una bella raccolta delle commedie fino all'anno 1965 è nella *Cantata dei giorni pari* e nei volumi della *Cantata dei giorni dispari*.

FO DARIO & RAME FRANCA

Dal 1953 sono attivi sulla scena teatrale italiana, con spettacoli di carattere satirico che si accentrano sulla situazione politica, sociale ed economica italiana. Nonostante l'enorme successo di pubblico, il contenuto polemico e a volte apertamente provocatorio della loro produzione teatrale è costato loro il bando per diversi anni dalla RAI (ente televisivo di stato) e dai teatri pubblici, censure, sequestri e persino aggressioni fisiche. Nel 1968 hanno iniziato a dare spettacoli su scene popolari ("Case del Popolo", centri ricreativi per operai e contadini). Dai dibattiti che seguivano alle rappresentazioni traggono spunto numerose commedie scritte da Dario Fo, che sfruttano spesso l'espressività del registro familiare e del dialetto per una satira maggiormente incisiva.

Notevole è il loro lavoro di ricostruzione storica del teatro popolare, come in *Mistero buffo* (1969), spettacolo oramai noto anche sulle scene internazionali, ed il recupero della tradizione letteraria regionale (cfr. la raccolta di canti di lavoro e di protesta in *Ci ragiono e canto*, 1977).

GADDA CARLO EMILIO

Nato a Milano nel 1893, è morto nel 1973. Dopo aver combattuto nella prima guerra mondiale, si laurea in ingegneria industriale, pur continuando a coltivare gli interessi letterari, vivi fin dalla prima giovinezza, con poesie ed articoli di critica (poi raccolti ne *Il castello di Udine*, uscito nel 1934). Dopo studi di filosofia, la sua produzione letteraria si accresce di romanzi (*La meccanica*, pubblicato solo nel 1970; *La Madonna dei Filosofi*, 1931), alternandosi a scritti tecnici.

Nel 1940 il definitivo passaggio alla letteratura è sancito dal trasferimento a Firenze: di questo periodo è *L'Adalgisa* (1944). Passato a Roma, dove lavora alla RAI prima come giornalista letterario e poi come autore di opere radiofoniche, pubblica le *Novelle dal ducato in fiamme* (1953). A Roma riprende *Quer pasticciaccio brutto de via Merulana* (1957), romanzo che sotto le spoglie del poliziesco offre un quadro comicamente squallido della Roma popolare sotto il regime fascista, in una combinazione avvincente del registro linguistico colto con quello popolare. Nel 1963 esce *La cognizione del dolore*, iniziato nel 1936: opera densa di temi autobiografici, dove sensazioni acute e descrizioni pignole del ridicolo e del tragico vengono trasportate da un linguaggio che è continua invenzione.

LEVI CARLO

Nato a Torino nel 1902, si laureò in medicina, che esercitò per breve tempo, avendo iniziato a dipingere. A causa della sua intensa attività antifascista fu più volte arrestato e poi condannato al confino in Lucania nel 1935-1936. Qui si trova la materia di *Cristo si è fermato a Eboli* (1945), che descrive con giustificato stupore e profonda simpatia umana le condizioni di vita di villaggi di montagna nel sud Italia, ignorati dalla "civiltà" e trascurati dagli interessi del governo centrale e del resto della popolazione.

Ai valori della libertà e dell'autonomia Levi ha dedicato tutta la sua produzione letteraria: alcuni esempi sono in *Paura della libertà* (1939), *L'Orologio* (1950), *Le parole sono pietre* (1955), scene della Sicilia che esce dalla seconda guerra mondiale ma non si può sentire ancora parte d'Italia, e in *Tutto il miele è finito* (1964), dedicato alla Sardegna ed al suo mondo in parte ancora arcaico. Postumo è *Quaderno a cancelli*, pubblicato nel 1979.

Senatore della Repubblica, è morto nel 1973.

LEVI PRIMO

Nacque nel 1919 a Torino, dove si è tolto la vita il lunedì di Pasqua del 1987.

A Torino si laureò in chimica. Impegnatosi nella lotta partigiana, nel 1943 viene arrestato e, a causa della sua origine ebraica, deportato ad Auschwitz. Riesce a sopravvivere al campo di concentramento ed a tornare in Italia dopo dieci mesi di peregrinazioni per l'Europa.

La terribile esperienza di Auschwitz ed il viaggio di ritorno daranno origine a *Se questo è un uomo*, pubblicato nel 1947 e a *La tregua*, uscito nel 1963. Tra i racconti, *Vizio di forma* (1971) e *Il sistema periodico* (1975) vedono collegate la sua esperienza scientifica e la sua anima letteraria in un atteggiamento di costante, sottile e generosa osservazione dell'umanità. Tecnica e gioco linguistico tornano nelle avventure dell'operaio de *La chiave a stella* (1979). *Se non ora, quando?* (1982) riprende i temi della guerra, che mette alla prova i partigiani dell'Europa Orientale e la loro solidità umana in un peregrinare che è anche ricerca interiore.

È stato anche autore di poesie (*Ad ora incerta*).

MALERBA LUIGI

È nato a Berceto (Parma) nel 1927.

Ha iniziato la carriera letteraria con i racconti *La scoperta dell'alfabeto* (1963), che sulla scena letteraria italiana di allora rappresentarono un'opera di sperimentazione. La scrittura avara, malinconica e a volte grottesca accompagna brevi storie di vita contadina, narrate in uno spazio temporale vago, come di favola.

Dalle ossessioni de *Il serpente* (1966) al Medioevo surreale de *Il pataffio* (1978) al recente *Il fuoco greco* (1990), si saltano tempi e dimensioni, ma resta la sensazione di fondo del carattere episodico e variamente inconsistente dell'esistenza.

Luigi Malerba è anche autore di libri per ragazzi (*Millemosche*, 1969-1973, con Tonino Guerra).

MANGANELLI GIORGIO

Nato a Milano nel 1922, è morto a Roma nel 1990.

Si laureò in Scienze Politiche ed insegnò prima nelle scuole superiori, poi letteratura inglese all'Università di Roma.

L'opera letteraria si distingue per l'impostazione fantastico-filosofica, espressa in stile denso e talora complesso. Tra i titoli si ricordino *Hilarotragoedia* (1964), *Sconclusione* (1976), *Amore* (1981), *Rumori o voci* (1987) e, tra i racconti, *Centuria* (1979), in cui appaiono "cento romanzi fiume, ma così lavorati in modi anamorfici, da apparire al lettore frettoloso testi di poche e scarne righe" (G. Manganelli, dalla prefazione a *Centuria*).

La sua attività si estese a traduzioni di autori inglesi, critica letteraria e critica d'arte, collaborazione a vari giornali e settimanali, consulenza editoriale. Alcuni dei suoi interventi di articolista di costume sono raccolti in *Lunario dell'orfano sannita* (1973) e *Improvvisi per macchina da scrivere* (1989).

MONTALE EUGENIO

Nato a Genova nel 1896, è morto a Milano nel 1981.

Figlio di commercianti, trascorse l'infanzia tra Genova e le Cinque Terre (Liguria), il cui paesaggio, tra mare ed aspre montagne, tornerà nei temi e nel tono di tutta la sua produzione poetica. Esperto e impegnato autodidatta di lingue e in letteratura, coltivò una forte passione per la musica.

Dopo aver partecipato alla prima guerra mondiale, entrò nell'ambiente letterario torinese. Nel 1925 esce la sua prima raccolta *Ossi di seppia*, in cui la realtà parla in termini puramente descrittivi. Del periodo fiorentino (1927-1948) sono *Le occasioni* (1939) e *Finisterre* (1943). A causa della sua posizione antifascista nel 1938 viene licenziato dalla carica di direttore del Gabinetto Scientifico Letterario Viesseux (dal 1929) ed inizia a collaborare con riviste e a tradurre.

Nel 1948 si trasferisce a Milano come redattore del "Corriere della Sera", diventando anche critico musicale del "Corriere d'Informazione" (1954-1967). A *La bufera e altro* (1956), che ripercorre esperienze private ed il tema della guerra, seguì una pausa nella produzione poetica, ripresa nel 1964 (*Xenia*, 1966, poi *Satura*, 1971; la serie dei diari: *Diario del '71 e del '72*, 1973 e *Quaderno di quattro anni*, 1977).

Gli sono state conferite lauree *ad honorem* dalle università di Milano, Cambridge e Roma e, nel 1975, il premio Nobel.

MORANTE ELSA

Nata a Roma nel 1912, è morta nel 1985.

Dopo il primo breve romanzo *Qualcuno bussa alla porta* (1935-1936), che non ricevette attenzione dalla critica, pubblicò i racconti *Il gioco segreto* (1941) e la favola *Le bellissime avventure di Caterì dalla trecciolina* (1941), rielaborato nel 1959 con il titolo *Le straordinarie avventure di Caterina*.

La notorietà ed il riconoscimento del premio Viareggio le giunsero dal romanzo *Menzogna e sortilegio* del 1948, con cui si ricollegava alla grande tradizione narrativa ottocentesca, fenomeno insolito nell'Italia letteraria del dopoguerra, dove si tendeva ad un'impostazione realistica del contesto narrativo. Il romanzo che seguì nel 1957, *L'isola di Arturo*, le valse successo internazionale: qui si rivela appieno la sua capacità di immedesimarsi nella sensibilità infantile, di cui diede prova anche nel romanzo *La storia* (1974), ambientato nella Roma della seconda guerra mondiale. L'ultimo suo romanzo è stato *Aracoeli*, pubblicato nel 1982.

Ha scritto anche saggi, racconti, poesie.

PASOLINI PIER PAOLO

Nato a Bologna nel 1922, è morto, vittima di omicidio, nel 1975.

Determinante nella sua formazione è stata la vita familiare, in cui la madre ebbe per lui un ruolo affettivo fondamentale. A partire dal 1943 rimase alcuni anni in Friuli, dove iniziò ad amare il mondo contadino, nei suoi valori arcaici e religiosi. Sarà tra i fondatori di un centro di studi filologici sulla lingua e cultura friulane, scrivendo saggi e poesie in dialetto. Nel 1949, dopo uno scandalo a seguito di un'accusa di tentata corruzione di minorenni, venne espulso dal Partito Comunista (a cui era iscritto dal 1945) e lasciò il Friuli per Roma. Qui visse un periodo in borgata, il cui ambiente ritornerà in *Ragazzi di vita* (1955) e *Una vita violenta* (1959): i due romanzi sono crude e poetiche rappresentazioni del sottoproletariato e, con l'adozione del gergo romanesco, opere di sperimentazione linguistica.

L'impegno socio-politico, che ritorna in *Teorema* (1968), sarà frequentemente protagonista della sua produzione poetica (*Poesia in forma di rosa*, 1964; *Trasumanar e organizzar*, 1971) e di quella cinematografica, iniziata nel 1961, oltre che dei saggi dall'accentuato vigore polemico (*Empirismo eretico*, 1972; *Scritti corsari*, 1975; *Lettere luterane*, 1977).

La letteratura, la linguistica e la semiologia del cinema sono state oggetto di sue opere saggistiche.

PAVESE CESARE

Nato a Santo Stefano Belbo (Cuneo) nel 1908, si tolse la vita a Torino nel 1950.

Originario delle colline piemontesi, le Langhe, studiò a Torino letteratura americana. Da qui ebbero impulso le opere di traduzione e di critica letteraria e più tardi la sua produzione poetica, iniziata con *Lavorare stanca* (1936) (il volume *Verrà la morte e avrà i tuoi occhi* è uscito postumo nel 1951). Arrestato per le sue idee antifasciste, venne condannato al confino in Calabria nel 1935.

Dal 1941 si registrano opere di narrativa: *Paesi tuoi* (1941), *Il compagno* (1947) e *La bella estate* (1949) sono le sue opere più note. Dal 1953 sono usciti postumi diversi suoi racconti brevi, oggi riuniti a quelli già pubblicati in *Racconti* (1990).

Postumo è anche il diario *Il mestiere di vivere* (1952).

QUASIMODO SALVATORE

Nato a Modica (Ragusa) nel 1908, è morto a Napoli nel 1968.

A Messina, dove trascorse parte dell'infanzia, pubblicò nel 1917 le sue prime poesie. Trasferitosi a Roma, iniziò a studiare latino e greco, lingue dalle quali divenne un esperto e sensibile traduttore (*Lirici greci*, 1940; traduzioni di Catullo e dall'*Odissea*).

A Firenze dal 1929, entrò nell'ambiente letterario, ricominciando quindi a scrivere poesie: nel 1930 esce *Acque e terre*, di tema autobiografico. *Oboe sommerso* del 1932 e *Erato e Apòllion* del 1938 lo collocano nella corrente dell' "ermetismo", dagli accenti velati, a volte oscuri, e dall'impostazione religioso-esistenziale. La raccolta *Ed è subito sera* del 1942 assume nuovi toni etici. Antifascista e traduttore mal tollerato di opere ostiche al regime, dal 1945 fu attivo nel Partito Comunista. L'impegno civile si accentuerà nella sua produzione successiva: qui si trovano *Con il piede straniero sopra il cuore* (1946), *La vita non è sogno* (1949), *La terra impareggiabile* (1958). Fu anche autore giornalistico di critica teatrale.

Tra i riconoscimenti, siano ricordati le lauree *ad honorem* dell'Università di Messina e di Oxford ed il premio Nobel del 1959.

SAVINIO ALBERTO (pseudonimo di Andrea De Chirico)

Nato ad Atene nel 1891, è morto a Roma nel 1952.

Diplomatosi in pianoforte ad Atene, dal 1910 al 1914 visse con il fratello Giorgio De Chirico a Parigi, dove fece parte dell'avanguardia intellettuale. Dopo aver partecipato alla prima guerra mondiale, pubblicò *Hermaphrodito* (1918), romanzo sperimentale in versi e prosa, scritto in italiano e francese. Fu pittore e musicista e autore di saggi di tema letterario, artistico e musicale (cfr. la raccolta *Narrate, uomini, la vostra storia*, 1984).

Tra le sue opere di narrativa si ricordino i romanzi *La casa ispirata* (1925), *Tragedia dell'infanzia* (1937) e *Infanzia di Nivasio Dolcemare* (1941) e i racconti *Achille innamorato (Gradus ad Parnassum)* (1938), *Casa "La vita"* (1943), *Tutta la vita* (1945 e 1953), *L'Angolino* (1950).

È stato anche autore di teatro (notevoli *Alcesti di Samuele* e *Emma B. vedova Giocasta*, entrambi pubblicati nel 1949).

SCIASCIA LEONARDO

Nato a Racalmuto (Agrigento) nel 1921, è morto a Palermo nel 1989.

Entrò presto nell'ambiente letterario locale e nel 1950 diede alle stampe le poesie *Favole della dittatura*. Tra le prime opere di narrativa si trovano *Cronache scolastiche* (1955), *Le parrocchie di Regalpetra* (1956), *Gli zii di Sicilia* (1958). I romanzi brevi che seguirono, articolati nella cornice del "giallo", sono ispirati da una critica sociopolitica rivolta agli ambienti della mafia e della corruzione pubblica: sono *Il giorno della civetta* (1961), *A ciascuno il suo* (1966), *Il contesto. Una parodia* (1971), *Todo modo* (1974). Deputato indipendente al Parlamento per il Partito Comunista Italiano nel 1975, nella tragica occasione del "caso Moro" nel 1978 si allontanò dal P.C.I. a causa di profonde divergenze sulla concezione del ruolo dello Stato. Nel 1979 venne eletto nelle liste del Partito Radicale.

Ha scritto anche saggi sulla letteratura, inchieste, testi teatrali e cinematografici.

SILONE IGNAZIO
(pseudonimo, poi nome legale di Secondo Tranquilli)

Nato a Pescina dei Marsi (L'Aquila) nel 1900, è morto a Ginevra nel 1978.

Rimasto orfano a quattordici anni a seguito del terremoto della Marsica, dovette interrompere gli studi e si trasferì a Roma. Qui ebbe inizio il suo impegno politico: nel 1921 partecipò alla fondazione del Partito Comunista Italiano, di cui fu un dirigente. Con l'inasprirsi della dittatura fascista, nel 1930 fu costretto all'esilio. In quel periodo avvenne il definitivo distacco dal PCI, che si era adeguato alla linea stalinista.

Fino al 1945 visse in Svizzera, dove pubblicò in tedesco i suoi primi romanzi: *Fontamara* (1933), che riscosse presto risonanza internazionale, *Pane e vino* (1937, rielaborato nell'edizione italiana del 1955 con il titolo *Vino e pane*) e *Il seme sotto la neve* (1941). Dai tre "cafoni" del primo romanzo che raccontano - tradotti in italiano - la loro testimonianza di umanismo, di spirito cristiano e sociale, ai personaggi che ritornano alla loro terra d'origine, come anche ne *Il segreto di Luca* (1956), i personaggi di Silone si muovono sempre alla ricerca di un rinnovamento: sia questo azione politica per ottenere un riscatto economico sia liberazione morale, come per il papa che ricusa il potere con i suoi compromessi in *L'avventura di un povero cristiano* (1968). All'ideologia Silone contrappone un messaggio cristiano e sociale, un "populismo laico", come si è detto, che non si può identificare con nessuna istituzione, inevitabilmente corrotta dal potere.

TABUCCHI ANTONIO
È nato a Pisa nel 1943.

Studioso di letteratura portoghese, insegna all'Università di Genova. Ha tradotto, primo in Italia, l'opera di Fernando Pessoa.

Maestro della sospensione irrisolta, ha riprodotto spesso nelle sue trame narrative il percorso di ricerche senza esito, sorprendenti:

così paradigmaticamente in *Notturno indiano*, romanzo breve del 1984, e nei racconti *Piccoli equivoci senza importanza* (1985).

La sua opera di narrativa conta inoltre i romanzi *Piazza d'Italia* (1975), *Il piccolo naviglio* (1978), *Il filo dell'orizzonte* (1986), i racconti *Il gioco del rovescio* (1981), *Donna di Porto Pim e altre storie* (1983), *I volatili del Beato Angelico* (1987) e i due monologhi teatrali *I dialoghi mancati* (1988).

TOBINO MARIO

È nato a Viareggio (Lucca) nel 1910.

Dopo la guerra in Africa Settentrionale, è stato membro attivo della Resistenza. Ha diretto come psichiatra fino al 1980 l'Ospedale Psichiatrico di Maggiano (Lucca). Questa sua esperienza si riflette in *Le libere donne di Magliano*, pubblicato nel 1953: nella forma diaristica suona forte il conflitto tra la viva umanità percepita nelle malate, la "Pazzia" che tutto domina e sconvolge ed i metodi primitivi applicati dalla psichiatria di allora (siamo in tempi anteriori alla riforma Basaglia del sistema psichiatrico). Il tema ritornerà nel successivo *Gli ultimi giorni di Magliano* (1982).

In realtà l'autobiografia è sempre riconoscibile in Tobino scrittore: dalle prime liriche (*Poesie*, 1934, *Asso di picche*, 1955) alla prosa (*Il deserto della Libia*, 1952); *Il clandestino*, 1962); *Per le antiche scale*, 1972; *La bella degli specchi*, 1976).

VERONESI SANDRO

È nato a Firenze nel 1959.

Vive a Roma. Il suo primo romanzo è stato *Per dove parte questo treno allegro* (1988). Nel 1990 ha pubblicato *Gli sfiorati*, quadro distaccato e ironico delle ultime generazioni contemporanee: da un lato vi si trovano giovani ventenni che, privi di aspirazioni sentite, vengono facilmente conquistati dalle superficialità del consumismo e dei gusti imposti dalla moda, che si rivelano l'unica loro direttrice di vita. Dall'altro lato c'è la generazione dei genitori, che ben poco hanno potuto offrire ai figli per favorirne la solidità interiore e che si dibattono tra vaghi sensi di colpa e patetiche imitazioni di atteggiamenti giovanili. Gli uni e gli altri sembrano esistere in un profondo disagio, dalla vita solo sfiorati.

VOLPONI PAOLO

È nato ad Urbino nel 1924.

Laureatosi in giurisprudenza ad Urbino, dal 1950 si è impegnato nel settore dei servizi sociali, prima con inchieste sull'Italia meridionale, poi a Roma e ancora presso l' "Olivetti" di Ivrea, con funzioni dirigenziali. Ha lavorato quindi per la Fondazione Agnelli con studi sociologici dal 1972 al 1975, data della sua esplicita adesione al Partito Comunista Italiano, che ha poi rappresentato al Senato (1983).

Tra la sua prima produzione letteraria si trovano raccolte poetiche: *Il ramarro* (1948), *L'antica moneta* (1955), *Le porte dell'Appennino* (1960). Tra la narrativa: *Memoriale* (1962), che si svolge nell'ambiente della fabbrica; *La macchina mondiale* (1965), in cui un contadino delle Marche narra in prima persona del suo ideale utopistico-"scientifico"; *Corporale* (1974); *Il sipario ducale* (1975), ambientato tra aristocratici ed anarchici, messi a confronto con la realtà incresciosa dell'Italia delle stragi neofasciste degli anni '70; la favola allegorica *Il pianeta irritabile* (1978); *Il lanciatore di giavellotto* (1981); *Le mosche del capitale* (1989); *La strada per Roma* (1991), romanzo di gioventù scritto in gran parte nella metà degli anni '60, di cui riflette l'atmosfera storica e sociale.

SEZIONE DI ANALISI LINGUISTICA

LETTURE ANALITICHE

CRISTO SI E' FERMATO A EBOLI
di Carlo Levi (1945)

"Infrastrutture"

LETTURA ANALITICA SEMANTICA-PRAGMATICA *
1. Cerca e sottolinea nel testo le espressioni che ti sembrano connotate da ironia.
2. Confronta con due compagni. In caso di divergenze, consultate altri gruppi.

"Destino"

LETTURA ANALITICA SEMANTICA *
1. Rileggendo il brano, sottolinea i passi che definiscono l'atteggiamento dei contadini nei confronti dell'esistenza.
2. Confronta con due compagni.

"Morale sessuale"

LETTURA ANALITICA MORFOSINTATTICA *
A) 1. Cerca nel testo gli esempi di
   a) elisione (caduta di una vocale originaria, davanti ad un'altra vocale): p.es., **la + acqua** → **l'acqua.**
   b) troncamento (caduta di una vocale, una consonante o una sillaba davanti ad una consonante): p.es., **opporre + vi + si** → **opporvisi.**
   2. Confronta quindi con un compagno.

B) 1. In alcuni casi, nel testo non compaiono casi di elisione o troncamento dove pure sarebbero stati possibili. Cerca questi esempi.
   2. Al termine confronta con un compagno possibilmente diverso dal primo. Consultate l'insegnante per eventuali chiarimenti.

"Doppie nature"

LETTURA ANALITICA LESSICALE-SEMANTICA *
1. Cerca nel testo le espressioni che fanno riferimento ad una quantità (p.es. **molto**, **poco**, etc.).
2. Al termine del lavoro, confronta con un compagno.

LE BUGIE CON LE GAMBE LUNGHE
di Eduardo De Filippo (1947)

"Il matrimonio ideale"

LETTURA ANALITICA SEMANTICA-PRAGMATICA *
1. Individua nel testo da "Non basta il desiderio." a "[...] quando conto i soldi voglio rimanere solo." le espressioni con cui Roberto esprime le sue pretese, presenti e future, nei riguardi di Costanza.
2. Confronta quindi con altri due compagni.

LE LIBERE DONNE DI MAGLIANO
di Mario Tobino (1953)

"Tono"

LETTURA ANALITICA MORFOSINTATTICA *
A) 1. Individua e sottolinea nel brano le forme dell'imperfetto indicativo (come **mandava**, **leggevo**, **sapevano**, **scoprivi**) e dell'imperfetto congiuntivo (come **mandasse**, **leggessi**, **sapessero**, **scoprissi**).
   2. Al termine, confronta con un compagno.

B) Accertatevi che vi sia chiaro perché l'autore usa l'imperfetto al modo congiuntivo anziché al modo indicativo. In caso di incertezze rivolgetevi ad altre coppie o all'insegnante.

"Sorelle"

LETTURA ANALITICA MORFOSINTATTICA *

A) 1. Considera nel testo i diversi esempi di **che** e determinane la funzione.
   2. Al termine del lavoro, confronta con un compagno.

B) 1. Cerca ora nel testo gli esempi del verbo **essere** nelle sue varie forme. Considera in quali contesti sintattici compare (con un sintagma nominale come **Gianni** o **un tavolo**, con un sintagma aggettivale come **rosso** o **meno simpatico** , con una forma verbale come **andato** o **visti**, etc.) e raggruppa in liste gli esempi che ritieni simili.
   2. Al termine del lavoro, confronta i tuoi risultati con un compagno diverso dal precedente.

"La logica dei deliri"

LETTURA ANALITICA SEMANTICA *

1. Cerca e sottolinea nel testo le espressioni di sentimenti e stati d'animo.
2. Confronta quindi con un compagno i tuoi risultati.

"Speranza"

LETTURA ANALITICA MORFOSINTATTICA **

A) 1. Identifica nel testo le forme verbali espresse al presente indicativo e congiuntivo (p.es.: INDICATIVO PRESENTE: **prendo, esce**; CONGIUNTIVO PRESENTE: **leggiate, (tu) dorma**). Elencale su due liste, riportando per ognuna la corrispondente forma dell'infinito (p.es.: **prendere, uscire; leggere, dormire**).
   2. Confronta i tuoi risultati con quelli di un compagno.

B) Chiarisci con il tuo compagno la funzione delle forme del congiuntivo presente che compaiono nel testo.
   Se aveste dubbi, consultate altre coppie o l'insegnante.

LE PAROLE SONO PIETRE
di Carlo Levi (1955)

"Il pittore di realtà"

LETTURA ANALITICA MORFOSINTATTICA **
A) 1. Individua nel primo capoverso del brano (fino a: "– Il pane è duro, ma è dolce.") le forme di imperfetto (come **voleva, sapevamo**) e passato remoto (come **dissi, andò**). Nota che in due casi la forma dell'imperfetto viene usata in combinazione con un'altra forma verbale per ottenere un preciso effetto temporale: perciò qui il verbo all'imperfetto non va considerato isolatamente, come un "vero" imperfetto. Assicurati di capire quale effetto si determina con tale costruzione.
   2. Cerca le regolarità nella formazione del passato remoto, partendo dall'infinito presente (come **volere, sapere, dire, andare**).
   3. Confronta i tuoi risultati con quelli di un compagno.

B) 1. Cercate quindi insieme di definire, caso per caso, le ragioni della scelta d'uso tra passato remoto ed imperfetto.
   2. Confronta i risultati di questa consultazione con quelli di due compagni provenienti da due coppie diverse.
   In caso di disaccordo e per eventuali chiarimenti consultate l'insegnante.

RAGAZZI DI VITA
di Pier Paolo Pasolini (1955)

"Pomeriggi a Monteverde"

LETTURA ANALITICA SINTATTICA **
A) Sottolinea i nomi che nel brano compaiono senza articolo (cioè senza parole come **il, i, l', una, un,** etc.).

B) 1. Raggruppa in diverse liste i casi che ti sembrano avere qualcosa in comune tra loro.
   2. Confronta con un compagno i risultati.

C) 1. Tra gli esempi di nome senza articolo dei punti A) e B) ci sono:
   a) alcuni casi in cui l'uso dell'articolo determinativo (cioè di parole come il, i, la, etc.) sarebbe impossibile;
   b) altri casi in cui l'articolo determinativo generalmente non viene usato;
   c) altri casi ancora in cui l'articolo determinativo sarebbe possibile solo in un certo contesto.
   Prova ora, insieme al tuo compagno, a individuare quali sono questi tre gruppi di esempi.
2. Al termine del lavoro, consultate altre coppie (ed eventualmente l'insegnante) per assicurarvi della correttezza dei vostri risultati.

"Notte brava"

LETTURA ANALITICA SEMANTICA E PRAGMATICA *
A) 1. Individua nel testo le espressioni che fanno riferimento al momento o al luogo del racconto. Esempi: **questo, ora, qui, lì, prima, in su**, etc.
   2. Confronta i risultati con un compagno.

B) 1. Usando certe espressioni per riferirsi al momento o al luogo del racconto l'autore, a volte, adotta il punto di vista dei suoi personaggi. Identifica tali espressioni nel testo.
   2. Confronta i tuoi risultati con quelli di un altro compagno.

QUER PASTICCIACCIO BRUTTO DE VIA MERULANA
di Carlo Emilio Gadda (1957)

"Fascino di maresciallo"

LETTURA ANALITICA
MORFOSINTATTICA E SEMANTICA **
1. L'imperfetto indicativo (il tempo delle forme **andavi, prendeva, dicevo**, etc.) viene a volte usato per esprimere un'azione abituale. L'azione abituale può essere una ripetizione legata a certe condizioni ambientali definite oppure rappresentare un'attitudine, cioè un attributo costante, pur senza che l'azione venga necessariamente ripetuta di continuo. Ad esempio:

– Ogni volta che si guardava allo specchio, faceva una smorfia. (RIPETIZIONE)

– Era brutto e grasso, ma cantava divinamente. (ATTITUDINE, ATTRIBUTO COSTANTE)

Individua nel testo le forme dell'imperfetto indicativo e riportale su due liste, suddividendole a seconda se rappresentano un'azione ripetuta oppure un'attitudine.

Esempi dal testo:

RIPETIZIONE	ATTITUDINE
metteva	era
sognavano	sapeva
………..	………..

2. Confronta i tuoi risultati con quelli di altri due compagni.

GLI AMORI DIFFICILI
di Italo Calvino (1958)

L'avventura di due sposi

LETTURA ANALITICA
SEMANTICA E MORFOSINTATTICA **
1. Cerca nei primi 6 capoversi del racconto (fino a "[...] e s'addormentava.") i verbi indicanti movimento e riportali, nella forma dell'infinito, su due liste separate: una per i verbi indicanti il movimento di tutta la persona o tutto un oggetto (tipo **andare, allontanarsi**), l'altra per i verbi indicanti movimento su una persona o un oggetto (tipo **prendere, allontanare**).
2. Unisciti quindi ad altri due compagni e confrontate i vostri risultati.

IL GIORNO DELLA CIVETTA
di Leonardo Sciascia (1961)

"La mafia non esiste"

LETTURA ANALITICA PRAGMATICA *
A) 1. Considera il testo fino a: "[...] ... E questo senso della giustizia li rende oggetto di rispetto...".

Per meglio convincere il suo interlocutore l'anonimo difensore di don Mariano Arena usa, per lo più, per inciso, delle espressioni in cui
a) dà dei giudizi di valore

o

b) si rivolge direttamente all'interlocutore.
Individua e sottolinea tali espressioni. Esempio:
a) GIUDIZI DI VALORE: un galantuomo - poveretto - ....
b) ESPRESSIONI RIVOLTE ALL'INTERLOCUTORE: permettetemi di dirlo - lasciatemelo dire - ....
2. Unisciti ad un compagno e confrontate i vostri risultati.

B) 1. Provate quindi a leggere ad alta voce nel contesto le espressioni che avete individuato. Che intonazione dareste a tali espressioni? Confrontate con altre coppie, rivolgendovi all'insegnante per eventuali consulenze.

IL GIARDINO DEI FINZI-CONTINI
di Giorgio Bassani (1962)

"La sinagoga"

LETTURA ANALITICA LESSICALE-SEMANTICA ***
1. Cerca nel testo le espressioni di significato equivalente alle seguenti:

- scontata	- comportava
- poiché	- stimabile
- quasi	- primitivi
- informazioni	- stesso
- sfiorando, rasentando	- ricche, abbienti
- affollata	- insignificanti
- formalità	- ricordo
- così	- nettamente separata
- istruirli	- creature
- sostanzialmente	- un pochino.
- visibili	

2. Confronta i tuoi risultati con quelli di altri due compagni.

"Il tennis"

LETTURA ANALITICA MORFOSINTATTICA ***
A) Cerca nel brano e sottolinea le forme del congiuntivo imperfetto (es.: **sperasse, piovesse, morisse**, etc.).

B) 1. Accertati di aver chiaro quali elementi del contesto "chiamano" la presenza del congiuntivo.
   2. Confronta quindi i tuoi risultati con quelli di un compagno.

C) 1. Nell'italiano standard contemporaneo si afferma sempre più la tendenza, caratteristica dello stile familiare, ad evitare l'uso del congiuntivo in certi contesti. Quali contesti del brano ti sembrano candidati all'abolizione del congiuntivo?
   2. Al termine dell'analisi confronta con un altro compagno.
      In caso di dubbi rivolgetevi ad altre coppie o all'insegnante.

"Dopocena di Pasqua dai Finzi-Contini"

LETTURA ANALITICA
MORFOSINTATTICA E SEMANTICA ***
A) 1. Considera gli ultimi due terzi del testo (da: "Domandai che cosa gli avessero chiesto. [...]"). Cerca in questa parte le forme del condizionale composto (come **sarei andato, avrebbe detto, sareste stati**, etc.) e determinane la funzione.
   2. Confronta i tuoi risultati con quelli di un compagno.

B) 1. Stabilisci in quali casi il condizionale composto sarebbe potuto comparire al posto di un'altra forma verbale che si trova nel testo.
   2. Confronta con un altro compagno.

C) 1. In quali altri casi nel testo si potrebbe sostituire il condizionale composto con la forma verbale del punto B)1.? Con quali conseguenze semantiche?
   2. Scegli un altro partner per un confronto dei risultati.
      In caso di dubbi o divergenze consultate altre coppie o l'insegnante.

LA CASELLANTE
di Dario Fo e Franca Rame (1962)
LETTURA ANALITICA SEMANTICA-STILISTICA ✳✳✳
1. Considera la prima parte dell'intervista alla casellante (fino a: "[...] Si sente un belato."). Nel ruolo di Franca compaiono alcune strutture, forme grammaticali ed espressioni estranee al linguaggio scritto: si tratta di stile familiare, regionale o di deformazioni dell'italiano standard, mal interpretato. Con l'aiuto di un dizionario cerca di stabilire a quale categoria appartengono le deviazioni lessicali dall'italiano scritto o standard.
2. Confronta, al termine, i tuoi risultati con quelli di altri due o tre compagni. Consultate l'insegnante in caso di dubbi o divergenze.

LA SCOPERTA DELL'ALFABETO
di Luigi Malerba (1963)

La scoperta dell'alfabeto

LETTURA ANALITICA SEMANTICA ✳
A) Identifica nel racconto le espressioni che danno informazioni di carattere temporale.

B) Nel racconto si trovano anche delle espressioni che sono ambigue tra il carattere temporale ed il carattere locativo. Dove si trovano?

C) Nel brano compare un'espressione che puó avere carattere temporale, ma non lo ha nei contesti dati. L'hai già identificata?

D) Confronta i risultati delle attività A)-C) con altri due compagni. In caso di divergenze consultate altri compagni, un dizionario o l'insegnante.

Il museo

LETTURA ANALITICA SINTATTICA E SEMANTICA ✳

A) Cerca nel testo i sintagmi preposizionali, cioè i gruppi di parole formati da una preposizione (come **di**, **a**, **fra**, **con**, etc.) ed un nome, che esprimano un concetto di luogo ("dove", "da dove", "per dove", etc.).

B) Cerca nel testo i 2 casi in cui si indica un luogo non concreto, ma figurato.

C) In 6 casi l'autore adotta il procedimento stilistico di lasciare la frase senza il verbo principale: se non li avevi già individuati, cercali ora. Quale effetto stilistico ti sembra che si ottenga con l'ellissi del verbo?

D) Confronta con un compagno i risultati delle attività dei punti A), B) e C).

IL MALE OSCURO
di Giuseppe Berto (1964)

"Il divano"

LETTURA ANALITICA MORFOSINTATTICA **

1. Cerca nel brano ed elenca i pronomi personali, riflessivi, diretti ed indiretti, inclusi i pronomi avverbiali **ci** e **vi**.
2. Al termine del lavoro, confronta possibilmente con due compagni.

"Pubblico"

LETTURA ANALITICA SINTATTICA **

A) 1. Cerca nel brano le frasi relative ed elenca il sostantivo a cui si riferiscono con l'espressione che introduce la frase relativa ed il verbo corrispondente. Esempio:
- al medico **il quale** [...] arriva [ad indovinare]
- le spontanee associazioni **che** [il paziente] fa.
2. In altri contesti compare un **che** con una diversa funzione: elenca le espressioni da cui questo diverso **che** dipende con le frasi rette dal **che**. Esempio:
- sono capace di sognare [...] **che** mi alzo
- dato **che** io stento a spiccicare le parole.
3. Confronta i risultati possibilmente con altri due compagni.

B) 1. Alcune frasi con il **che** del punto A)2. si possono riformulare, ottenendo un significato equivalente, con l'uso di una certa costruzione. Stabilisci ora insieme ad i tuoi compagni di gruppo:
a) qual'è questa costruzione

b) in quali casi è possibile nel testo
c) perché tale alternativa è possibile.
2. Confrontate al termine i vostri risultati con quelli di un altro gruppo. Rivolgetevi ad altri gruppi o all'insegnante, in caso di dubbio.

LA MACCHINA MONDIALE
di Paolo Volponi (1965)

"Concetti"

LETTURA ANALITICA
MORFOSINTATTICA E SEMANTICA **
A) Considera la parte centrale del brano (da: "Debbo dire che io non credo [...]" a "[...] capace di partorire tremila figli al giorno."). Qui ricorrono nomi preceduti da articoli determinativi (parole come **il, la, gli, i,** etc.). Individua e sottolinea i gruppi 'articolo determinativo + nome'.

B) 1. L'articolo determinativo, a volte, ha la funzione di indicare non un'entità specifica (come i dimostrativi **questo** o **quello**), ma un concetto in generale oppure tutti gli elementi di una classe. Per esempio:
ENTITÀ SPECIFICA:
- **Il** libro che sta sul tavolo è mio.
- **Le** stanze del primo piano sono chiuse.
CLASSE:
- **Il** gatto è l'animale che preferisco.
- Purtroppo sono allergica **ai** gatti.
CONCETTO GENERALE:
- **Il** libro è un compagno ideale.
- Non mi piacciono **le** lacrime di coccodrillo.
A seconda della loro funzione nel testo suddividi ora in tre colonne gli esempi di 'articolo + nome' che hai sottolineato, considerando se rappresentano:
a) un'entità specifica
   oppure
b) una classe
   oppure
c) un concetto generale.
2. Confronta i tuoi risultati con quelli di altri due compagni.

"Ambiguità, meschinità"

LETTURA ANALITICA SEMANTICA *
1. Individua e sottolinea nel brano i nomi che indicano una qualità, positiva o negativa che sia.
2. Confronta quindi i tuoi risultati con quelli di un compagno.

"Roma è così"

LETTURA ANALITICA MORFOSINTATTICA *
A) 1. In questo brano l'autore adotta spesso per i verbi al tempo presente il modo congiuntivo. (Esempi di congiuntivo presente: **leggiate, (io) mangi, (tu) debba**, etc.)
Individua e sottolinea questo tipo di forme nel testo.
2. Confronta il tuoi risultati con un compagno.

B) Considera i casi in cui l'autore <u>non</u> usa il congiuntivo per riportare il racconto dei contadini. Quali pensi che siano i motivi della diversa scelta della forma verbale?
Riflettici un po' su e, quando avrai la tua ipotesi, illustrala ad un compagno, ascoltando anche la sua opinione in proposito.
Per chiarimenti e dubbi rivolgetevi ad altre coppie o all'insegnante.

TEOREMA
di Pier Paolo Pasolini (1968)

Altri dati

LETTURA ANALITICA MORFOSINTATTICA *
1. Individua e sottolinea gli aggettivi (parole come **buono, rosso**, etc.) che si trovano nella prima parte del testo, cioè fino a: "[...] si fa rapidamente, e come astrattamente, un segno di croce.".
2. Confronta quindi i tuoi risultati con quelli di un compagno.

L'AVVENTURA DI UN POVERO CRISTIANO
di Ignazio Silone (1968)

Quel che rimane

LETTURA ANALITICA LESSICALE-SEMANTICA **
1. Rileggendo il brano, identifica ed elenca su due liste i nomi che indicano un'attività e quelli che indicano un concetto astratto (una caratteristica morale, un sentimento o uno stato d'animo).
Esempio:

NOMI DI ATTIVITA'	NOMI ASTRATTI
richiesta	fastidio
chiarimento	indifferenza
scelte	fede
....	....

2. Confronta i risultati con due compagni.

IL LUNARIO DELL'ORFANO SANNITA
di Giorgio Manganelli (1973)

Neointenditori

LETTURA ANALITICA SINTATTICA *
A) Identifica nel testo le frasi contenenti una negazione.

B) 1. Avrai forse già notato che talvolta frasi contenenti una negazione creano enunciati affermativi: in base a questo criterio, suddividi le frasi negative del testo in due gruppi e cerca il perché di quest'esito interpretativo.
   2. Confronta e discuti i tuoi risultati con altri due compagni. Al termine del lavoro, confrontate ancora con almeno un altro gruppo di tre persone, chiedendo, in caso di dubbi, il parere dell'insegnante.

Il Padrino

LETTURA ANALITICA SINTATTICA E SEMANTICA *
1. Cerca e sottolinea nel testo le parole o i gruppi di parole introdotti da **di** e **da**. Lavora per 10 minuti.

2. Riguarda ora i gruppi di parole sottolineati. Come renderesti **di** e **da** nella tua lingua? Inizia a compilare una lista delle espressioni che traducono nella tua lingua quelle sottolineate nel brano. Lavora in questo modo per altri 15 minuti: non ha importanza fino a che punto del testo arriverai.
3. Confronta i risultati del lavoro svolto finora con quelli di un compagno. Se sei in una classe plurilingue, ovviamente dovrai cercarti un partner che abbia la tua stessa madrelingua o ne abbia una buona competenza.
4. Consultatevi possibilmente con altre coppie o rivolgetevi all'insegnante, se avete qualche dubbio.

LA STORIA
di Elsa Morante (1974)

"Mussolini e Hitler"

LETTURA ANALITICA MORFOSINTATTICA *
1. Identifica nel brano ed elenca su due liste le forme di participio presente e passato.
   Esempio:

   PARTICIPIO PRESENTE   PARTICIPIO PASSATO
   ricadente   ingrandite
   seguenti   incorniciate
   ....
2. Confronta i tuoi risultati con quelli di uno o due compagni.

IL SISTEMA PERIODICO
di Primo Levi (1975)

Ferro

LETTURA ANALITICA SEMANTICA-PRAGMATICA *
1. Individua e sottolinea nel brano i passi in cui si parla esplicitamente del carattere di Sandro.
2. Confronta con due compagni.

CENTURIA
di Giorgio Manganelli (1979)

Ottantacinque

LETTURA ANALITICA SEMANTICA **

1. Individua e sottolinea nel testo i passi che esprimono una contrapposizione. (Esempio: "non dal dubbio [...], ma dalla assoluta certezza".)
2. Confronta quindi con un compagno.

LA SICILIA COME METAFORA
di Leonardo Sciascia (1979)

"Anima romana, anima araba"

LETTURA ANALITICA LESSICALE-SEMANTICA **
1. Quando si parla di una realtà complessa o anche solo quando si esprimono opinioni, spesso si vuole rinunciare a formulazioni di carattere assoluto. Per graduare il peso di un'enunciazione esistono strategie linguistiche che hanno la funzione di rafforzare o indebolire il significato di parole o intere frasi.
Cerca nel brano parole, espressioni, dispositivi morfologici e sintattici che abbiano tale funzione di rafforzamento o di indebolimento, compilando due liste di questo tipo:
ESPRESSIONI CHE RAFFORZANO
effettivamente
- issimo
....
ESPRESSIONI CHE INDEBOLISCONO
una specie di
si ha la sensazione che
....
2. Confronta i tuoi risultati con quelli di un compagno.

DICERIA DELL'UNTORE
di Gesualdo Bufalino (1981)

"La storia dei tre ladroni"

LETTURA ANALITICA LESSICALE-SINTATTICA **

A) 1. Una "frase secondaria" (definita anche "subordinata" o "dipendente") è una frase che non può comparire da sola in un periodo: p. es. "Quando arriva Gianni." non è una frase corretta, a meno che il contesto non ne sottintenda l'integrazione.
Identifica nel brano ed elenca le espressioni che introducono frasi secondarie in cui il verbo è di modo finito (verbi di modo finito sono p.es. **ama, è amato, amassi, avrebbe amato**, etc.; <u>non</u> sono di modo finito le forme verbali **amare, amante, amato, amando**). Nell'esempio precedente l'espressione è **quando**.

2. Al termine del lavoro, consultati con almeno un compagno per accertarti della correttezza dei tuoi risultati.

B) 1. Cerca e sottolinea nel testo le frasi secondarie che contengono un verbo all'infinito (cioè forme come: **arrivare, partire, prendere**). Osserva se sono introdotte o no da una preposizione. Accertati se la presenza e la scelta della preposizione dipende o no da elementi presenti nella frase principale che la "regge".

2. Confronta i tuoi risultati con quelli di altri due compagni.

NARRATE, UOMINI, LA VOSTRA STORIA
di Alberto Savinio (1984)

Nostradamo: "La Felicità"

LETTURA ANALITICA
MORFOSINTATTICA-SEMANTICA *

1. Cerca e sottolinea nel testo le parole (nomi, pronomi, verbi, possessivi) che si riferiscono direttamente a Nostradamo.
Esempi:
- dove **passava Nostradamo**
- ai **suoi** piedi, **gli** baciava le mani, **lo** chiamava "**salvatore**".

2. Al termine del lavoro, confronta con almeno due compagni.

Nostradamo: *"Morbus propheticus"*

LETTURA ANALITICA SINTATTICA **

A) 1. Il pronome **si**, oltre ad avere la funzione di soggetto indeterminato (come in: "**Si** lavora molto in questa ditta."), può assumere anche altre funzioni sintattiche:

    a) **Riflessivo** (alterna con l'oggetto, equivale a "**se stesso/se stes-
sa/se stesse/se stessi**"): esempio:
- Certa gente **si** considera indispensabile, ma non lo è affatto.
[= "Certa gente considera **se stessa** indispensabile, ma non lo
è affatto."]

    b) **Affisso di verbi ergativi** (alterna con un altro possibile sog-
getto): esempi:
- Il registratore **si** è rotto.
[Con un altro soggetto: "Mio figlio ha rotto il registratore."]
- Questa camicia **si** è scolorita.
[Con un altro soggetto: "Il lavaggio ha scolorito la camicia."]

    c) **Riflessivo inerente** (non alterna né con un altro soggetto né
con l'oggetto riflessivo): esempio:
- Michele **si** sbaglia.
[Le varianti non sono grammaticali, come indicato dal-
l'asterisco: con un altro soggetto: *"Michele sbaglia Franco.";
con oggetto: *"Michele sbaglia se stesso."]

    d) **Reciproco** (equivale a "l'un l'altro" o "l'uno all'altro"): esempi:
- Francesca e Anna **si** sono conosciute l'anno scorso in mon-
tagna.
- Anna e Marco **si** sono dati gli auguri.

    e) **Oggetto indiretto** con valore **benefattivo / malefattivo** (di
vantaggio o di svantaggio): esempio:
- **Si** è comprato una cravatta orribile.
[= "Ha comprato **per sé** una cravatta orribile."]

    f) **Oggetto indiretto riflessivo** con valore di **possessivo**: esem-
pio:
- **Si** è fatto riparare la macchina.
[= "Ha fatto riparare **la sua** macchina."]

Rileggendo il brano, individua le forme del pronome **si** e determinane la funzione, seguendo il criterio degli esempi dati in a) - f).

2. Confronta, al termine del lavoro, con un compagno.

B) 1. Tra gli esempi di verbi che presentano la stessa funzione del **si** c'è
un gruppo di verbi che hanno qualcosa in comune anche sul pia-
no del significato. Prova a individuare questo gruppo di verbi.

2. Confronta quindi con un altro compagno, proveniente da un'altra coppia, tutto il lavoro svolto fino a questo punto.
   In caso di incertezze, consultate altre coppie o l'insegnante.

NARRATORI DELLE PIANURE
di Gianni Celati (1985)

L'isola in mezzo all'Atlantico

LETTURA ANALITICA MORFOSINTATTICA **
   Quest'attività riguarda il racconto nella sua interezza.
A) Identifica e sottolinea nel racconto le frasi relative. Esempi di frasi relative sono dati qui di seguito in carattere grassetto:
   i) Il ragazzo **che hai visto al cinema** è un mio vecchio amico.
   ii) Mia nonna, **che ha più di ottant'anni,** è ancora in gamba.

B) 1. Le frasi relative in italiano possono avere una duplice funzione:
   a) individuare un elemento (una persona o un oggetto, un momento o un periodo, un luogo, una maniera): nell'esempio i) **che hai visto al cinema** individua chi è **il ragazzo**. Queste relative si chiamano in grammatica "relative restrittive".
   b) aggiungere delle informazioni su un elemento già individuato nel testo: nell'esempio ii) **che ha più di ottant'anni** aggiunge delle informazioni su **mia nonna**. Queste relative si chiamano in grammatica "relative appositive".
   Suddividi dunque le frasi che hai identificato come relative secondo la loro funzione restrittiva o appositiva.
   2. Al termine del lavoro, confronta i tuoi risultati con quelli di due compagni. In caso di differenze o dubbi consultate l'insegnante.

Idee d'un narratore sul lieto fine

LETTURA ANALITICA MORFOSINTATTICA **
A) 1. In questo racconto l'autore adotta a volte i tempi verbali "passato prossimo" (forme come **sono andato, ha dormito**) e "imperfetto indicativo" (forme come **andavo, dormiva**) in contesti in cui nella narrativa generalmente si usa un altro tempo verba-

le. Individua i casi in cui ciò avviene ed il tempo verbale più consueto.
2. Una volta terminato il lavoro, confronta i tuoi risultati con quelli di due compagni. In caso di divergenze consultate altri gruppi o l'insegnante.

B) Quale effetto stilistico pensi che si ottenga con quest'uso del passato prossimo e dell'imperfetto? Discutine con i tuoi compagni di gruppo.

PICCOLI EQUIVOCI SENZA IMPORTANZA
di Antonio Tabucchi (1985)

Cinema

LETTURA ANALITICA MORFOSINTATTICA **
1. Considera il brano dal quinto capoverso (da: "Chi lo capisce è bravo") al terzultimo ("[...] e indicò che continuassero."). Identifica le frasi che compaiono con un verbo di modo infinito. Esempi:
- **stringendosi** nelle spalle
(gerundio)
- **aspettare** un quarto d'ora
(infinito)
- **scendere**
(infinito)
- a **sgranchirci** un po' le gambe
(infinito)
- **seguita** dalle altre
(participio)
- ....
- ....

2. Al termine del lavoro confronta i tuoi dati con quelli di un compagno.

IL FIGLIO IN PROVETTA
di Dario Fo e Franca Rame (1988)

LETTURA ANALITICA PRAGMATICA *

1. Considera il testo fino a circa metà ("[...] tutto mi va bene, ma nero... non ce la faccio."). Cerca in questa parte le espressioni usate per acconsentire e per contrastare un'opinione, riportandole su due liste.

Esempio:

ACCONSENTIRE	CONTRASTARE UN'OPINIONE
Sí, d'accordo	Ma capisci
Sí	No, per favore, non tirare fuori ancora che [...]
....	....

2. Alla fine del lavoro confronta i tuoi risultati con quelli di altri due compagni.

BAOL
di Stefano Benni (1990)

"La guerra Shama"

LETTURA ANALITICA MORFOSINTATTICA *

A) 1. Considera il testo fino a "[...] Gli Shama *non esistono più*.". Identifica i verbi che compaiono nella forma del participio passato (esempi: **amato, vissuto, sentito**), notando quali di essi fanno parte di una forma verbale composta (con "essere" o "avere").

   2. Al termine confronta i tuoi risultati con quelli di un compagno.

B) 1. Nella parte del brano considerata si "nascondono" alcune parole che hanno la forma di un participio passato, ma funzione di aggettivo (un verbo è in: "Giovanna è **andata** a casa.", un aggettivo in: "Quella voce gli era **sconosciuta**."). Hai già individuato di quali parole si tratta? Se no, cercale adesso!

   2. Confronta ora con un altro compagno.

GLI SFIORATI
di Sandro Veronesi (1990)

Corso Vittorio

LETTURA ANALITICA SEMANTICA *
1. Individua le espressioni usate dall'autore per connotare la mutevolezza di Corso Vittorio e i diversi aspetti che la strada assume. Esempio:
MUTEVOLEZZA
e muta continuamente d'aspetto
....
ASPETTI
il palcoscenico attrezzato per la scena di una rapina al Banco di Roma
....
2. Confronta i risultati con due compagni.

Sottofondi

LETTURA ANALITICA LESSICALE-SEMANTICA **
1. Individua nel testo le espressioni di significato equivalente alle seguenti, che sono elencate in ordine alfabetico:
- basilare
- controversia
- discreto
- giovanili
- mangiata
- mannequin
- mobilia
- moderazione, misura, temperanza
- parlottío
- pasticci
- pitture
- preferendo
- puro
- ricordava
- risaltando
- rivelava
- segno, indizio
- sgradevolmente contrastante

- sottili
- trascurabile
- venivano prima di.
2. Confronta i tuoi dati con quelli di un compagno.

ESERCIZI

CRISTO SI E' FERMATO A EBOLI
di Carlo Levi (1945)

"Doppie nature"

ESERCIZIO LESSICALE-SEMANTICO *
Completa il brano sottostante:

Che ci fossero, da queste parti, ... draghi, nei secoli medioevali (i contadini e la Giulia, che me ne parlavano, dicevano: – In tempi lontani, ... di .... anni fa, ... prima del tempo dei briganti –) non fa meraviglia: né farebbe meraviglia se ricomparissero ancora, anche oggi, davanti all'occhio atterrito del contadino. .... è realmente possibile, quaggiú, dove gli antichi iddii dei pastori, il caprone e l'agnello rituale, ripercorrono, ... giorno, le note strade, e non vi è .... limite sicuro a quello che è umano verso il mondo misterioso degli animali e dei mostri. Ci sono a Gagliano .... esseri strani, che partecipano di una .... natura. Una donna, una contadina di .... età, maritata e con figli, e che non mostrava, a vederla, ... di particolare, era figlia di una vacca. Cosí diceva .... il paese, e lei stessa lo confermava. .... i vecchi ricordavano la sua madre vacca, che la seguiva .... quando era bambina, e la chiamava muggendo, e la leccava con la sua lingua ruvida. Questo non impediva che fosse esistita anche una madre donna, che ora era morta, come da .... anni era morta anche la madre vacca. .... trovava, in questa .... natura e in questa .... nascita, ... contraddizione: e la contadina, che anch'io conoscevo, viveva, placida e tranquilla come le sue madri, con la sua eredità animalesca.

.... assumono questa mescolanza di umano e di bestiale .... in particolari occasioni. I sonnambuli diventano lupi, licantropi, dove non si distingue piú l'uomo dalla belva. Ce n'era .... anche a Gagliano, e uscivano nelle notti d'inverno, per trovarsi con i loro fratelli, i lupi veri. – Escono la notte, – mi raccontava la Giulia, – e sono ancora uomini, ma poi diventano lupi e si radunano .... insieme, con i veri lupi, attorno alla fontana. Bisogna star molto attenti quando ritornano a casa. Quando battono all'uscio la prima volta, la loro moglie non deve aprire. Se aprisse vedrebbe il marito ancora .... lupo, e quello la divorerebbe, e fuggirebbe per sempre nel bosco. Quando battono per la seconda volta, ancora la donna non deve aprire: lo vedrebbe con il corpo fatto già di uomo, ma con la testa di lupo. Soltanto quando battono all'uscio per la terza volta, si aprirà: perché allora si sono .... trasformati, ed è scomparso il lupo e riapparso l'uomo di prima. Non bisogna mai aprire la porta prima che abbiano battuto .... volte. Bisogna aspettare che si siano mutati, che abbiano perso anche lo sguardo feroce del lupo, e anche la memoria di essere stati bestie. Poi, quelli non si ricordano piú di ....

La .... natura è talvolta spaventosa e orrenda, come per i licantropi; ma porta con sé, sempre, una attrattiva oscura, e genera il rispetto, come a qualcosa che partecipa della divinità.

IL VISCONTE DIMEZZATO
di Italo Calvino (1952)

"I Turchi"

ESERCIZIO MORFOSINTATTICO **

1. Prova a reinserire nel testo i pronomi mancanti (pronomi soggetto, oggetto diretto e indiretto, **ci**, **ne**). I puntini indicano <u>solo</u> la possibilità <u>teorica</u> della presenza di un pronome: dovrai pertanto decidere ogni volta se ed eventualmente anche in quale posizione rispetto al verbo si possa collocare il relativo pronome.

... vide, i turchi. ... arrivavano due proprio di lí. Coi cavalli intabarrati, il piccolo scudo tondo, di cuoio, la veste a righe nere e zafferano. E il turbante, la faccia color ocra e i baffi come uno che a Terralba era chiamato « Miché il turco ». Uno dei due turchi ... morì e l'altro ... uccise un altro. Ma ... stavano arrivando chissà quanti e ... era il combattimento all'arma bianca. Visti... due turchi era come ... aver... visti tutti. ... erano militari pure ..., e tutte quelle robe ... erano dotazione dell'esercito. Le facce ... erano cotte e cocciute come i contadini. Medardo, per quel che ... era ... veder..., ormai ... aveva vi-

sti; poteva ... tornar... da ... a Terralba in tempo per il passo delle quaglie. Invece ... aveva fatto la ferma per la guerra. Cosí ... correva, scansando... i colpi delle scimitarre, finché non ... trovò un turco basso, a
piedi, e ... ammazzò. Visto... come ... faceva, ... andò a ... cercar... uno
alto a cavallo, e ... fece male. Perché ... erano i piccoli, i dannosi. ... andavano fin sotto i cavalli, con quelle scimitarre, e ... squartavano.

2. Confronta i tuoi risultati possibilmente con quelli di altri due
   compagni.
3. Confrontate con il testo originale: in caso di divergenze o dubbi
   rivolgetevi all'insegnante.

"Riunificazione"

ESERCIZIO LESSICALE E MORFOSINTATTICO **
Prova a reinserire i seguenti verbi di movimento o di stato nella
forma corretta, scegliendoli dalla lista sottostante:

andare - appoggiarsi - arrampicarsi - arrancare - arrivare - arrivare -
arrivare - buttare - chiudersi - entrare - giungere - incontrarsi - lan-
ciarsi - levarsi - mettere - rotolare - saltare - sorreggersi - spingere -
trascinare - vagare.

Dai boschi .... ora una specie di grido gutturale, ora un sospiro. Erano i due pretendenti dimezzati, che in preda all'eccitazione
della vigilia .... per anfratti e dirupi del bosco, avvolti nei neri
mantelli, l'uno sul suo magro cavallo, l'altro sul suo mulo spelacchiato, e mugghiavano e sospiravano tutti presi nelle loro ansiose
fantasticherie. E il cavallo .... per balze e frane, il mulo .... per
pendii e versanti, senza che mai i due cavalieri ....
Finché, all'alba, il cavallo .... al galoppo non si azzoppò giú
per un burrone; e il Gramo non poté .... in tempo alle nozze. Il
mulo invece .... piano e sano, e il Buono .... puntuale in chiesa,
proprio mentre .... la sposa con lo strascico sorretto da me e da
Esaú che si faceva ....
A veder .... come sposo soltanto il Buono che .... alla sua
stampella, la folla rimase un po' delusa. Ma il matrimonio fu regolarmente celebrato, gli sposi dissero sí e si scambiarono l'anello, e il
prete disse: – Medardo di Terralba e Pamela Marcolfi, io vi congiungo in matrimonio.

In quella dal fondo della navata, ... alla gruccia, ... il visconte, con l'abito nuovo di velluto a sbuffi zuppo d'acqua e lacero. E disse: – Medardo di Terralba sono io e Pamela è mia moglie.

Il Buono .... di fronte a lui. – No, il Medardo che ha sposato Pamela sono io.

Il Gramo .... via la stampella e .... mano alla spada. Al Buono non restava che fare altrettanto.

– In guardia!

Il Gramo .... in un a-fondo, il Buono .... in difesa, ma .... già per terra tutti e due.

LE LIBERE DONNE DI MAGLIANO
di Mario Tobino (1953)

"Tono"

ESERCIZIO LESSICALE E MORFOSINTATTICO *
Sulla base dell'elenco sottostante (i verbi sono dati in ordine alfabetico) inserisci nel brano le forme verbali mancanti.

attendere - avere - cercare - condurre - confortare - descrivere - dire - essere - essere - essere - esserci - fare - interrogare - pronunciare - raccontare - raccontare - sapere - scoppiare - sperare - spingere - suscitare.

Ma dunque il fanciullo Tono, l'aiuto portiere, se n'è andato al manicomio di Pistoia: .... infantile – fantastico, ... la simpatia di tutti, e una segreta meraviglia; senza darla a vedere qualche infermiere .... la sua compagnia, moltissimi lo .... per ascoltare le sue risposte che .... in un mondo allegro che pur fatto di carta velina .... però colori che .... e si .... per qualche attimo che davvero .... vero. .... Tono di quando andò da Guglielmone, il Kaiser, avanti che .... la prima guerra mondiale; si presentò per sconsigliarlo di fare la guerra. Lo .... di grossa corporatura, ... della divisa militare di ottimo e pesante panno, ... un inciso per accennare al difetto del Kaiser: il braccio sinistro piú piccolo e breve del destro (e questo .... con un accento di dispiacere come solo la verità lo .... a chiarire anche quella manchevolezza; il cuore gliela avrebbe fatta tacere). Poi .... il colloquio: .... d'autunno, in un vastissimo parco; .... le esercitazioni militari; Tono viene immediatamente ricevuto, le esercitazioni si sospendono come .... l'esito di quella conversazione per o ricominciare con maggiore energia o abbandonarsi alla pacifica letizia. Tono gli spiega tutto, che avrebbe perso la guerra: «Glielo ripetetti, l'avvertii con ogni particolare di come tutto sarebbe accaduto. Lui mi ringraziò, mi strinse la mano; già lo sapevo testardo e testardo rimase».

"Sorelle"

ESERCIZIO MORFOSINTATTICO **
Inserisci nel brano i verbi che qui di seguito sono elencati all'infinito (l'ordine corrisponde a quello dell'originale):

diventare - sostituirsi - divenire - cominciare - risuonare - considerarsi - avere - convincerla - avere - dire - essere - essere - affacciarsi - essere - essere - dire - gustare - essere - giudicare - essere - essere - muovere - fare - nascere - volere - dire - avere - capire - sapere - mettere - essere - essere - uscire - esserci - rispondere - perseguitare - vivere - vedere - riconoscere - essere - conoscere - spiare - darsi - delirare - interpretare - dedicarsi - rimbombare - portare.

I delirî della sorella .... prestissimo la sua necessità, ... al mare, la sorella .... la sua ragione, l'amore.

Il delirio .... a .... da una testa all'altra, da una che .... malata all'altra che .... il dovere di .... del contrario. Mentre la minore .... il compito della veritiera, e .... alla maggiore: «Tutto .... falso, ... inutile .... alla finestra, la notte .... serena, nessun nemico .... in agguato»; mentre .... cosí ....: «E se tutto .... vero?» e .... che .... giusto .... vero, che dopo il tanto lunghissimo amore ...., ... dei nemici, il che .... degli amici, e, piú che amici, dei partigiani del loro passato, coloro che ...., ... il peso dei sogni che .... nella cucitura delle vele.

Per molti mesi il contrasto dei delirî .... un segreto delle due sorelle, ma .... destino che esse .... fuori dell'umano comune e .... un giorno che la minore .... alla maggiore con sentimento intenso: «Sí, ti ...., i nemici .... intorno alla casa, li ...., li ...., ... piú attenta di te, io i loro lineamenti li .... precisi non nebulosi».

Giorni e notti tutte e due a ...., come vedette, dalla finestra, a .... il cambio, ... e ...., ... con tutto il loro animo al nuovo amore, questa volta essenzialmente loro, di loro proprietà, a .... nelle loro teste lo stesso delirio.

Stamani, all'alba, le due sorelle .... al manicomio.

"Speranza"

ESERCIZIO LESSICALE E MORFOSINTATTICO **

Inserisci nel testo i verbi mancanti nella forma corretta scegliendoli dalla lista sottostante, dove sono elencati in ordine alfabetico:

aiutare - attendere - avere - avere - benedire - commuovere - dire - essere - essere - essere - essere - essere - fare - fare - fare - illuminare - lavorare - mancare - montare - pescare - potere - potere - potere - potere - prostrarsi - respirare - ridare - ridare - ridare - ripetere - ritornare - sorridere - sospettare - trovare - uscire.

Ogni mattina la Nofera mi .... con la stessa voce d'argento, lei anziana e ancora fanciulla, con un'innocenza che .... paura a definire perché .... che .... nel vuoto, ed anzi ne .... sicuro; ogni mattina la Nofera mi .... con la verginità della prima volta: «......... qualcosa per me, mi .... la vita, che .... a Firenze, come prima, come prima io .... felice, mi .... le luci della città, la letizia di ciò che .... bello, ... vivere, consumarmi contenta».

Ecco un delirio di speranza, il delirio dell'irraggiungibile, della felicità che non si ....

Tutto il giorno questa malata .... sul punto di iniziare le mosse per partire, si è cristallizzata in questo momento: di chi .... per partire per una lieta speranza. Né .... da questo stato. Ogni mattina mi .... apparire nell'immaginazione una trasparente navicella, leggera di colori, che .... il capitano .... a bordo; non .... che un personaggio perché tutto si .... compiere e in tale navicella nessuno mai monterà a bordo.

Domani mattina udirò ripetere: «Mi ...., signor dottore, mi .... la vita, che .... rivedere la città, che .... alla festa che fuggendo mi ...., che ...., tra gli altri .... in un sogno della mattina; mi .... uscire di qui che io .... partecipare alla vita, essere un grano che .... nel cielo».

Ogni mattina .... autentica, sincera, convincente. E come l'organizzato e cupo delirio di persecuzione .... le branche nell'umana logica, il suo delirio di speranza pendula le radici trasparenti di celeste nel cielo infantile, quel cielo che, a nostra insaputa, sempre ci ....

LE PAROLE SONO PIETRE
di Carlo Levi (1955)

"Il pittore di realtà"

ESERCIZIO MORFOSINTATTICO **
Inserisci nel brano i verbi che qui di seguito sono elencati all'infinito (l'ordine corrisponde a quello dell'originale):

giungere - intendere - giungere - indicare - conoscere - parere - essere - conoscere - venire - raccontare - presentarsi - fare (io) - dire - trastullare - cominciare - capire - rimanere - insistere - farsi - passare - stare - squadrare - sputare - cominciare - volere - decidere - sapere - avviarsi - passare - vedere - affettare - avvicinarsi - volgere - dire - passare - rendersi conto - mandare - sdegnarsene - rimproverare - chiedere - fare - turbarsi - muoversi - mostrare - dire.

Qualche settimana dopo il mio passaggio per Lercara, vi ...., con la sua cassetta di colori e il suo cavalletto, un giovane pittore di Cesena che .... soggiornare lí per qualche tempo per fare dal vero degli studi per un quadro di minatori. .... a Lercara per caso, senza essere in alcun modo informato della situazione, soltanto perché gli .... quelle zolfare tra le piú favorevoli al suo lavoro, e forse perché sono le prime che si incontrano venendo da Palermo. Non .... il Mezzogiorno e la Sicilia, tutto gli .... nuovo e interessante. .... un giovane alto e biondo (lo .... quando .... da me poco dopo e mi .... la sua vicenda), gentile e mite di carattere, ma insieme ostinato nei propositi e serenamente coraggioso. Egli dunque, appena giunto a Lercara e installatosi in una stanza, ... al signor Ferrara per chiedergli un permesso di scendere in miniera per disegnare e dipingere i minatori al lavoro. Il signor Ferrara, con quel metodo ambiguo di cui .... l'esperienza, non gli .... né di sí né di no: avrebbe chiesto l'opinione degli ingegneri e dei tecnici, e cosí via: lo .... insomma per giorni e giorni. Il pittore .... a rendersi conto della situazione di Lercara e .... di non esser gradito, ma ...., e .... nelle sue richieste. Attorno, l'atmosfera gli .... sempre piú ostile, fino a divenire provocatoria. .... per le strade, e i mafiosi che .... appoggiati ai muri come lucertole, con le mani alla cinghia dei pantaloni, lo .... dall'alto al basso con quei loro occhi fermi di serpente e gli .... sulle scarpe. .... a essere duro rimanere a Lercara, ma egli non .... darsi per vinto. Poiché c'è, fra le altre che sono tutte sue, una miniera che non appartiene a Ferrara, ..., quando lo ...., di andare a dipingere là, e vi .... con i suoi strumenti di lavoro. La strada .... per campagne solitarie e, a una svolta, egli .... un vecchio, seduto su una pietra al margine della via, che .... una grossa forma di pane con un suo lungo coltello tagliente e acuminato. Quand'egli gli ...., il vecchio, senza alzarsi né muoversi, ... verso di lui, con un gesto impercettibile, la punta del coltello, e, senza alzare la voce, ...: – Di qui non si passa –. E, in verità, di lí non si .... Il pittore .... di chi .... quel suo sottoposto per impedirgli la strada; e nel suo giovanile senso di giustizia ...., ... acerbamente il vecchio e gli .... se non si vergognasse del mestiere che .... Il vecchio non .... né .... per questo. Gli .... il pane e ....: – Il pane è duro, ma è dolce.

IL SEGRETO DI LUCA
di Ignazio Silone (1956)

"Riunione"

ESERCIZIO DI RICOSTRUZIONE TESTUALE ***

A) 1. Alle pagine 267-268 è riprodotto il punto del brano in cui alle proposte di don Franco si alternano le obiezioni della giunta. Le proposte sono a sinistra, le obiezioni a destra: ordinale in una successione logica, iniziando dalla prima in alto a sinistra.

2. Confronta i tuoi risultati con quelli di almeno due compagni, spiegando per ogni fase del dibattito il perché della successione da te prevista.

3. Confronta ancora con due compagni, possibilmente provenienti da due "terzetti" diversi.

B) Confrontate con l'originale. Se aveste una successione diversa, accertatevi, consultando altri gruppi o l'insegnante, che la vostra formulazione sia possibile.

(1) Don Franco intanto aveva aperto davanti a sé il suo fascicolo e sciorinava sul tavolo vari fogli.
«Il decoro di Cisterna, per non parlare del suo onore» egli disse «richiede anzitutto l'erezione di un monumento ai caduti, a spese dello Stato. Spero che sarete d'accordo nel presentare questa richiesta come la più urgente».

( ) «Un motivo di piu' perché Cisterna li preceda e li sorpassi» disse don Franco trionfante. «La loro invidia consacrerà la nostra superiorità».
«L'argomento è persuasivo» ammise il segretario ghignando.

( ) «L'idea del Sacrificio» ribatté don Franco tutto rosso in viso. «L'Idea, cioè, il Concetto. L'Idea li abbraccia tutti».

( ) «Avevo previsto anche questa difficoltà» disse il parroco dopo un breve impaccio. «Appunto per evitarla, ho ideato un monumento allegorico. Che ne direste di un gruppo marmoreo in cui la Gloria baci il Sacrificio?».

( ) «Ma è impossibile erigere un monumento ai caduti» insisté l'assessore «senza specificare a quali caduti».

( ) «Ci si propone» disse uno degli assessori giovani «un monumento ai caduti. Va bene, ma, a quali caduti? Ai caduti della libertà?».

( ) «Un terzo della popolazione» protestò l'assessore anziano «vive in grotte e baracche».

( ) Ma la maggiore obiezione a questo punto gli venne dal segretario.
«Tu esporresti un tale monumento in luogo pubblico?» egli domandò scandalizzato. «Addirittura davanti alla chiesa parrocchiale? Oh, don Franco, la tua mancanza d'immaginazione mi stupisce.

○ Il sindaco rimase a bocca aperta e guardò don Franco. «Non intendo prestarmi a polemiche» dichiarò seccamente il parroco.

○ Don Franco si aspettava l'obiezione e teneva pronta una risposta.
«I popoli civili» egli replicò con fermezza «si riconoscono dalla priorità che essi attribuiscono al culto dei morti. Non è una vergogna che Cisterna sia ancora priva di un monumento ai caduti? Ognuno di noi dovrebbe soffrirne».

○ «In nessuno dei comuni vicini» gli rispose l'assessore «ho visto un monumento come tu dici».

○ «Quale sacrificio?» domandarono quasi a una voce i tre assessori.

"Riunione"

PRODUZIONE LIBERA **
A) Descrivi il sindaco nelle sue caratteristiche fisiche, così come lo immagini dopo la lettura del brano.

B) Confronta la tua descrizione con quella di uno o due compagni.

C) Leggi a pag. 341 la descrizione del sindaco fornita dall'autore.

QUER PASTICCIACCIO BRUTTO DE VIA MERULANA
di Carlo Emilio Gadda (1957)

"Don Ciccio Ingravallo"

ESERCIZIO MORFOSINTATTICO E SEMANTICO ***

A) 1. Inserisci <u>dove ti sembra opportuno</u> gli aggettivi possessivi nel testo sottostante. A volte sarà necessario, inserendo il posses-

sivo, scegliere la variante appropriata dell'articolo o del dimo-
strativo: per esempio **lo/il suo, quell'/quella sua,** etc.
2. Confronta i tuoi risultati con quelli di un compagno.

B) Confrontate insieme con l'originale. In alcuni casi anche una soluzione diversa dall'originale può essere corretta. In caso di differenze, quindi, non "condannate" subito la vostra versione! Piuttosto consultate altre coppie o l'insegnante per accertare se la vostra versione, pur differendo dall'originale, sarebbe possibile e, se
sì, con quali variazioni di significato.

C) In alcuni casi il possessivo non è accompagnato dall'articolo: cerca di chiarirti perché, consultandoti con i tuoi compagni. Chiedete quindi conferma delle vostre ipotesi all'insegnante.

Tutti oramai lo chiamavano don Ciccio. Era il dottor Francesco
Ingravallo comandato alla mobile: uno dei più giovani e, non si sa
perché, invidiati funzionari della sezione investigativa: ubiquo ai casi, onnipresente su gli affari tenebrosi. Di statura media, piuttosto
rotondo della ...... persona, o forse un po' tozzo, di capelli neri e folti
e cresputi che gli venivan fuori dalla metà della ...... fronte a riparargli i ...... due bernoccoli metafisici dal ...... bel sole d'Italia, aveva
un'aria un po' assonnata, un'andatura greve e dinoccolata, un fare un
po' tonto come di persona che combatte con una laboriosa digestione: vestito come il magro onorario statale gli permetteva di vestirsi, e
con una o due macchioline d'olio sul ...... bavero, quasi impercettibili
però, quasi un ricordo della ...... collina molisana. Una certa praticaccia del mondo, del ...... mondo detto «latino», benché giovine (trentacinquenne), doveva di certo avercela: una certa conoscenza degli
uomini: e anche delle donne. La ...... padrona di casa lo venerava, a
non dire adorava: in ragione di e nonostante quell'arruffio strano
d'ogni trillo e d'ogni busta gialla imprevista, e di chiamate notturne e
d'ore senza pace, che formavano il tormentato contesto del ...... tempo. «Non ha orario, non ha orario! Ieri mi è tornato che faceva giorno!» Era, per lei, lo/il ...... «statale distintissimo» lungamente sognato, preceduto da cinque A sull'/sulla ...... inserzione del *Messaggero*,
evocato, pompato fuori dall'assortimento infinito degli statali con
quell'/quella ...... esca della «bella assolata affittasi» e non ostante la
...... perentoria intimazione in chiusura: «Escluse donne»: che nel
gergo delle inserzioni del *Messaggero* offre, com'è noto, una duplice
possibilità d'interpretazione. E poi era riuscito a far chiudere un oc-

269

chio alla questura su quella ridicola storia dell'ammenda... sì, della multa per la mancata richiesta della licenza di locazione... che se la dividevano a metà, la multa, tra governatorato e questura. «Una signora come me! Vedova del commendatore Antonini! Che si può dire che tutta Roma lo conosceva: e quanti lo conoscevano, lo portavano tutti in parma de ...... mano, non dico perché fosse ...... marito, bon'anima! E mo me prendono per un'affittacamere! Io affittacamere? Madonna santa, piuttosto me butto a fiume.»

Nella ...... saggezza e nella ...... povertà molisana, il dottor Ingravallo, che pareva vivere di silenzio e di sonno sotto la giungla nera di quella ...... parrucca, lucida come pece e ricciuta come d'agnello d'Astrakan, nella ...... saggezza interrompeva talora codesto ...... sonno e ...... silenzio per enunciare qualche teoretica idea (idea generale s'intende) sui casi degli uomini: e delle donne. A prima vista, cioè al primo udirle, sembravano banalità. Non erano banalità. Così quei ...... rapidi enunciati, che facevano sulla ...... bocca il crepitìo improvviso d'uno zolfanello illuminatore, rivivevano poi nei timpani della gente a distanza di ore, o di mesi, dalla ...... enunciazione: come dopo un misterioso tempo incubatorio. «Già!» riconosceva l'interessato: «il dottor Ingravallo me l'aveva pur detto.» Sosteneva, fra l'altro, che le inopinate catastrofi non sono mai la conseguenza o l'effetto che dir si voglia d'un unico motivo, d'una causa al singolare: ma sono come un vortice, un punto di depressione ciclonica nella coscienza del mondo, verso cui hanno cospirato tutta una molteplicità di causali convergenti. Diceva anche nodo o groviglio, o garbuglio, o gnommero, che alla romana vuol dire gomitolo. Ma il termine giuridico «le causali, la causale» gli sfuggiva preferentemente di ...... bocca: quasi contro ...... voglia. L'opinione che bisognasse «riformare in noi il senso della ...... categoria di causa» quale avevamo dai filosofi, da Aristotele o da Emmanuele Kant, e sostituire alla causa le cause era in lui una opinione centrale e persistente: una ...... fissazione, quasi: che gli evaporava dalle ...... labbra carnose, ma piuttosto bianche, dove un mozzicone di sigaretta spenta pareva, pencolando da un angolo, accompagnare la sonnolenza del/dello ...... sguardo e il quasi-ghigno, tra amaro e scettico, a cui per ...... «vecchia» abitudine soleva atteggiare la metà inferiore della ...... faccia, sotto quel sonno della ...... fronte e delle ...... palpebre e quel nero pìceo della ...... parrucca. Così, proprio così, avveniva dei ...... delitti.

L'ISOLA DI ARTURO
di Elsa Morante (1957)

Donne

ESERCIZIO "TOTALE" **
Qui di seguito sono elencate in ordine alfabetico le parole mancanti nel brano. Ricostruisci il testo originale:

andavano - avventura - come - con - concludere - corpo - così - crescere - d' - davvero - delle - di - diversi - donne - donne - dovevano - e - e - e - e - erano - erano - erano - gettando - grande - i - ignorante - il - importante - in - informi - interessava - io - l' - la - la - la - le - libri - m' - magnificenza - mai - Maternità - nei - nei - nessuna - nessuno - nulla - nulla - padre - parevano - per - per - piccoli - potesse - poteva - puerili - quali - quanto - quelle - rinchiuse - se - segretezza - segreti - sentimento - sfuggenti - soltanto - sospettavo - spavalderia - splendenti - stanzette - un' - un' - uomo - virili.

Del resto, facendo .... eccezione per la .... di mia madre, ..., nell'oscuro popolo .... donne, mi pareva ....; e non m' .... molto d'indagare .... loro misteri. Tutte .... grandi azioni che .... affascinavano sui libri .... compiute da uomini, ... da donne. L'........., la guerra e .... gloria erano privilegi .... Le donne, invece, ... l'amore; e .... libri si raccontava .... persone femminili regali .... stupende. Ma io .... che simili donne, ... anche quel meraviglioso .... dell'amore, fossero .... un'invenzione dei ...., non una realtà. .... eroe perfetto esisteva ...., io ne vedevo .... riprova in mio ....; ma di donne ...., sovrane dell'amore, ... quelle dei libri, ... non ne conoscevo .... L'amore, dunque, ... passione, questo famoso .... fuoco, era forse .... impossibilità fantastica.

Per ...., difatti, io fossi .... sul conto delle .... reali, mi bastava .... intravederle appena per .... che non avevano .... in comune con .... dei libri. Secondo .... mio giudizio, le .... reali non possedevano .... splendore e nessuna .... Erano degli esseri ...., non potevano mai .... quanto un uomo, ... passavano la vita .... dentro camere e ....: per questo erano .... pallide. Tutte infagottate .... loro grembiuli, gonne .... sottane, in cui .... tener sempre nascosto, ... legge, il loro

271

.... misterioso, esse mi .... figure goffe, quasi .... Erano sempre affaccendate, ..., si vergognavano di .... stesse, forse perché .... cosí brutte; e .... come animali intristiti, ... in tutto dall' ...., senza eleganza né .... Spesso si riunivano .... crocchio, e discorrevano .... dei gesti appassionati, ... delle occhiate intorno .... paura che qualcuno .... sorprendere la loro .... Dovevano avere molti .... comuni, chi sa ....? certo, tutte cose .... ! Nessuna certezza assoluta .... interessarle.

GLI AMORI DIFFICILI
di Italo Calvino (1958)

L'avventura di due sposi

ESERCIZIO SEMANTICO E MORFOSINTATTICO ***
A) 1. I verbi delle due liste seguenti riproducono, nella forma dell'infinito ed in ordine alfabetico, i verbi di "movimento globale" e di "movimento su un oggetto" dei primi sei capoversi del racconto (i verbi che compaiono più volte sono ripetuti).
   Per reinserirli secondo l'ordine originale nel testo dovrai:
   a) effettuare una scelta tra le due liste (verbo con oggetto o senza);
   b) scegliere nella lista un verbo adeguato al contesto;
   c) trovare per il verbo la forma corretta.
   2. Completato l'esercizio, confronta con un compagno (possibilmente diverso dai tuoi partner nella lettura analitica).

B) Al termine, confrontate i vostri risultati con il testo originale. Se riscontraste delle differenze, consultate altre coppie o l'insegnante per accertarvi se la vostra versione sarebbe possibile o no nel contesto.

MOVIMENTO DELLA PERSONA O DELL'OGGETTO:
alzarsi - alzarsi - andare - arrivare - coricarsi - correre - correre - correre - entrare - entrare - entrare - entrare - entrare - fermarsi - insinuarsi - riaffiorare - rincasare - salire - sovrapporsi - spostarsi -

stirarsi - tirarsi su - trotterellare - uscire - uscire - venire - venire -
venire.

MOVIMENTO SU UNA PERSONA O SU UN OGGETTO:
abbracciare - affondare - allungare - allungare - aprire - chiudere -
cingere - dare delle spinte - infilare - infilare - infilare - mettere -
passare - passare - portare - portare - posare - prendere - raggiungere - seguire - seguire - spalancare - sporgere - spremere - strofi-
nare - tirare - togliere - togliere.

L'operaio Arturo Massolari faceva il turno della notte, quello che
finisce alle sei. Per .... aveva un lungo tragitto, che compiva in bicicletta nella bella stagione, in tram nei mesi piovosi e invernali.
.... a casa tra le sei e tre quarti e le sette, cioè alle volte un po' prima alle volte un po' dopo che suonasse la sveglia della moglie, Elide.
Spesso i due rumori: il suono della sveglia e il passo di lui che
.... nella mente di Elide, ...la in fondo al sonno, il
sonno compatto della mattina presto che lei cercava di .... ancora per qualche secondo col viso affondato nel guanciale. Poi ....
dal letto di strappo e già .... le braccia alla cieca nella vestaglia,
coi capelli sugli occhi. Gli appariva cosí, in cucina, dove Arturo
.... i recipienti vuoti dalla borsa che si .... con sé sul lavoro: il
portavivande, il termos, e li .... sull'acquaio. Aveva già acceso il
fornello e .... su il caffè. Appena lui la guardava, a Elide veniva
da ....si una mano sui capelli, da .... a forza gli occhi, come se
ogni volta si vergognasse un po' di questa prima immagine che il
marito aveva di lei .... in casa, sempre cosí in disordine, con la
faccia mezz'addormentata. Quando due hanno dormito insieme è
un'altra cosa, ci si ritrova al mattino a .... entrambi dallo stesso
sonno, si è pari.
Alle volte invece era lui che .... in camera a destarla, con la
tazzina del caffè, un minuto prima che la sveglia suonasse; allora tutto era piú naturale, la smorfia per .... dal sonno .... una specie
di dolcezza pigra, le braccia che .... per ...., nude, finivano per
.... il collo di lui. S'.......... . Arturo aveva indosso il giaccone impermeabile; a sentirselo vicino lei capiva il tempo che faceva: se pioveva o faceva nebbia o c'era neve, a secondo di com'era umido e
freddo. Ma gli diceva lo stesso: – Che tempo fa? – e lui attaccava il
suo solito brontolamento mezzo ironico, ... in rassegna gli inconvenienti che gli erano occorsi, cominciando dalla fine: il percorso
in bici, il tempo trovato .... di fabbrica, diverso da quello di quan-

273

do c'.......... la sera prima, e le grane sul lavoro, le voci che .... nel reparto, e cosí via.

A quell'ora, la casa era sempre poco scaldata, ma Elide s'era tutta spogliata, un po' rabbrividendo, e si lavava, nello stanzino da bagno. Dietro .... lui, piú con calma, si spogliava e si lavava anche lui, lentamente, si .... di dosso la polvere e l'unto dell'officina. Cosí stando tutti e due intorno allo stesso lavabo, mezzo nudi, un po' intirizziti, ogni tanto ....si.......... , ...si di mano il sapone, il dentifricio, e continuando a dire le cose che avevano da dirsi, ... il momento della confidenza, e alle volte, magari aiutandosi a vicenda a ....si la schiena, ... una carezza, e si trovavano abbracciati.

Ma tutt'a un tratto Elide: – Dio! Che ora è già! – e .... a ....si il reggicalze, la gonna, tutto in fretta, in piedi, e con la spazzola già .... su e giú per i capelli, e .... il viso allo specchio del comò, con le mollette strette tra le labbra. Arturo le .... dietro, aveva acceso una sigaretta, e la guardava stando in piedi, fumando, e ogni volta pareva un po' impacciato, di dover stare lí senza poter fare nulla. Elide era pronta, ... il cappotto nel corridoio, si davano un bacio, ... la porta e già la si sentiva .... giú per le scale.

Arturo restava solo. .... il rumore dei tacchi di Elide giú per i gradini, e quando non la sentiva piú continuava a ....la col pensiero, quel .... veloce per il cortile, il portone, il marciapiede, fino alla fermata del tram. Il tram lo sentiva bene, invece: stridere, ..., e lo sbatter della pedana a ogni persona che .... «Ecco, l'..........», pensava, e vedeva sua moglie aggrappata in mezzo alla folla d'operai e operaie sull'«undici», che la .... in fabbrica come tutti i giorni. Spegneva la cicca, ... gli sportelli alla finestra, faceva buio, ... in letto.

Il letto era come l'aveva lasciato Elide ...., ma dalla parte sua, di Arturo, era quasi intatto, come fosse stato rifatto allora. Lui .... dalla propria parte, per bene, ma dopo .... una gamba in là, dov'era rimasto il calore di sua moglie, poi ci .... anche l'altra gamba, e cosí a poco a poco .... tutto dalla parte di Elide, in quella nicchia di tepore che conservava ancora la forma del corpo di lei, e .... il viso nel suo guanciale, nel suo profumo, e s'addormentava.

SABATO, DOMENICA E LUNEDÍ
di Eduardo De Filippo (1959)

"Antonio, il nonno"

ESERCIZIO MORFOSINTATTICO *
Inserisci nel brano i pronomi mancanti:

ANTONIO (*dopo un attimo di meditazione*) Ma ..... la mattina
sono sempre il primo ad alzar...... . Anzi stamattina ..... ho fatta un
poco tardi perché fa freschetto e ..... stava bene a letto. Ma di solito quando tutti quanti dormono è proprio il momento che .....
godo la casa. Vado scavando le cose che ..... fa piacere di rivedere,
di toccare... senza ragione e senza nessuno che ..... domanda:
«Cercate qualcosa? dite a .....». Poi ..... piace di vedere, in silenzio,
quando fa giorno e ..... alza il sole. ..... dici: «E perché?» (*Amelia
sta leggendo e non segue quello che dice suo padre*). Perché quando ero giovane ..... svegliavo sempre quando il sole era già uscito
o non era uscito proprio perché era una brutta giornata. (*Giran-
do..... verso il balcone*) Stamattina, per esempio, chi sa se esce o
no. Ieri sera ..... faceva male il callo, tanto che ..... dissi: «domani
piove». Ma adesso non ..... fa male piú. Forse perché tengo le
pantofole. Se non ..... fa male perché tengo le pantofole, è cattivo
tempo e piú tardi viene a piovere. Se le pantofole non ..... entrano
niente con l'atmosfera, piú tardi esce il sole. (..... *avvia verso la
poltrona su cui è seduto Peppino*) ..... la mattina qua ..... siedo per
vedere come ..... presenta la giornata. (*E scorge Peppino lí seduto*)
Guè Peppí...
PEPPINO Buongiorno papà. (..... *accinge a cedere il posto*).
ANTONIO No, no... stai tanto bello là. ..... pure ..... sei alzato piú
presto?
PEPPINO ..... ho tolto il posto di osservazione.
ANTONIO E che fa, per una volta. Dentro 'o salotto ..... sta Roberto con la moglie... se no .... andavo là; il balcone del salotto pure è bello. In cucina non ..... è nessuno? (*Amelia sempre in-
teressata alla lettura non ha sentito*). Zia Memè?
ZIA MEME' Che volete papà?
ANTONIO (*avviando..... per uscire*) Niente, niente, non voglio
niente. Arrangio con la finestra della cucina. (*Ed esce*).

IL GIARDINO DEI FINZI-CONTINI
di Giorgio Bassani (1962)

"Il professor Ermanno"

ESERCIZIO LESSICALE-SINTATTICO **
   Stabilisci se gli infiniti del seguente passo richiedono una preposizione e - eventualmente - inseriscila:

   Mi girai stupito. Era il professor Ermanno, appunto, che, tutto contento ... avermi fatto ... trasalire, sorrideva bonario. Mi prese con delicatezza per un braccio, quindi, molto lentamente, tenendoci sempre ben discosti dalla rete metallica di recinzione e ogni tanto fermandoci, cominciammo ... camminare attorno al campo di tennis. Compimmo un giro quasi completo, ... poi , alla fine, tornare sui nostri passi. Avanti e indietro. Nel buio che via via cresceva, ripetemmo la manovra varie volte. Frattanto parlavamo: o meglio parlava in prevalenza lui, il professore.
   Cominciò ... chiedermi come giudicassi il campo di tennis, se lo trovavo davvero così indecente. Micòl non aveva dubbi: ... darle retta, si sarebbe dovuto ... rifarlo da capo a fondo, con criteri moderni. Lui invece rimaneva incerto. Forse, al solito, il suo «caro terremoto» esagerava, forse non sarebbe stato indispensabile ... buttare all'aria tutto quanto come lei pretendeva.
   «In ogni caso», aggiunse, «tra qualche giorno comincerà... piovere, inutile ... illudersi. Meglio ... rimandare ogni eventuale iniziativa all'anno prossimo, non pare anche a te?»
   Ciò detto, passò ... domandarmi che cosa stessi facendo, che cosa avevo intenzione ... fare nell'immediato futuro. E come stavano i miei genitori.
   Mentre mi chiedeva del «papà», notai due cose. Prima di tutto, che stentava ... darmi del tu, tanto è vero che di lì a poco, fermandosi di botto, me lo dichiarò esplicitamente, ed io subito ... pregarlo con molto e sincero calore che mi facesse il piacere, non stesse ... darmi del lei, se no mi offendevo. In secondo luogo, che l'interesse e il rispetto che erano nella sua voce e nel suo viso mentre si informava della salute di mio padre (specie nei suoi occhi: le lenti degli occhiali, ingrandendoli, accentuavano la gravità e la mitezza della loro espressione), non apparivano affatto sforzati, per niente ipocriti. Mi raccomandò che gli portassi i suoi saluti. E il suo «plauso», anche: per i

molti alberi che erano stati piantati nel nostro cimitero da quando lui
aveva preso ... occuparsene. Anzi, servivano dei pini? Dei cedri del
Libano? Degli abeti? Dei salici piangenti? Glielo domandassi, al
papà. Se per caso servivano (al giorno d'oggi, coi mezzi di cui l'agricoltura moderna disponeva, ... trapiantare alberi di grosso fusto era
diventato uno scherzo), lui sarebbe stato felicissimo ... metterne a disposizione nel numero desiderato. Stupenda idea, dovevo ... ammetterlo! Folto di belle e grandi piante, anche il nostro cimitero, col
tempo, sarebbe stato in grado ... rivaleggiare con quello di San Niccolò del Lido, a Venezia.

LA SCOPERTA DELL'ALFABETO
di Luigi Malerba (1963)

Il museo

ESERCIZIO LESSICALE *
Ricolloca nel brano al posto dei puntini i sintagmi preposizionali
elencati qui sotto in diversa progressione:

da parte - nei muri - al riparo - al lavoro - sul fuoco - verso Casa
Gervella - in fondo alla valle - fra le macerie - nel fango - a casa - dal
camino - dentro la nebbia - dietro casa - sul greto del Grontone -
dalla fontana - a letto - al posto della casa - verso il Grontone - sotto
un albero - su questo pensiero - dal Calamello - fra le tante cose -
per la strada.

La pioggia non smetteva ancora, si sentiva .... il canale in piena che tirava giù i massi e il Grontone che brontolava .... Prima
di mettersi .... Pinai buttò due ciocchi di legna .... Restò a
guardare la fiamma per qualche momento. Alzandosi .... sentì
uno strano scricchiolìo .... come una pietra che si spezza. "L'acqua," pensò il vecchio "l'acqua che entra nei muri e li fa marcire. Devo fare il tetto nuovo e uno stanzone grande come una piazza d'armi
per il mio museo. Però bisogna riassestare anche i muri. Questi muri
ormai sono marci." Avrebbe rinforzato con una gettata di cemento
anche le fondamenta per via della frana che tirava la casa giù ....
Se fosse stato un po' più giovane avrebbe preso le cose dal principio.

Un bel muro in diagonale .... per deviare l'acqua che così, invece dei suoi, avrebbe portato via i campi della Casa dei Cani. Ma ognuno ha gli anni che ha. Ottantadue. .... Pinai si addormentò.

Il prete aveva preso la scorciatoia che passa .... di Maria Luigia. Il sentiero si era trasformato in un canale e le scarpe si erano riempite d'acqua, ma la testa e le spalle per fortuna erano .... A un tratto un rumore sinistro riempì la vallata come lo scoppio di una bomba, seguito da un rotolare rovinoso di sassi. Affare di pochi secondi, poi niente. Si sentiva soltanto lo scrosciare della pioggia e il brontolare dei canali in piena. Il prete capì subito che cosa era successo. Si precipitò giù .... correndo di nuovo ....

Trovò un mucchio di macerie .... Si inginocchiò .... a dire una preghiera poi si mise .... Per tutta la notte andò avanti da solo a sgombrare i sassi, le travi e poi le ferraglie, forche, vanghe, ruote, pezzi di aratro, finché trovò Pinai con il petto sfondato ma la faccia ancora intatta. Coprì il cadavere con una coperta fradicia trovata .... e andò a sedersi .... perché all'alba ancora pioveva. Una pioggia sottile e insistente ....

Quando venne chiaro trovò .... la sua campana e la mise .... Cominciò ad arrivare gente ...., arrivò Agnetti insieme a Federico e ognuno prese la roba sua in silenzio e se la portò ....

IL MALE OSCURO
di Giuseppe Berto (1964)

"L'analisi"

ESERCIZIO TESTUALE ***

Lo stile della narrazione in questo romanzo segue il modulo del "monologo interiore": un aspetto evidente ne è il periodare di ampio respiro e la scarsità dei segni d'interpunzione, per lo più limitati alle virgole.

Accertati che la tua comprensione del brano non venga compromessa da questo strumento stilistico provando a determinare una "tua" punteggiatura, rispondente all'interpretazione data.

Il confronto con i risultati di altri due compagni e la consulenza dell'insegnante ti aiuterà a chiarire eventuali dubbi sull'interpretazione e, in generale, sull'uso della punteggiatura in italiano.

TEOREMA
di Pier Paolo Pasolini (1968)

Altri dati

ESERCIZIO LESSICALE-MORFOLOGICO *
Inserisci nel testo sottostante gli aggettivi scegliendoli dalla seguente lista, dove sono elencati in ordine alfabetico:

adatto - alti - annoiata - barbarico - cianotico - consunti - cupa - emblematico - enigmatico - falsa - felici - fragile - fugace - illuminata - immobile - indicativo - informativo - intelligente - lungo - misteriosa - mortuari - nero - piccolo - povero - preliminare - preziosa - radente - raro - realistico - reazionario - sacro - segreto - sereno - timidi - torva - tutelare.

Come il lettore si è già certamente accorto, il nostro, più che un racconto, è quello che nelle scienze si chiama «referto»: esso è dunque molto ....; perciò, tecnicamente, il suo aspetto, più che quello del «messaggio», è quello del «codice». Inoltre esso non è ...., ma è al contrario, ... così che ogni notizia .... sull'identità dei personaggi, ha un valore puramente ....: serve alla concretezza, non alla sostanza delle cose.

Il lettore può immaginare Lucia, la madre di Pietro e Odetta, in un angolo .... e .... della casa – camera da letto, o *boudoir*, o salottino, o veranda – coi .... riflessi del verde del giardino ecc. Ma Lucia non è lì in quanto angelo .... della casa, no; è lì in quanto donna .... Ha trovato un libro, ha cominciato a leggerlo, e la lettura ora l'assorbe (è un libro, ... e ...., sulla vita degli animali). Così, essa aspetta l'ora di pranzo. Leggendo, un'onda dei capelli le casca sull'occhio (una .... onda, elaborata da un parrucchiere forse durante la stessa mattinata). Stando china, essa espone alla luce .... gli zigomi, ... e come vagamente .... e .... – con un certo ardore da malata; l'occhio, ostinatamente abbassato, appare ...., ..., vagamente .... e ...., forse per via della sua .... liquidità.

Ma come essa si muove, alzando un momento gli occhi dal libro, per guardare l'ora a un suo .... orologio da polso (per farlo, deve alzare il braccio ed esporlo meglio alla luce), per un attimo, si ha l'impressione, ..., e forse, in fondo, ..., che essa abbia l'aria di una ragazza del popolo.

Comunque il suo destino di sedentaria, il suo culto per la bellezza (che è in lei, piuttosto, una funzione – che le spetta come in una divisione dei poteri), l'obbligo a una intelligenza .... su un fondo che resta istintivamente ...., l'ha forse, pian piano, irrigidita: ha reso anche lei un po' ...., come il marito. E se anche in lei tale mistero è un po' .... di spessore e di sfumature, tuttavia è molto più .... e .... (benché dietro ad esso si dibatta forse una .... Lucia, la bambina dei tempi economicamente meno ....).

Aggiungiamo che quando Emilia, la serva, viene ad avvertirla che è in tavola (riscomparendo subito, ..., dietro lo stipite della porta), Lucia, dopo essersi alzata pigramente, e avere gettato pigramente il libro nel posto meno .... – magari lasciandolo cadere addirittura per terra –, si fa rapidamente, e come astrattamente, un segno di croce.

IL SISTEMA PERIODICO
di Primo Levi (1975)

"Ferro"

PRODUZIONE LIBERA ORALE/SCRITTA
A) Ti è mai capitato di associare te stesso o un'altra persona ad un animale? Per quali caratteristiche? Parlane con un compagno a tua scelta (avete ciascuno 15 minuti a disposizione) o, se preferisci, tratta l'argomento per iscritto (hai 30 minuti a disposizione).

B) Organizzate nel gruppo delle coppie (eventualmente anche qualche trio), in modo che sia possibile uno scambio delle considerazioni scritte o orali appena formulate: p.es. una persona A riferirà ad una persona B le considerazioni del compagno C che ha appena ascoltato; la persona C leggerà le considerazioni scritte di un altro compagno D, etc.

Titanio

ESERCIZIO MORFOSINTATTICO **
Inserisci nel brano i verbi mancanti, i cui infiniti sono elencati qui di seguito nella progressione del testo originale:

esserci - avere - fumare - dipingere - essere - morire - posare - fischiare - smettere - cominciare - fare - chiudere - andare - strofinarsi
- fare - essere - essere - raccogliere - essere - portare - cominciare -
essere - essere - avvicinarsi - accorgersene - dire - arrestarsi - chiedere - rispondere - pensare - chiedere - pensare - dire - sentirsi - guardare - constatare - avere - potere - domandare - dire.

In cucina .... un uomo molto alto, vestito in un modo che Maria non aveva mai visto prima. .... in testa una barchetta fatta con
un giornale, ... la pipa e .... l'armadio di bianco.

.... incomprensibile come tutto quel bianco potesse stare in
una scatoletta cosí piccola, e Maria .... dal desiderio di andare a
guardarci dentro. L'uomo ogni tanto .... la pipa sull'armadio stesso, e ....; poi .... di fischiare e .... a cantare; ogni tanto
.... due passi indietro e .... un occhio, e .... anche qualche
volta a sputare nella pattumiera e poi .... la bocca col rovescio
della mano. .... insomma tante cose cosí strane e nuove che ....
interessantissimo starlo a guardare: e quando l'armadio .... bianco, ... la scatola e molti giornali che .... per terra e .... tutto
accanto alla credenza e .... a dipingere anche quella.

L'armadio .... cosí lucido, pulito e bianco che .... quasi in-
dispensabile toccarlo. Maria .... all'armadio, ma l'uomo .... e
..........: – Non toccare. Non devi toccare –. Maria .... interdetta, e
..........: – Perché? – al che l'uomo ....: – Perché non bisogna –.
Maria ci .... sopra, poi .... ancora: – Perché è cosí bianco? –
Anche l'uomo .... un poco, come se la domanda gli sembrasse
difficile, e poi .... con voce profonda: – Perché è titanio.

Maria .... percorrere da un delizioso brivido di paura, come
quando nelle fiabe arriva l'orco; .... con attenzione, e .... che
l'uomo non .... coltelli, né in mano né intorno a sé: .... però
averne uno nascosto. Allora ....: – Mi tagli che cosa? – e a questo
punto avrebbe dovuto rispondere «Ti taglio la lingua». Invece ....
soltanto: – Non ti taglio: titanio.

SCRITTI CORSARI
di Pier Paolo Pasolini (1975)

Sviluppo e progresso

ESERCIZIO LESSICALE-SEMANTICO ***
Inserisci opportunamente nel testo le espressioni riportate qui di seguito in ordine alfabetico:

adesso - appena - appunto - a quanto pare - del resto - certo - dunque - dunque - dunque - esistenzialmente - esistenzialmente - già - in concreto - inconsapevolmente - invece - irrazionalmente - magari - nella fattispecie - non [10 volte] - oltre tutto - ormai - però - praticamente - sinceramente.

[...] La tecnologia (l'applicazione della scienza) ha creato la possibilità di una industrializzazione .... illimitata, e i cui caratteri sono .... transnazionali. I consumatori di beni superflui, sono da parte loro, ... e .... d'accordo nel volere lo «sviluppo» (*questo* «sviluppo»). Per essi significa promozione sociale e liberazione, con conseguente abiura dei valori culturali che avevano loro fornito i modelli di «poveri», di «lavoratori», di «risparmiatori», di «soldati», di «credenti». La «massa» è .... per lo «sviluppo»: ma vive questa sua ideologia soltanto ...., ed .... è portatrice dei nuovi valori del consumo. Ciò .... toglie che la sua scelta sia decisiva, trionfalistica e accanita.

Chi vuole, ..., il «progresso»? Lo vogliono coloro che .... hanno interessi immediati da soddisfare, ..., attraverso il «progresso»: lo vogliono gli operai, i contadini, gli intellettuali di sinistra. Lo vuole chi lavora e chi è .... sfruttato. Quando dico «lo vuole» lo dico in senso autentico e totale (ci può essere anche qualche «produttore» che vuole, ... , e ...., il progresso: ma il suo caso .... fa testo). Il «progresso» è .... una nozione ideale (sociale e politica): là dove lo «sviluppo» è un fatto pragmatico ed economico.

Ora è questa dissociazione che richiede una «sincronia» tra «sviluppo» e «progresso», visto che .... è concepibile (............) un vero progresso se .... si creano le premesse economiche necessarie ad attuarlo.

Qual è stata la parola d'ordine di Lenin .... vinta la rivoluzione? E' stata una parola d'ordine invitante all'immediato e grandioso «sviluppo» di un paese sottosviluppato. Soviet e industria elettrica... Vinta la grande lotta di classe per il «progresso» .... bisognava vincere una lotta, forse più grigia ma .... meno grandiosa, per lo «sviluppo». Vorrei aggiungere .... – .... senza esitazione – che questa .... è una condizione obbligatoria per applicare il marxismo rivoluzionario e attuare una società comunista. L'industria e l'industrializzazione totale .... l'hanno inventata né Marx né Lenin: l'ha inventata la borghesia. Industrializzare un paese comunista contadino significa entrare in competitività coi paesi borghesi .... industrializzati. E' ciò che, ..., ha fatto Stalin. E .... aveva altra scelta.

CENTURIA
di Giorgio Manganelli (1979)

Tre

ESERCIZIO LESSICALE-SEMANTICO **
    Inserisci nel testo al posto dei puntini le espressioni che nella lista qui di seguito sono elencate in ordine alfabetico:

anzi - d'altronde - d'altronde - distrattamente - dunque - estremamente - facilmente - forse - in breve - in realtà - infine - intensamente - istantaneamente - mai più - ora - probabilmente - propriamente - proprio - reciprocamente - reciprocamente - solo - solo - soprattutto - troppo - tuttavia - tuttavia.

Un signore .... meticoloso ha fissato per l'indomani tre appuntamenti pomeridiani: il primo con la donna che ama, il secondo con una donna che potrebbe amare, il terzo con un amico, cui egli, ..., deve la vita e .... la ragione. ...., nessuna di queste persone avrebbe parte nella sua vita, se non ne facessero parte anche le altre; così che l'appuntamento pomeridiano ha fondamenti non .... psicologici, ma fatali. E .... le tre persone, ... necessarie, sono .... incompatibili. Nessuna delle due donne ha simpatia per l'amico, giacché nessuna delle due donne ha salvato vita e ragione del signore, ... il loro comportamento intollerante e falotico ha richiesto l'intervento d'un amico prudente e .... sottile. L'amico considera il signore come il suo capolavoro, e non lo vorrebbe .... accessibile. La donna amata diffida della donna che il signore potrebbe amare, non tanto per l'amore che, si presume, ella dedica al signore che la ama, quanto per il decoro che il signore ha conseguito rischiando la follia e venendo salvato da un amico che tutti vorrebbero conoscere, della cui qualità di salvatore tutti sono informati, sebbene nessuno osi chiedere una presentazione formale; ...., la donna che il signore potrebbe amare non riama il signore, che .... non la ama, e .... sa di essere oggetto d'amore potenziale, e di questa possibilità .... destinata a restare inconclusa s'accorge di godere, come di una perfetta miscela di indifferenza e di passione, ma codesta miscela è insidiata dalla realtà della donna amata, senza la quale .... la potenziale amata non avrebbe luogo, sarebbe tenuta a bada dall'amico, che ella non conosce, ma che paventa come forte e indifferente. Egli ha convocato a codesto appuntamento queste tre persone perché vorrebbe spiegare e constatare che senza di loro vivere gli sarebbe impossibile. Egli è debole, ... mortale, e sopravvive .... per un gioco di eventualità. Vuole .... fare una scena di melodrammatica confessione? .... Ha capito, ..., che egli non andrà, giacché l'indomani è .... angusto per accogliere lui e le spiegazioni degli altri. Ma .... angusto è lui, e l'ingresso simultaneo delle tre immagini incompatibili e necessarie lo consumerebbe ....

Novantasei

ESERCIZIO DI PRODUZIONE LIBERA
Scrivi il racconto, su base reale o fantastica, di un'ossessione.

LA SICILIA COME METAFORA
di Leonardo Sciascia (1979)

"Religione in Italia"

ESERCIZIO LESSICALE **
Inserisci le parole mancanti nel brano.

Per quest'esercizio puoi usare la lista seguente, che contiene elementi lessicali che hanno radice comune a quelli mancanti nel testo. L'ordine, tuttavia, non è quello originale.

campo - proteggere - religione - offrire - azzuffarsi - iniziare - cielo - deciso - mafia - municipio - fatale - impegnarsi - superstizione - misterioso - Castrofilippo - anticlericale - ufficiale - originare - evangelico - connotare - realtà - scomparsa - intenso - terra - sostanziale - autonomo.

La situazione generale dell'Italia dal punto di vista della religione? Una pressoché totale assenza di spirito .... e un modo di vivere la fede in chiave esclusivamente .... Nell'italiano medio è rintracciabile un .... di fondo. Personalmente, io non credo di essere anticlericale, mi limito a descrivere il clero italiano e siciliano qual è, ignorante, rapace e .... ateo. Certo, mi piacerebbe che ci fossero dei buoni preti; qualcuno ce n'è, ma sono pochi. Allo stesso modo, mi piacerebbe che questo popolo vivesse più .... la religione che professa ....

Vede, il popolo siciliano, al pari di qualsisasi altro, si trova al cospetto della vita come davanti a un ...., le cui chiavi sono per lui la chiesa, i santi, i miracoli, anche se tutte queste nozioni non hanno molto a che vedere con il .... Se in altri paesi la religione si è instaurata suppergiù .... rispetto alla vita politica, qui al Sud le fazioni .... rivali sceglievano ciascuna, come proprio emblema, un santo, donde le celebri «guerre dei santi», che continuano ad aver luogo in Sicilia. Da ciò la .... faziosa che vi assume l'.......... del clero a fianco dei politici. Torno a parlare del mio paese dove, anche se non c'è stata «guerra dei santi», si è però potuto assistere a una battaglia .... contro i nostri vicini di Castrofilippo. Tutto ha avuto .... per colpa della Madonna di Fatima. Quelli di Castrofilippo l'avevano custodita per un certo tempo, ed era giunto il momento in cui quelli di Racalmuto dovevano prenderla in consegna dalla chiesa di Castrofilippo. Ma i .... non erano d'accordo: la statua della Madonna volevano portarla loro stessi a Racalmuto dopo aver attraversato tutto il nostro paese. E' così che ha avuto luogo la più violenta .... cui io abbia mai assistito, e nel corso della quale le bestemmie contro la Madonna sono fioccate da entrambe le parti.

Poche parole ancora sui santi patroni delle città e dei paesi. Prendiamo a esempio il culto di Santa Rosalia a Palermo: esso ha avuto .... con la peste che devastava la capitale siciliana quando questa si trovava sotto la .... di Santa Cristina. Nonostante le .... e i doni a questa santa, l'epidemia non scompariva e decimava la popolazione. Allora i palermitani, che sono ...., decisero di cambiare santa patrona e di rivolgersi per aiuto a Santa Rosalia. La peste si attenuò, poi .... E' chiaro che i palermitani hanno trattato Santa Cristina come un vecchio capomafia che avesse perduto il suo potere e che doveva essere .... sostituito da un capomafia più giovane e dinamico. Vede, nell'animo del siciliano le faccende .... si svolgono come quelle ....: anche lassù ci sono capomafia, «padrini», «confidenti» e ....

DICERIA DELL'UNTORE
di Gesualdo Bufalino (1981)

"Il Riessere"

ESERCIZIO MORFOSINTATTICO-SEMANTICO ***

A) 1. Nel testo seguente mancano gli articoli (parole come **il, l', i,** etc.; **un, una,** etc.). I gruppi di cinque puntini sono però in numero maggiore degli articoli effettivamente mancanti nell'originale. Inserisci perciò gli articoli <u>solo dove ti sembra opportuno</u>.
Fai attenzione alle preposizioni che si modificano in presenza di un articolo (come: **di + la** → **della**).
2. Confronta i tuoi risultati con quelli di un compagno.

B) 1. Confrontate con l'originale. Nel caso di differenze, consultate altre coppie o l'insegnante per accertarvi che la vostra versione dia un risultato accettabile.
2. Se la vostra versione è ugualmente corretta, appurate quali variazioni di significato contiene rispetto al testo originale.

Quella ..... domenica 18 agosto è, fra ..... giorni di ..... mia vita, uno di ..... tre o ..... quattro che mi recito da ..... cima a ..... fondo, quando voglio cercare di raggiungere ..... estasi di rivivermi. Mi spiego: io con ..... passato ho ..... rapporti di..... tipo vizioso, e lo imbalsamo in me, lo accarezzo senza ..... posa, come taluno fa con ..... cadaveri amati. ..... strategie per possederlo sono ..... solite, e le adopero tutt'e ..... due. Dapprincipio mi visito da ..... forestiero turista, con ..... agio, sostando davanti a ogni ..... cocciopesto, a ogni ..... anticaglia regale; ..... bracconiere di ..... ricordi, non voglio spaventare ..... selvaggina. Poi metto da ..... parte ..... lusinghe, ... educazione, lancio a ritroso dentro me stesso ..... occhi crudeli di Parto, lesti a cogliere e a fuggire. Da ..... attimi che dissotterro – quanti ne ho vissuti apposta per potermeli ricordare! – non so cavare ..... pensieri, io non ho ..... testa forte, e ..... pensiero o mi spaventa o mi stanca. Ma ..... bagliori, invece... ..... bagliori di ..... luce e ..... ombra, e quell'..... odore di ..... accaduto, rimasto nascosto con ..... milioni d'altri per ..... anni e ..... anni in ..... castone invisibile, quassopra, dietro ..... fronte... Sento a ..... volte che basterebbe ..... niente, ... filo di ..... forza in più o ..... demone suggeritore... e sforzerei ..... muro, otterrei, io che ..... Non Essere indigna e ..... Essere intimidisce, ... miracolo di ..... Bis, ... bellissimo Riessere.

"La storia dei tre ladroni"

ESERCIZIO LESSICALE-SINTATTICO *
Completa il brano sottostante con gli elementi che introducono le frasi secondarie:

«...... indovino anch'io, posso sperare in una sfinge benigna» chiesi, facendomi serio, ... un sospetto mi balenava, ... quell'arzigogolo fosse o pretendesse ...... essere una parabola. E aggiunsi:
«Anche per il mio male vale la stessa percentuale di sopravvivenza, lo dicono le vostre statistiche».
(Era vero, l'avevo letto su un trattato di Sebastiano, e ne avevo fatto parola a lui e ad Angelo, insieme. «Uno su tre» avevo detto, e ci eravamo sorpresi tutt'e tre ...... guardarci malinconicamente ridendo e pensando tutt'e tre la medesima cosa).
«Non è bassa, contèntati. Era più bassa per Deucalione o Don Blasco» rispose, sbalestrandomi ...... non stetti ...... chiedergli conto ...... avere schivato la mia domanda di prima, ma chiesi: «Don Blasco?». Al che lui: «Oh, un arcavolo mio di Tarragona, un almirante superstite dell'Invincibile Armata. Nuotò tre giorni e tre notti. Lo trovi dietro di te, sul quinto ramo a destra dell'albero...».
E a questo punto richiuse sugli occhi i macigni delle palpebre, parve assopirsi senza riguardo.

La musica s'era taciuta, intanto, e mi sforzavo, ... riuscirci, ...
sciogliere il rompicapo. Eppure non me n'andai, ero certo ...... non
dormiva ma mi spiava dal suo buio, e aspettava. Allora mi distrassi,
gironzolai per la stanza, perlustrando, occhieggiando, ora la fogliolina
Don Blasco sulla quercia genealogica, ora la fotografia della moglie
trafitta da spilli nel cuore, ora i grossi fascicoli manoscritti ...... teneva
ammucchiati sul ripiano della stufa, legati con un elastico. Tuttavia
ogni tanto mi voltavo di sorpresa, ... giunsi ...... ghermire le sue pupille puntute sulla mia schiena, un istante ...... tornassero ...... rintanarsi nella loro borsa tranquilla.

«Ti ho svegliato?» finsi, ... mi veniva in mente ...... non gli avevo
ancora chiesto ...... avesse e ...... stava così male ...... sembrava. ......
avesse intuito il mio pensiero:

«Una cirrosi» disse. «Morirò prima di te».

E ancora una volta, fra soffi e raschi e pizzicati di violoncello, un
borboglìo assai simile a un riso gli si mosse in fondo alla gola, ... il
consueto ghignetto gli tramutava la bocca.

Si era alzato, ora, aveva inforcato sui piedi scalzi, ... aver tribolato senza profitto con le stringhe di Gordio delle sue polacchine, un
paio di sformate calosce, e sulle spalle seminude, sulla canottiera appiccicata per il sudore e ...... bucavano i marziali pungiglioni del suo
pelame, s'era buttato un asciugamano. Così camuffato, ciabattando e
aiutandosi col bastone, attraversò la stanza, fino a me, venne ......
porsi al mio fianco dinanzi la libreria. Fu la prima volta ...... veramente mi ripugnò: quel riso, il pezzetto di carnagione decrepita e
bruna sotto la calottina di seta, l'odore di bertuccia inutilmente dissuaso da un'irrigazione di brillantina recente, tutto veramente sapeva
e parlava di sfacelo e di spregevole morte.

NARRATE, UOMINI, LA VOSTRA STORIA
di Alberto Savinio (1984)

Nostradamo: "Il vizio"

ESERCIZIO "TOTALE" ***
Inserisci nel testo le parole che sono elencate qui di seguito in ordine alfabetico:

arditamente - avversario - avvilire - brusio - cambiale - disprezzo - frenare - funebri - gradevoli - guardiano - intruso - legami - libresca - neppure - nodo - placare - privo - quaggiù -soffocarla - sollecito - sorretta - sortire - spettanza - sprecare - staffe - stretta.

Ora anche Nostradamo ha una casa, una donna, dei figli. La Felicità ha sciolto la .... intorno al suo polso, lo lascia libero di godere a suo talento, come una madre lascia libero il bimbo ai suoi giochi. Questo .... di affetti, questo peso di carne umana, questi caldi .... con la vita a lui erano necessari più che a nessun altro: a lui che è un estraneo .... e un ...., a lui che un destino maligno vorrebbe far *scorrere* sulle «cose» dell'esistenza come acqua sulla pietra; a lui che tra gli uomini pesanti e attaccati alla terra, è come nuvola spinta dal vento.

Ha edificato una casa che è una «torre di felicità». Custode, ... e protettore, egli vigila nello scomparto supremo, tra gli occhiuti, i magici strumenti della sua missione di uccellatore di misteri. Questo laboratorio segreto, questa pericolosa officina che – Nostradamo lo sa – è una porta aperta all'........., qui è .... e «disinfettata» da fondamenta di bene e d'innocenza. Sale a Nostradamo attraverso le assi dell'impiantito il confortante .... della casa viva e ordinata; le garrule voci dei bambini; i canti delle fanti, lunghi e ondosi come lamentazioni ....; e come i suoni alle orecchie, così alle nari del tentatore di Dio salgono i .... odori della cucina.

La vorace tentazione che gli arde l'anima, tante volte Nostradamo ha cercato di .... Ha fatto voti, ha contratto patti con se stesso, ha pronunciato giuramenti. Invano! Come liberarsi di quel vizio? Come spegnere quella sete, ... quel desiderio che, con l'aiuto di tutti i sensi vibranti come lingue di fuoco, chiede e urla dal fondo del cervello?

Ora, e per una reazione inaspettata, l'alleanza contratta con le forme legittime della vita, anziché .... un effetto contrario alle operazioni segrete di Nostradamo, le stimola e incoraggia. Questo tenere i piedi in due ...., questo sentirsi protetto da un amore consacrato e dal santo amore dei figli, questa dolce zavorra umana che equilibra la nave del suo destino, confortano Nostradamo a non più .... le sue segrete tentazioni, ad avventurarsi .... in quel mondo oscuro e forse maledetto, che più che mai egli sente come il solo veramente suo.

Dorme solo quattro ore, come più tardi Cavour.

Noche tinta, blanco el día. Di notte, lassù, nell'orgoglio della sua vita segreta, il pensiero di quella innocente carne che sicura e tranquilla dorme sotto di lui nella casa, lo fastidisce come un peso inutile e vergognoso. Quanto .... per quella vita troppo umana! Ma di giorno la vita «bianca» di Nostradamo continua più ordinata e onorata di prima. Tutte le mattine, sul dorso paziente della mula, egli va in giro per la città e i campi, tanto più .... a portare il conforto e la salute a chi di questi beni è ...., che, per il magico equilibrio del dare e dell'avere, sa che con questa opera di sanatore, egli sconta una grossa .... di felicità.

Tanto più apprezzata la sua opera di medico, tanto più sicuro il risultato, che Nostradamo pratica una medicina diretta ed esperimentata, non teorica e .... come i suoi colleghi. Costoro studiano Aristotile e Galeno, Plinio e Teofrasto, ma il malato non lo guardano .... Erasmo di passaggio da Ferrara avendo domandato a Nicola Leoniceni «perché non visitasse gli ammalati», Leoniceni rispose «per non .... il tempo che si può dedicare a imparare sui libri».

Oltre a ciò, e diverso pure in questo dai suoi colleghi che per non .... la dignità del medico si guardano bene di prendere scalpello in mano, Nostradamo opera da sé tagli e incisioni, e tutti quei lavori manuali che sono di .... del cerusico.

NARRATORI DELLE PIANURE
di Gianni Celati (1985)

L'isola in mezzo all'Atlantico

ESERCIZIO MORFOSINTATTICO **
A) 1. Le frasi relative sono introdotte da **che**, "(preposizione +) articolo + **quale/quali**", "(preposizione +) **cui**", **chi, dove, come, quando**. In certi casi alcuni di questi elementi sono intercambiabili senza variazioni di significato. Indica dove è possibile una sostituzione e con quale altro elemento.
   2. Unisciti ora ad un compagno (possibilmente diverso da coloro con cui hai lavorato durante la lettura analitica) per un confronto dei risultati. Rivolgetevi all'insegnante in caso di incertezze.

B) Sulla base dei dati eleborati, cerca insieme ad un altro compagno le regolarità nella distribuzione degli elementi che introducono le frasi relative. Al termine del lavoro, confrontate con le altre coppie, chiedendo eventualmente chiarimenti all'insegnante.

Idee d'un narratore sul lieto fine

ESERCIZIO MORFOLOGICO **

Che forma avrebbero nel tempo passato remoto le voci del passato prossimo e dell'imperfetto evidenziate nella lettura analitica di pag. 255? Prova a scriverle, consultando eventualmente una grammatica in caso di dubbi.

PICCOLI EQUIVOCI SENZA IMPORTANZA
di Antonio Tabucchi (1985)

Cinema

ESERCIZIO MORFOSINTATTICO **

A) 1. Inserisci nella forma opportuna i verbi mancanti nel brano, elencati qui di seguito nella progressione originale.
   2. Confronta con un compagno.

B) Confrontate con il testo originale. Se riscontraste delle differenze, cercate di appurare, consultando altre coppie o l'insegnante, perché s⁻ ⁻hiede la forma dell'originale.

stringersi - aspe ⁻re - essere - scendere - sgranchirci - seguire - passare - distrarli - pa⸱ ⸱ guardarsi - attirare - ancheggiare - fare - muovere - ondeggiarle - toglierle - suggerirglielo - risolvere - risolvere - scoprire - lasciare - allargare - strizzare - rivolgersi - muovere - spostarsi - tenersi - usarlo.

"Chi lo capisce è bravo," rispose l'omino .... nelle spalle, "pare che dobbiamo .... un quarto d'ora, ma il perché non lo so, ... gli ordini."

"Oh, ma allora possiamo .... a .... un po' le gambe, vero ragazze?" pigolò Corinna tutta giuliva; e in un attimo si precipitò giù dal treno .... dalle altre. "Tu sali," bisbigliò .... accanto a Elsa, "ci pensiamo noi a ...."

Il gruppo si diresse dalla parte opposta a quella in cui si trovava Eddie, ... davanti ai soldati. "Ma in questa stazione non c'è un ristoro?" si chiedeva a voce alta Corinna .... intorno. Era sublime nell'............ l'attenzione, ... ostentatamente e dondolava la borsetta che aveva sfilato da tracolla. Indossava un vestito a fiori molto aderente e dei sandali con la suola di sughero. "Il mare!" gridò, "ragazze, guardate che mare, ditemi se non è divino!" Si appoggiò teatralmente al primo lampione e si portò una mano alla bocca .... un'aria infantile. "Se avessi il costume sfiderei l'autunno," disse .... la testa mentre la cascata di riccioli rossi .... sulle spalle. I due soldati la guardavano attoniti senza .... gli occhi di dosso. E allora Corinna ebbe un colpo di genio. Forse fu il lampione a ...., o la necessità di .... una situazione che non sapeva come .... altrimenti. Si abbassò la camicetta fino a .... le spalle, si appoggiò di schiena al lampione, ... dondolare la borsetta, poi .... le braccia e si rivolse a un immaginario pubblico, ... gli occhi come se tutto il paesaggio fosse suo complice. "La cantano in tutto il mondo," gridò, "anche i nostri nemici!" .... alle ragazze e batté le mani. Era sicuramente un numero dello spettacolo, perché queste si misero in fila sull'attenti, ... le gambe a passo di marcia ma senza ...., con una mano alla fronte in un saluto militare. Corinna .... al lampione con una mano, e .... come perno gli fece un giro attorno, con un passo grazioso.

BAOL
di Stefano Benni (1990)

"Una tranquilla notte di Regime"

ESERCIZIO SINTATTICO *

Considera le espressioni sottostanti che nel brano hanno funzione di soggetto. Stabilisci se vanno collocate prima o dopo il verbo e inseriscile di conseguenza nel testo.

una tranquilla notte di Regime - le guerre - soltanto sette omicidi - l'inquinamento atmosferico - biossido - felicità - ognuno - un predicatore - parecchi - la polizia - la luna - una ragazza come te - un tombarolo - una grande piastra ammazzainsetti a seimila volt - ogni moscerino o farfallone che ci sbatte contro - nessuna morte.

.... è .... sono .... tutte lontane. Oggi .... ci sono stati ...., tre per sbaglio di persona. .... è .... nei limiti della norma. .... c'è .... per tutti. Invece .... non c'è .... per tutti. .... la porta via .... all'altro. Così .... dice .... all'angolo della strada, uno dall'aria mite, di quelli che poi si ammazzano insieme a duecento discepoli. .... ce n'è .... in città. Dai difensori dei diritti dei piccioni alla Liga Artica. Siamo una democrazia.

Ogni tanto, sul marciapiede, si inciampa in qualcuno con le mani legate dietro la schiena. Forse .... lo ha dimenticato .... la notte prima. Ho guardato in alto, oltre le insegne illuminate e, obliqua su un grattacielo, ... c'era .... Le ho detto:

Cosa .... ci fa .... in un posto come questo?

Poi mi sono fermato all'angolo tra Dulcea e Taganrog, nel quartiere gastronomico. Passava di tutto. .... mi ha offerto .... due giacche firmate appena prese ai cadaveri, garantite disinfettate. Non gli ho dato retta, preso com'ero da un'interessante visione.

Davanti a un ristorante di Dulcea .... c'è .... crepa ...., con un brivido elettrico. Mi è venuto da pensare che .... ormai, fa più rumore di questa .... Milioni di moscerini, una fiammata, e amen. Se hai la fortuna di nascere farfallone, forse si accorgono dei tre secondi in cui stai morendo.

GLI SFIORATI
di Sandro Veronesi (1990)

Sottofondi

ESERCIZIO LESSICALE-SEMANTICO **
Completa il brano:

> When I find myself in times of trouble
> Mother Mary comes to me...

Così stava cantando il pianista Alfredo nel frattempo. Professionista scrupoloso, aveva preparato una lunga scaletta di pezzi da eseguire durante la festa, tutti datati 1969 e 1970. Ma la musica, nei grandi saloni pavesati con cura e farciti di tavoli apparecchiati per l'incombente ...., la musica in quel luogo era un .... accessorio, un trastullo, com'è tradizione nelle feste degli adulti. La voce di Alfredo, per quanto profumatamente pagata, svaporava nel .... degli invitati che arrivavano a ripetizione, negli squilli continui del campanello, negli scoppi di "Oh!" e di "Ah!" che .... una risata, uno scambio di baci, un complimento. *Sottofondo*, era la parola, un concetto di .... importanza nella vita dei borghesi che hanno superato i quarant'anni. Nei loro colorati travestimenti s'incrociavano gli ospiti, in una vuota contraddanza per la quale nulla era concepito se non a titolo di .... sottofondo: sottofondo le frustate del vento contro le vetrate, sottofondo il giostrare delle cameriere filippine con i vassoi di stuzzichini, sottofondo la villa intera con i suoi marmi, i suoi ...., la moquette, i tappeti e il maestoso bric-à-brac degli ...., sottofondo gli sposi stessi quando si baceranno sulla bocca, e l'........... ubriaca che salirà sul tavolo per far vedere le cosce. Sottofondo, a maggior ragione, anche la musica, comunque scelta, comunque eseguita, purché diffusa a volume .... (Ed è la vendetta di questi borghesi su tutto ciò che ha governato i loro .... anni volati via, abbassarne finalmente il volume, trasformarlo in semplice sottofondo, contro il quale ora potersi stagliare in primo piano come gli innamorati sul tramonto nelle pubblicità dei preservativi.)

Tuttavia, contro la volontà di tutti, qualcosa andava .... in quel conclave più nitido e lampante del conclave stesso. Una .... battaglia di travestimenti saltava agli occhi. Quella data, 14 febbraio 1970, scelta come tema per ispirare i costumi, ... l'esistenza di due opposte scuole di pensiero mondano, a seconda che la si fosse considerata parte ancora degli anni Sessanta o già degli anni Settanta. Continuavano a mescolarsi .... figurette cadaveriche uscite dai film di Antonioni con pastosi .... di Easy Rider, Ricerca di Se Stessi e Crisi Petrolifera, generando un preoccupante .... Considerando poi che alcuni, per quello che i filosofi chiamano "...........", avevano rinunciato alla mascheratura, ... abiti e acconciature secondo la moda corrente (la quale, a sua volta, ... i gusti di almeno altri due decenni ancora precedenti), in quelle sale ormai si confondevano le forme: e il confondersi delle forme, in una civiltà, è il primo .... della regressione in barbarie.

I Carontini

ESERCIZIO LESSICALE-SEMANTICO **
A) Prova a completare il testo sottostante. Le espressioni mancanti hanno tutte un senso figurato.

Nelle fredde notti d'inverno il centro di Roma diventa lugubre come lo Stige, e vi si aggirano solo ombre intirizzite o .... bande di giovani senza speranza. La città rincasa, per così dire, e la vita si ritira nei locali. Alcuni di questi, per selezionare la clientela, si dotano però di un sistema di ...., dal biglietto d'ingresso esageratamente caro fino all'arbitraria discriminazione tra le facce che si accalcano contro la porta d'ingresso. Generalmente, quanto più sono ambiti questi locali, tanto più si fanno selettivi, e quanto più si fanno selettivi, tanto più sono ambiti. Avervi accesso diventa pertanto un privilegio.

I Carontini sono esseri .... dalla solitudine, disdegnati dalle donne e derisi dagli uomini, il cui unico titolo di ...., ottenuto a chissà quale prezzo, consiste proprio nel diritto d'accesso in questi locali esclusivi, con facoltà d'introdurvi anche gli amici.

Ma i Carontini non hanno amici.

Fanno semplicemente .... come navette, ogni notte, tra i più affollati luoghi di ritrovo, raccogliendo persone e .... nei locali, in cambio di un po' di compagnia. La loro speranza di imbattersi prima o poi in qualcuno che diventi loro amico, o in qualche ragazza che si innamori di loro, è .... come il fuoco di Estia, anche se normalmente si accontentano delle poche .... di circostanza scambiate durante il tragitto. (E per questo i Carontini tendono ad allungare indefinitamente i tragitti, ... fermate intermedie per offrire caffè e camparini, di modo almeno da essere visti mentre si intrattengono insieme a qualcuno.) Appena entrate nel locale, infatti, quelle persone fanno perdere le proprie tracce disperdendosi nella calca, e i Carontini si ritrovano da capo soli e .... nella torma di gente che ha sempre qualcuno, e devono ripartire per una nuova corsa.

Di Carontini veri e propri ce ne sono pochi, perché la maggior parte dei disperati che avrebbero i requisiti per diventarlo preferiscono rinunciare alla vita mondana, piuttosto che accettare questa infima condizione. A servirsene, invece, sono in parecchi, poiché fanno risparmiare denaro e discussioni con i buttafuori, e giovano al morale, tutto sommato, con la propria ineguagliabile .... Espressioni come "Prendiamo il primo Carontino" per la tal discoteca sono abbastanza diffuse tra i nottambuli, per quella capacità che hanno i gerghi di .... subito alla lingua anche se nessuno ha fatto nulla per imporli. Tuttavia, pur ricorrendo in tanti ai loro servigi e alla similitudine che li connota, nessuno riflette sul fatto che, se quelli sono Caronte, allora i luoghi dove trasportano le persone, nonostante i nomi empirei come Olimpo, Notorius o Acropolis, sono le bolge dei dannati; e che, tra sé e sé, nella sua .... di nocchiero d'Acheronte, il Carontino potrebbe sussurrare a chi lo sfrutta una terribile condanna endecasillaba:

> Non isperate mai veder lo cielo
> i' vegno per menarvi all'altra riva
> ne le tenebre eterne, in caldo e 'n gelo.

Ma i Carontini non hanno tempo di leggere Dante, li sfianca troppo il .... vano.

B) Se avessi ancora delle lacune nel testo, consulta la lista seguente: vi sono elencate, in ordine alfabetico, le parafrasi delle espressioni mancanti, fornite tuttavia nell'accezione propria (non figurata, come nel testo originale!) del termine.

abito - che non si può spegnere - colpi - condizione sociale privilegiata - depuratori meccanici - messi sotto terra - oscure e squallide - passo accelerato di un quadrupede - perdizione - perduti - prosperare (detto di un vegetale trapiantato) - sforzandosi di spiegare o di capire - trasportandole con un'imbarcazione da una sponda all'altra - tubetto con filo per tessere o cucire.

C) In caso ti mancassero ancora delle espressioni per completare il testo, consulta la lista seguente: vi sono elencate, in ordine alfabetico, le parafrasi dei termini mancanti, questa volta nella loro accezione figurata, corrispondente a quella del testo originale.

addolorati e turbati - astiose e scostanti - camminare rapidamente - persona o oggetto che si muove avanti e indietro - diventare stabili e diffusi - funzione - interventi parlati di un interlocutore - introducendole - isolati, esclusi - perdita di personalità - persistente - provocando forzatamente - strumenti di differenziazione e chiarificazione - superiorità.

SOLUZIONI
DELLE LETTURE ANALITICHE

CRISTO SI E' FERMATO A EBOLI
di Carlo Levi (1945)

"Infrastrutture"

LETTURA ANALITICA SEMANTICA-PRAGMATICA *
- uno strano **monumento**
- **solenne**
- il più **moderno, sontuoso, monumentale** [...] che si potesse immaginare
- quale **incantatore** o quale **fata** poteva aver portato per l'aria quel **meraviglioso oggetto**
- **come un meteorite**
- nel **bel** mezzo della piazza
- Era l'**opera** del regime, del podestà Magalone.

"Destino"

LETTURA ANALITICA SEMANTICA *
- Pazienza!
- La sola possibile difesa, contro lo Stato e contro la propaganda, è la rassegnazione, [...] cupa rassegnazione, senza speranza di paradiso
- i confinati [...] sono anch'essi, per motivi misteriosi, vittime del loro stesso destino.
- compassione fraterna [per i confinati]
- [...] fraternità passiva, [...] patire insieme, [...] rassegnata, solidale, secolare pazienza
- sono, in tutti i sensi del termine, pagani
- né alcun muro separa il mondo degli uomini da quello degli animali e degli spiriti
- Non possono avere neppure una vera coscienza individuale, [...] dove non esistono limiti che non siano rotti da un influsso magico.

- la cupa passività di una natura dolorosa
- in essi è vivo il senso umano di un comune destino, e di una comune accettazione.
- [questo senso della vita] non si esprime in discorsi o in parole, ma si porta in sé in tutti i momenti [...] della vita
- Non c'è ragione né cause ed effetti, ma soltanto un cattivo Destino, una Volontà che vuole il male, che è il potere magico delle cose.
- Lo Stato è una delle forme di questo destino
- La vita non può essere che silenzio e pazienza.

"Morale sessuale"

LETTURA ANALITICA MORFOSINTATTICA *
A) a) Elisioni:
l'acqua - l'ammazzacapre - n'è - del - l'amore - l'attrattiva - alcun'altra - all'amore - l'onnipotenza - l'impulso - al bando - al disprezzo - tutt'al più - l'occasione - d'altri - l'uomo - l'amore - l'assicuravo - nell'antica faccia - sull'altro - dell'evidente innocenza - l'uso.

b) Troncamenti:
opporvisi - vietarlo - maggior difficoltà - sposarsi - accasarsi - accontentarsi - un po' zoppo - infrangerlo - aver peccato - farle coraggio - salutarmi - ringraziarmi - benedirmi - buon senso - farsi visitare - chiamarmi - ridurlo - trovarmi - darle.

B) lo impediva - si abbraccino - lo avessero - gli amori - rendere difficile - settantacinque anni - di aiuto - fino a casa mia - si era ricordata - mi accorgevo - mi avvidi - che è un modo - di un simbolo - venire sola - si era fatta accompagnare - essere con me - se ne andò.

"Doppie nature"

LETTURA ANALITICA LESSICALE-SEMANTICA *
dei draghi - **più** di **cent**'anni fa - **molto** prima - **Tutto** è realmente possibile - **ogni** giorno - non vi è **alcun** limite - **molti** esseri strani - una **doppia** natura - di **mezza** età - **nulla** di particolare - **tutto** il paese - **Tutti** i vecchi - la seguiva **dappertutto** - da **molti** anni - **Nes-**

suno trovava, in questa **doppia** natura e in questa **doppia** nascita, **nessuna** contraddizione - **Alcuni** assumono [...] - **soltanto** in particolari occasioni - Ce n'era **qualcuno** - si radunano **tutti** insieme - ancora **tutto** lupo - **del tutto** trasformati - **tre** volte - non si ricordano più di **nulla** - la **doppia** natura.

N.B. - Nella frase: "Nessuno trovava, in questa doppia natura e in questa doppia nascita, nessuna contraddizione" si ha un caso anomalo di doppia negazione in una frase che inizia con "nessuno": l'uso di "nessuna contraddizione", anziché "alcuna/una contraddizione" è probabilmente motivata stilisticamente, poiché il lungo sintagma preposizionale ("in questa doppia natura e in questa doppia nascita") separa il gruppo 'soggetto + verbo'("nessuno trovava") dall'oggetto ("nessuna contraddizione").

LE BUGIE CON LE GAMBE LUNGHE
di Eduardo De Filippo (1947)

"Il matrimonio ideale"

LETTURA ANALITICA SEMANTICA-PRAGMATICA *
- Non basta il desiderio. E' la buona volontà, è l'indole che conta.
- Volete essere gentile, Costanza, di farci un rammendo?
- Vediamo come rammenda Costanza. E pure ai gomiti.
- E stiratela pure, vi dispiace?
- Quante cose dovrà fare Costanzuccia [...]! Non avrà mai tempo.
- [...] la dovrete sorvegliare voi.
- [...] certe determinate cose le dovrete fare voi.
- [...] le posso mai affidare ad una persona estranea?
- O ci mette il lucido cattivo, o dice che le ha ingrassate e non è vero...
- No, invece, questo non succederà.
- La moglie che fa? Ci sta attenta.
- [...] un paio di volte al mese le spolvera, le lucida, le sistema con quella manutenzione che le fa durare cento anni.
- So che cucinate benissimo
- Poi tengo nu difetto. [...] La sera vado a letto presto. 'E nnove stongo dint'o lietto.

- [...] dormiremo in due camere separate
- voi per qualche altra mezz'ora dovrete stare sveglia nell'altra camera.
- Mi piace sentire in casa [...] il movimento di una persona che traffica. Il silenzio mi mette tristezza.
- Voi, [...] aprite la porta della camera mia e mi venite ad assicurare.
- [...] vi coricate pure voi
- [...] seguitate a dare segni di vita, fino a quando mi addormento.
- mi fa piacere che Costanza resti un poco con me
- "Che vuoi cucinare?", "Che vuoi scendere a comprare?"
- [...] voglio rimanere solo.

LE LIBERE DONNE DI MAGLIANO
di Mario Tobino (1953)

"Tono"

LETTURA ANALITICA MORFOSINTATTICA *

A) Imperfetto indicativo: era - suscitava - cercava - interrogavano - conducevano - aveva - confortavano - sperava - raccontava - descriveva - diceva - faceva - pronunciava - raccontava - era - c'erano - sapevo.
Imperfetto congiuntivo: fosse - scoppiasse - spingesse - attendessero.

B) - "si sperava che fosse vero": il processo temporale di **essere vero** è presentato come contemporaneo al processo dello **sperare**, ma con una denotazione di insicurezza.
- "avanti che scoppiasse": **avanti che** (come **prima che, dopo che**) richiede l'uso del congiuntivo.
- "come solo la verità lo spingesse [...]", "come attendessero l'esito di quella conversazione [...]": le frasi sottintendono un **se** ipotetico: "come **se** solo la verità lo spingesse [...]", "come **se** attendessero l'esito di quella conversazione per [...]". Si presentano paragoni con situazioni ipotetiche irreali.

"Sorelle"

LETTURA ANALITICA MORFOSINTATTICA *

A) - Io **che** sono nato (introduce una frase relativa: da qui in poi "relativo")
   - i paesi **che** quelle tele avrebbero visto (relativo)
   - dagli aghi **che** frusciano (relativo)
   - mi sembrava **che** quelle donne preparassero [...]
     (introduce una frase soggettiva, soggetto di <u>mi sembrava</u>)
   - Le due sorelle **che** sono state ricoverate stanotte (relativo)
   - due caste sorelle **che** non son divenute beghine (relativo)
   - qualcosa **che** incuteva timore (relativo)
   - dire **che** lei era perseguitata (introduce una frase oggettiva, oggetto di <u>dire</u>)
   - comuni uomini **che** avean delle ragioni terrene (relativo)
   - è da notare **che** anche nel delirio manteneva l'infanzia, **che**
     infatti lo mescolava di favola (introducono una frase oggettiva, oggetto di <u>notare</u>)
   - spiegarle **che** non era vero (introduce una frase oggettiva, oggetto di <u>spiegarle</u>)
   - nella sorella, **che** doveva difendere (relativo)
   - una **che** si considerava malata (relativo)
   - all'altra **che** aveva il dovere [...] (relativo)
   - giudicava **che** sarebbe stato giusto (introduce una frase oggettiva, oggetto di <u>giudicava</u>)
   - **che** [...] avessero mosso, fatto nascere dei nemici (introduce una frase oggettiva, oggetto di <u>giudicava</u>)
   - il **che** voleva dire (relativo nominale, sostituisce tutta la frase precedente)
   - più **che** amici (congiunzione per comparazione)
   - coloro **che** avean capito (relativo)
   - dei sogni **che** avevano messo [...] (relativo)
   - era destino **che** esse uscissero fuori dell'umano comune (introduce una frase soggettiva, oggetto di <u>era destino</u>)
   - ci fu un giorno **che** la minore rispose [...] (relativo temporale).

B) - <u>Copula + nome</u>: sono due cucitrici - erano chiese - fosse la verità - fu un segreto - era destino.
   - <u>Copula + aggettivo</u>: eran belle, non sessuali - non fosse possibile - non era vero - è falso - è inutile - è serena - fosse vero - sa-

rebbe stato giusto - fosse vero - sono stata più attenta di te.
- Copula + sintagma preposizionale: è da notare - è in agguato
- Valore esistenziale con ci: c'era la religione del mare - c'era in loro qualcosa [...] - ci fu un giorno.
- Ausiliare di verbo non transitivo: sono arrivate - sono nato - son divenute - era giunta.
- Ausiliare di verbo in "-si": si era fatta calda.
- Ausiliare di verbo passivo: sono state ricoverate - era perseguitata - sono state portate.

"La logica dei deliri"

LETTURA ANALITICA SEMANTICA *
- un uragano di dolore
- serenamente
- spietate
- come fossi circondato e mi fosse vicino il ghiaccio
- con nessuna altra forza che gemere
- dolcezza
- violenza
- temuta
- con ogni pietà
- bizzosissima
- che brama violenza e omicidio
- solitudine
- egoismo
- lussuria
- lupo
- solitudine
- spavento
- sto benissimo e quasi felice
- una delle cose più dolorose
- si sentono come forza selvaggia.

"Speranza"

LETTURA ANALITICA MORFOSINTATTICA *
A) Presente indicativo: dice (dire) - ho (avere) - sospetto (sospettare) - sono (essere) - ripete (ripetere) - è (essere) - trova (trovare) - è

(essere) - è (essere) - esce (uscire) - fa (fare) - attende (attendere) - manca (mancare) - respira (respirare) - è (essere) - ha (avere) - commuove (commuovere).

Presente congiuntivo: peschi (pescare) - faccia (fare) - ridia (ridare) - ritorni (ritornare) - lavori (lavorare) - ridia (ridare) - possa (potere) - monti (montare) - possa (potere) - aiuti (aiutare) - ridia (ridare) - possa (potere) - mi prostri (prostrarsi) - sia benedetta (benedire) - sorrida (sorridere) - faccia (fare) - possa (potere).

B) Processo presentato come insicuro o non reale: peschi - monti.
Processo finale: (si) possa (compiere).
Funzione di imperativo formale: faccia - ridia - ridia - aiuti - ridia - faccia.
Desiderio introdotto da **che**: ritorni - lavori - possa - possa - mi prostri - sia benedetta - sorrida - possa.

LE PAROLE SONO PIETRE
di Carlo Levi (1955)

"Il pittore di realtà"

LETTURA ANALITICA MORFOSINTATTICA **

A) 1. Passato remoto: giunse - conobbi - raccontò - si presentò - disse - trastullò - cominciò - capí - rimase - insistette - decise - seppe - si avviò - vide - si avvicinò - volse - disse - si rese conto - se ne sdegnò - rimproverò - chiese - si turbò - si mosse - mostrò - disse.

Imperfetto indicativo: intendeva - conosceva - pareva - era - si faceva - passava - stavano - squadravano - sputavano - cominciava - voleva - passava - stava (affettando) - passava - stava (facendo).

Le forme **stava affettando, stava facendo** indicano un'azione considerata nel suo svolgersi, con il significato di "in quel preciso momento affettava", "in quel preciso momento faceva".

2. Le forme regolari sono quelle dei verbi in **-are,** che hanno la terminazione -**ò** alla 3ª persona singolare, del verbo in **-ire ca-**

pire (terminazione in -í) e del verbo **insistere** (terminazione in -**ette**). Le altre forme sono irregolari.

B) Il passato remoto viene usato quando nella narrazione si ha un punto di vista temporale preciso dal quale si considera il processo (evento o stato). Quando il punto di vista temporale è vago – cioè non è importante precisare i limiti temporali del processo –, si usa l'imperfetto.

RAGAZZI DI VITA
di Pier Paolo Pasolini (1955)

"Pomeriggi a Monteverde"

LETTURA ANALITICA SINTATTICA **
A) - di terra battuta
  - il Monte di Splendore
  - una gobba di due o tre metri
  - toglieva alla vista Monteverde
  - alcuni giovanotti più anziani
  - raso terra
  - senza effetto
  - bagnati di sudore
  - i maglioni di lana azzurra
  - togliere qualsiasi voglia di scherzare
  - si facevano due chiacchiere
  - "[...] quanto sei moscio oggi, Alvà!"
  - infracicati di brillantina
  - rispose Alvaro
  - la sua faccia piena d'ossa
  - sarebbe morto di vecchiaia
  - Agnolo [...] si alzò
  - senza fretta
  - gridò Rocco
  - riferendosi a Alvaro
  - "Vanno a tubbature"
  - disse Agnolo
  - In quel momento

- giù verso Testaccio, [...], San Paolo
- giù per via Ozanam
- se la fecero a fette
- andavano a cicche
- per un po' di tempo
- di Monteverde Nuovo
- mezzo sacco
- a Donna Olimpia
- monte di Casadio
- il Monte di Splendore
- per via Ozanam o via Donna Olimpia
- piene di sfollati e di sfrattati.

B) <u>Nomi preceduti da dimostrativi</u>:
- In **quel** momento.
<u>Nomi preceduti da quantificatori pronominali (non numerali)</u>:
- **alcuni** giovanotti più anziani
- togliere **qualsiasi** voglia di scherzare.
<u>Espressioni fisse</u>:
- **raso terra**
- se la fecero **a fette**
- "Vanno **a tubbature**"
- andavano **a cicche**.
<u>Nomi propri</u>:
- il Monte di **Splendore**
- toglieva alla vista **Monteverde**
- "[...] quanto sei moscio oggi, **Alvà!**"
- rispose **Alvaro**
- **Agnolo** [...] si alzò
- gridò **Rocco**
- riferendosi a **Alvaro**
- disse **Agnolo**
- giù verso **Testaccio**, [...], **San Paolo**
- giù per via **Ozanam**
- di **Monteverde Nuovo**
- a **Donna Olimpia**
- monte di **Casadio**
- il Monte di **Splendore**
- per via **Ozanam** o via **Donna Olimpia**.
<u>Quantificatori</u>:
- una gobba **di due o tre metri**

- si facevano **due** chiacchiere
- per **un po' di** tempo
- **mezzo** sacco.

Concetto di materia:
- **di terra battuta**
- i maglioni **di lana** azzurra.

Concetto di causa con nomi astratti:
- sarebbe morto **di vecchiaia.**

Concetto di modo ("senza" + nome astratto):
- **senza** effetto
- **senza** fretta.

Costruzioni con certi aggettivi (e verbi):
- **bagnati di** sudore (come "bagnare di sudore")
- **infracicati di** brillantina (come "infracicare di brillantina")
- la sua faccia **piena d'ossa** (come "riempire di ossa")
- **piene di** sfollati e di sfrattati (come "riempire di sfollati").

C) a) L'uso dell'articolo determinativo è impossibile con i dimo-
strativi (che già hanno funzione determinativa), i quantificato-
ri pronominali (che già indicano l'essenza astratta o la classe
di nomi concreti) e nelle espressioni fisse. Esempi (l'asterisco
indica una frase non corretta):
* In quei i momenti...
* Nei quei momenti...
* Gli alcuni giovanotti si misero a giocare.
* Mi è passata la qualsiasi voglia di scherzare.
* Andiamo alle cicche!

b) L'articolo determinativo con i nomi propri di persona generalmente non viene usato, se non regionalmente.
- Il Gianni ha detto che verrà.
Mai si ha, comunque, l'articolo con il nome al vocativo:
* Il Gianni, vieni qui!
Il gruppo "**via** + nome" generalmente non prende l'articolo
determinativo.
I nomi propri di strade compaiono da soli e preceduti dall'articolo determinativo solo per percorsi di una certa importanza
(collegamenti extra-urbani o circonvallazioni), mentre con i
nomi propri di quartiere l'uso è variabile.

c) Sempre escludendo i casi del punto a), l'uso dell'articolo determinativo sarebbe possibile per tutti gli esempi del brano, in
contesti dove il nome venisse ulteriormente specificato.

Esempi:
- Certamente non è piú **il Gianni di dieci anni fa.**
- **Nella via Donna Olimpia che ricordo io** c'erano solo case grigie.
- **I due bicchieri che ho bevuto** mi hanno dato alla testa.
- I maglioni **della lana azzurra di Marisa** (= "che mi ha regalato Marisa") hanno fatto un'ottima riuscita.
- E' morto **della malattia del secolo.**
- La cara collega ha tirato fuori tutta la sua malignità, ma **senza l'effetto che si attendeva.**
- I ragazzi sono arrivati trafelati e bagnati **del sudore della corsa.**

"Notte brava"

LETTURA ANALITICA SEMANTICA E PRAGMATICA *
A) **quello** non se lo fece ripetere - **poi** discesero - **giù** verso Trastevere - **quell'**ora - **liggiù** - **già** avevano finito - con **quella** - **adesso** - **stavolta** - **giù** per il vicolo dei Cinque - **poi** scese - **ormai** che c'erano - **lì** - **poi** la tagliarono - **Lassù** - di **lì** - **dopo** poco più di mezzora.

B) **liggiù** - **già** avevano finito - **adesso** - **stavolta** - **ormai** che c'erano.
Nel primo caso **liggiù** è inserito in un discorso diretto. Negli altri casi si tratta di un'identificazione psicologica con i protagonisti.

QUER PASTICCIACCIO BRUTTO DE VIA MERULANA
di Carlo Emilio Gadda (1957)

"Fascino di maresciallo"

LETTURA ANALITICA
MORFOSINTATTICA E SEMANTICA **

A) <u>Ripetizione</u>: metteva - sognavano - pareva - arrivava - tiravano -
riprendeva - riprendeva - erano - dimenticavano - salutavano -
facevano - chiedevano - facevano - buttavano - dicevano - porgevano - consegnavano.
<u>Attitudine</u>: era - sapeva - virilizzava - pesava - era - era - si rigira-
va - pirlava - fremeva - si rivoltava - piantava - agiva - deliberava
- telefonava - bociava - chiedeva - impartiva - obbedivano - anelavano.

GLI AMORI DIFFICILI
di Italo Calvino (1958)

L'avventura di due sposi

LETTURA ANALITICA
SEMANTICA E MORFOSINTATTICA **
<u>Movimento della persona o dell'oggetto</u> : rincasare - arrivava - entra-
va - si sovrapponevano - si tirava su - entrando - riaffiorare - entrava
- uscire - s'alzavano - stirarsi - uscendo - era entrato - correvano -
veniva - veniva - s'insinuava - correva - andava - veniva - correre -
trotterellare - fermarsi - saliva - entrava - alzandosi - si coricava - si
spostava.
<u>Movimento su una persona o su un oggetto</u>: raggiungendo[la] - spre-
mere - infilava - stava tirando - portava - posava - metteva - passar[si] - spalancare - prendeva - cingere - [s'] abbracciavano - passando - [si] toglieva - dando[si] delle spinte - togliendo[si] - strofinar[si]
- infilar[si] - sporgeva - infilava - apriva - seguiva - seguir[la] - ha
preso - portava - chiudeva - allungava - allungava - affondava.

IL GIORNO DELLA CIVETTA
di Leonardo Sciascia (1961)

"La mafia non esiste"

LETTURA ANALITICA PRAGMATICA *

a) <u>Giudizi di valore</u>: un galantuomo - poveretto - sì: onorata - da siciliano e da uomo qual sono - non voglio considerare se giustamente
o meno - con la mia sincerità di sempre - come uomo ragionevole
quale presumo di essere - quel che, indegnamente, rappresento - il
siciliano che io sono, e l'uomo ragionevole che presumo di essere -
la ragione ha per me, naturalmente, la erre minuscola - poveretto.

b) <u>Espressioni rivolte all'interlocutore</u>: permettetemi di dirlo - lasciatemelo dire - lasciatemelo dire - amico mio - lasciatemelo dire
- se per quello che sono merito un po' della vostra fiducia - per
carità - come vi dicevo - come qui si suol dire - amico mio - lasciatemelo dire - vi assicuro - voi sapete quanto [...] - lasciatemelo
dire con la mia sincerità di sempre - lasciatemelo dire - sapete come [...] - vi cito [...] - lasciatemelo dire - figlio mio - ditemi voi se
[...] - Ma lo conoscete voi? - E c'è una cosa che non sapete.

IL GIARDINO DEI FINZI-CONTINI
di Giorgio Bassani (1962)

"La sinagoga"

LETTURA ANALITICA LESSICALE-SEMANTICA ***

- risaputa	(pag. 100, linea 3 dal basso)
- giacché	(” 100, ” 3)
- pressocché	(” 101, ” 12-13)
- ragguagli	(” 101, ” 2)
- radendo	(” 101, ” 16)
- gremita	(” 100, ” 15)
- convenevoli	(” 100, ” 12)
- talmente	(” 101, ” 5 dal basso)
- erudirli	(” 101, ” 5 dal basso)

- essenzialmente	(pag.101,	linea 15)
- evidenti	(” 101,	” 13)
- implicava	(” 101,	” 1)
- apprezzabile	(” 100,	” 7)
- rozzi	(” 101,	” 3 dal basso)
- medesimo	(” 100	” 10)
- facoltose	(” 100,	” 4 dal basso)
- irrilevanti	(” 101,	” 8 dal basso)
- memoria	(” 100,	” 9)
- distinta	(” 100	” 2-1 dal basso)
- esseri	(” 101,	” 4 dal basso)
- un tantino	(” 101,	” 11)

"Il tennis"

LETTURA ANALITICA MORFOSINTATTICA ***
A)-B)
- meno che **se** si fosse
- **timore che** l'umidità [...] danneggiasse [...]
- **succedere che** ci ritrovassimo [...]
- in **attesa che** Perotti venisse ad aprire
- **fece sì che** [...] sopraggiungessimo [...]
- **L'unico che** [...] venisse [...]
- **mai che** le sue assenze durassero [...]
- era **l'unico** [...] **che** a giocare [...] non mostrasse [...]
- **per presto che** si arrivasse [...]
- **controllare che** tutto fosse in ordine
- **sebbene** fosse chiaro [...]
- insistere **perché** si facessero [...]
- **non si poteva certo dire che** valesse molto
- **per poco che** fosse piovuto.

C)
- **succedere che** ci ritrovassimo [...]
- **fece sì che** [...] sopraggiungessimo [...]
- **L'unico che** [...] venisse [...]
- **mai che** le sue assenze durassero [...] (familiare)
- era **l'unico** [...] **che** a giocare [...] non mostrasse [...]
- **per presto che** si arrivasse [...] (familiare)
- **non si poteva certo dire che** valesse molto (familiare).

"Dopocena di Pasqua dai Finzi-Contini"

LETTURA ANALITICA MORFOSINTATTICA ***

A)

ci sarebbe riuscito	(futuro-nel-passato)
si sarebbe sposata	(" " ")
l'avrebbe piantata	(" " ")
sarebbero state effettuate	(" " ")
sarebbe scoppiata	(" " ")
si sarebbe conclusa	(" " ")
sarebbe rimasto	(contenuto irreale)
sarebbe stato	(" ")
avrei potuto	(" ")
avrei [...] visitato	(futuro-nel-passato)
avremmo mangiato	(contenuto irreale)
ci sarebbe stato	(" ")
avrei avuto	(" ")
sarebbe stato	(" ")
sarei dovuto	(futuro-nel-passato)
avrebbe riaccompagnato	(" " ")
avremmo camminato	(" " ")
avrei potuto	(" " ")
si sarebbe dimostrato	(" " ")
sarebbe finita	(" " ").

B) Telefonavo, dicevo, telefonava, andavamo, dovevo.

L'uso dell'imperfetto generalmente colloca l'azione su uno sfondo temporale vago: perciò all'azione non realizzata (nel testo: "telefonare", "dire", "andare") conferisce il cosiddetto valore "fantastico", creando cioè una prospettiva onirica, in cui l'azione è inquadrata in una dimensione irreale.

Con un valore simile a quello fantastico l'imperfetto è usato nei giochi di fantasia dei bambini ("Io ero il re e tu la regina...") o per raccontare sogni.

Nel caso di "dovevo" si ha ambiguità nel testo tra l'interpretazione di azione non realizzata, che può alternare con il condizionale composto (= "avrei dovuto") e l'interpretazione di azione realizzata nel passato ("presente-nel-passato").

C) Quasi sempre, negli esempi del testo. Nei casi in cui il condizionale composto esprime un futuro-nel-passato si può avere un uso "prospettivo" dell'imperfetto; dove il condizionale composto esprime un contenuto irreale, si può usare l'imperfetto con funzione fantastica.

Nel caso di "l'avrebbe piantata" e "avremmo camminato", invece, l'imperfetto non potrebbe sostituire il condizionale composto con l'accezione di futuro-nel-passato: poiché nel contesto non c'è nessun elemento che indichi chiaramente la futurità dell'azione, si avrebbe infatti ambiguità tra l'interpretazione di futuro-nel-passato e l'interpretazione di azione realizzata nel passato (presente-nel-passato).

LA CASELLANTE
di Dario Fo e Franca Rame (1962)

LETTURA ANALITICA SEMANTICA-STILISTICA ***

TESTO	REGISTRO	FORMA STANDARD
si facci in là	substandard	si faccia in là
'riva	regionale	arriva
si facci in là	substandard	si faccia in là
non capisco un ostrega	regionale	non capisco niente
'speci	regionale	aspetti
si facci più in là	substandard	si faccia più in là
aspetta	regionale	aspetti
si è subito contenta	regionale	si è subito contenti
mica tanto	familiare	non tanto
mica ci fanno pagare	familiare	non ci fanno pagare
che ci abbiamo	regionale	che abbiamo
poi ci viene la tosse	regionale	poi gli viene la tosse
non è venuto su uno solo	substandard	non ne è venuto su uno solo
i bambini... che meno male loro il fumo lo respirano	familiare	i bambini… meno male che loro il fumo lo respirano
derva fuori la porta	regionale	apri la porta
soffegano	regionale	soffocano
Aldino l'è il mio bambino	regionale	Aldino è il mio bambino
mica li devono fare tutti	familiare	non li devono fare tutti
traverso i boschi	regionale	attraverso i boschi

a piotti	substandard	a piedi
a guardarsi indietro	substandard	a guardare indietro
a quelli		a quelli
ha voglia ad essere	familiare	pur essendo
pessa il merce	substandard	passa il merci.

LA SCOPERTA DELL'ALFABETO
di Luigi Malerba (1963)

LETTURA ANALITICA SEMANTICA *
A) Espressioni temporali:
- **Al tramonto** Ambanelli smetteva di lavorare.
- "Perché **prima e dopo?**"
- "**Poi** viene C che si può pronunciare in due modi."
- Il ragazzo non sapeva **più** che cosa dire.
- **quando devo firmare una carta** non mi va di mettere una croce.
- **poi** fece vedere il foglio al contadino
- e **poi** la ricalcava a matita
- Ambanelli voleva **sempre** saltare la seconda A
- ma **dopo un mese** aveva imparato a fare la sua firma
- e **la sera** la scriveva sulla cenere del focolare
- **Quando vennero quelli dell'ammasso del grano e gli diedero da firmare la bolletta**, Ambanelli si passò sulla lingua la punta della matita copiativa e scrisse il suo nome.
- e forse è per questo che **in seguito** molti lo chiamarono Amban
- anche se **poco alla volta** imparò a scrivere la sua firma più piccola
- e **dopo** l'alfabeto scrissero insieme tante parole
- che se le sognava **la notte**
- **Poi** imparò a legarle insieme
- e **un giorno** scrisse "Consorzio Agrario Provinciale di Parma".
- e **quando ne ebbe imparate** cento gli sembrò di aver fatto un bel lavoro.
- e **quando ne trovava una** era contento.

B) - **"Prima di tutto** c'è A."[1]
   - **"Poi** c'è B."[1]
   - "se io dico che c'è **prima** B e **poi** c'è A forse che cambia qualcosa?"
   - **"Prima** c'è A," disse il figlio del padrone
   - **"poi** c'è M."
   - **"Poi** c'è B e **poi** A un'altra volta."

[1] Qui il contadino Ambanelli interpreta la successione astratta in un senso temporale concreto: per questo risponde "Perché prima e dopo?" (cfr. sopra), dove **dopo** ha solo carattere temporale. Gli usi di **dopo** con funzione locativa sono in realtà ellissi: "Dopo Firenze troverà la prossima stazione di servizio" significa "Dopo che avrà passato Firenze...".

C) L'espressione è **allora**, con valore conclusivo nei contesti:
   - **"Allora** andiamo avanti."
   - **"Allora** ricominciamo da capo con la mia firma."

"Il museo"

LETTURA ANALITICA SINTATTICA E SEMANTICA *
A) dietro casa - in fondo alla valle - a letto - sul fuoco - dal camino - nei muri - verso il Grontone - sul greto del Grontone - su questo pensiero - dalla fontana - al riparo - per la strada - verso Casa Gervella - al posto della casa - nel fango - al lavoro - fra le macerie - sotto un albero - dentro la nebbia - fra le tante cose - da parte - dal Calamello - a casa.

B) Le espressioni di luogo metaforico sono:
   - su questo pensiero
   - al lavoro.

C) - "L'acqua".
   - "l'acqua [che entra nei muri...]".
   - Ottantadue.
   - Affare di pochi secondi, [...].
   - [...] poi niente.
   - Una pioggia sottile e insistente dentro la nebbia.
   Le frasi, tutte dal carattere presentativo, assumono senza il verbo **essere** o **esserci** maggiore immediatezza ed efficacia, paragonabile a quella di una fotografia istantanea.

IL MALE OSCURO
di Giuseppe Berto (1964)

"Il divano"

LETTURA ANALITICA MORFOSINTATTICA **
- **mi** presento - **lui mi** accenna - **io mi** trovo - togliermi - stendermi **me le** tolgo - **si** dicono - **io mi** ricordo - **si** vuole portare rispetto - non **mi** puzzano - **me lo** avrebbe rinfacciato - **io** credo - **si** capisce - **ci si** mette sopra - **mi** dà un fastidio maledetto - **lei si** mette - **io** prendo quel suo atteggiamento - **mi** sembra - **io** alle scarpe sui divani attribuisco [...] - **mi** dibatto - se togliermi - chiederlo a **lui** - togliermele - **mi** sembra - **io** stento - offensivo per **lui** - **mi** tolgo - **mi** sdraio - le fanno meglio - **mi** rimane - **ci si** devono togliere - farsi psicoanalizzare - **io** in genere [...] **le** sbaglio - **la** sbaglio - informandomi - **ne** discuterò - **si** sarà verificato - **ci** sarà - **egli** dirà - **si** senta - **io** come **mi** sembra - **mi ci** trovo disteso - **si** dice - presentarsi - a **me** strano a dir**si** riesce - **mi** è possibile esser**lo**.

"Pubblico"

LETTURA ANALITICA SINTATTICA **
A) 1. - al medico **il quale** [...] arriva ad indovinare
   - le spontanee associazioni **che** il paziente fa.
   - qualcosa **che** è sepolto dentro di lui
   - ricordi lontanissimi **che** per il paziente erano dimenticati
   - nell'inconscio **dove** peraltro non è...
   - azioni e condizioni e stati morbosi **di cui** la parte consapevole dell'individuo non capisce nulla
   - sogni **che** qualcuno deve avere pure definito vere finestre aperte sull'inconscio
   - gente **che** dovrebbero essere veneziani
   - pensieri complicatissimi e densi **dei quali** altri si sarebbero serviti
   - tipi **che** possono parlare di tutto su due piedi
   - le persone **che** lo concedono solo raramente
   - un capolavoro **che** non riesco a mandare avanti
   - successo oratorio **che** è più a portata di mano
   - mia sorella venuta dopo di me **che** [...] recita la poesia

- dei signori **che** la ascoltano incantati
- una pasta **che** lei si pappa immantinente
- me **che** ho i riccioli biondi alla paggetto.

A) 2. - non è **che** giaccioni senza far niente
- sono capace di sognare [...] **che** mi alzo
- dato **che** io stento a spiccicare le parole
- succedeva **che** [...] la memoria mi si bloccava
- significa **che** io ho un senso di inferiorità
- significa **che** ambisco ad avere successo
- il fatto **che** io sogni il successo
- alla circostanza **che** da tempo tengo in un cassetto tre meravigliosi capitoli di un capolavoro
- succede **che** il medico [...] giocherella con le chiavi
- segno **che** non è per niente soddisfatto
- senza contare **che** ci sono paste e caramelle e cioccolatini
- dopo **che** ha finito di recitare la poesia
- e dice **che** sono proprio gnucco
- per questa storia, cioè **che** la mamma vuol bene a mia sorella
- non c'è dubbio **che** una delle principali manifestazioni di esso è **che** io [...] mi sento inferiore
- ho l'impressione **che** me ne fotto di fare discorsi.

B) 1. a) La costruzione è "**di** + verbo all'infinito".

b), c) La costruzione è possibile in:
- "sono capace di sognare [...] **di alzarmi**": la forma "che mi alzo" è stata forse preferita dall'autore per evitare la ripetizione di "**di** + infinito".
- "il fatto **di sognare** il successo": il soggetto dell'infinito è indeterminato e, in quanto tale, consente la ricostruzione del soggetto "io" nel contesto.
- "alla circostanza **di tenere** da tempo [...]": vedi esempio precedente.
- "segno **di non essere** per niente soddisfatto": vedi esempio precedente.
- "ho l'impressione **di fottermene**": c'è identità di soggetto tra "avere l'impressione" e **fottermene** ("io"). In questo caso la scelta della forma con il **che** sembra motivata semanticamente: la costruzione con "**che** + verbo finito" è sintatticamente piú autonoma rispetto a quella con "**di** + infinito" e crea quindi la sensazione di maggior distacco dalla frase da

cui dipende. Con tale costruzione l'autore accentua la sua posizione di osservatore di se stesso dall'esterno.

In tutti gli altri casi la variante "**di** + infinito" non è possibile perché non c'è identità di soggetto tra il verbo reggente ed il verbo della frase introdotta da **che**.

Inoltre:
- **dato che**, che forma un'unità lessicale con valore di causa, non ha la variante con "**di** + infinito";
- **la storia che** non ha la variante con "**la storia di** + infinito".

LA MACCHINA MONDIALE
di Paolo Volponi (1965)

"Concetti"

LETTURA ANALITICA MORFOSINTATTICA E SEMANTICA **

Entità specifica: nel loro avvento - al servizio - all'idea - al servizio - il problema - l'angoscia - tutta la società - del segno indicato - gli stessi - dello squilibrio - delle sue forze - la propria indulgenza - nella pretesa - la mia statuina - il momento - dello sguardo - la statuina - i suoi occhi - l'esplorazione - dell'universo - alla vita - fino alla creazione - secondo la guida.
Classe: nelle macchine - dell'uomo - delle macchine - dell'uomo - le macchine - negli inganni - gli uomini - i potenti - i paesaggi - le donne - gli uomini - nelle macchine - delle api - al giorno.
Concetto generale: - nella gozzoviglia - dell'ingiustizia - la natura - lo spazio - l'eternità - l'immobilità - all'ordine nazista - alla selezione - in mezzo all'ordine comune.

"Ambiguità, meschinità"

LETTURA ANALITICA SEMANTICA *
- coraggio - abilità - abilità - nobiltà - appetito - aggressività - accanimento - ira - cattiveria - umiltà - mansuetudine - ambiguità - meschinità - incapacità di muoversi - insufficienza [della vera onestà e

della vera abilità per se stessi e davanti alle cose] - mancanza della vera onestà e della vera abilità per se stessi e davanti alle cose - onestà - abilità per se stessi e davanti alle cose - onestà.

"Roma è così"

LETTURA ANALITICA MORFOSINTATTICA *
A) - sia - sia - sia fatta - costi - convenga - si liberino - amino - non amino - sia - sia - (si) possano (fare) - sia - convenga - vada scelta - vadano sposate - (si) possa - (si) possa - sia - abbia - convenga - convenga - convenga - possa - stiano - convenga.

B) Per distanziarsi dal punto di vista dei contadini marchigiani, riportando le loro testimonianze l'autore adotta il congiuntivo. Per presentare dati più vicini al punto di vista dell'autore viene usato l'indicativo.

TEOREMA
di Pier Paolo Pasolini (1968)

Altri dati

LETTURA ANALITICA MORFOSINTATTICA *
- informativo - realistico - emblematico - enigmatico - preliminare - indicativo - sereno - segreto - timidi - tutelare - annoiata - intelligente - raro - preziosa - radente - alti - consunti - mortuari - lungo - nero - cianotico - barbarico - cupa - piccolo - fugace - falsa - illuminata - reazionario - misteriosa - povero - sacro - immobile - fragile - felici - torva - adatto.

L'AVVENTURA DI UN POVERO CRISTIANO
di Ignazio Silone (1968)

Quel che rimane

LETTURA ANALITICA LESSICALE-SEMANTICA **
<u>Nomi di attività</u>: richiesta - chiarimento - scelte - tradimenti - violenze - delitti - illegalità - guida - recriminazioni - avvenimento - sforzo - resistenze - deliberazioni - rottura - considerazione - rottura - estraniazione - frequentazione - lusinga - violenza - sforzo - esemplificazione - accenno - distruzione - emancipazione - aberrazioni - tentativo - aggiornamento - suggestione - culti - rito - vilipendio.
<u>Nomi astratti</u>: fastidio - indifferenza - fede - insofferenza - arretratezza - passività - conformismo - confusione - preferenza - vitalità - distacco - orgoglio - rispetto - interesse - debolezze - perplessità - livore - risentimento - astio - acquiescenza - prestigio - fascino - plausibilità - travaglio - benevolenza - ingenuità - validità - volontà - culto - dissenso - cristianesimo - rispetto - nostalgia - fraternità - attaccamento - fedeltà - socialismo - servizio - potenza.

N.B. - Alcuni nomi presenti nel brano hanno entrambi i significati di "nome di attività" e "nome astratto" oppure, avendo uno solo di questi due significati, possiedono un'ulteriore accezione. E' il caso di:

collocazione: qui "posizione"; è anche nome di attività
esperienza: qui "prova pratica"; è anche nome astratto
educazione : qui "principi morali insegnati"; è anche nome di attività
dissensi: qui "temi su cui si dissente"; è anche nome di attività
miseria: qui "situazioni misere"; è anche nome astratto
illegalità: qui "azioni illegali"; è anche nome astratto
distacco: qui "essere interiormente distaccati"; è anche nome di attività
spiegazione: qui "motivo"; è anche nome di attività
dissenso: qui "i dissidenti"; è anche nome di attività
determinismo: qui "ragionamento deterministico"; è anche nome astratto

verità: qui "cosa vera"; è anche nome astratto
intelligenza: qui "persona intelligente"; è anche nome astratto
elaborazione: qui "elaborato, prodotto"; è anche nome di attività
esperienza: qui "prova pratica"; è anche nome astratto
coscienza: qui "istanza morale"; è anche nome astratto
socialfascismo: qui "periodo storico socialfascista"; è anche nome astratto
nazismo: qui "periodo storico nazista"; è anche nome astratto
ortodossia: qui "dottrina ortodossa"; è anche nome astratto
stalinismo: qui "periodo storico stalinista"; è anche nome astratto
culto: nel primo esempio "rispetto profondo", quindi nome astratto; nel secondo esempio "tributo di onore", quindi nome di attività.

IL LUNARIO DELL'ORFANO SANNITA
di Giorgio Manganelli (1973)

Neointenditori

LETTURA ANALITICA SINTATTICA *
A) Frasi contenenti una negazione:
    1) **non** ne esiste **piú**
    2) che voi **non** commettereste **in nessun caso**
    3) avendo un'opinione di sé affettuosa **se non** supponente
    4) **non** c'è borgo in Italia che tuttora **non** formicoli di arguti e sentenziosi strateghi del pallone o del guantone
    5) Forse le cose col vino **non** sarebbero finite catastroficamente, [se] **non** ci fosse stato di mezzo il 1964
    6) **non** ci fu vino che **non** avesse il suo '64
    7) La nostra società [...] **non** incoraggia una maniacale virtù nel commercio e nella produzione
    8) Il neointenditore **non** è la stessa cosa del praticante di hobby
    9) hobby economicamente irrilevanti, che **non** fanno industria e **non** si professano nobilitanti.
    10) Se avete lo hobby delle mummie della valle dei Re, **non** siete un neointenditore.

B) Enunciato negativo:
- in una frase negata con il solo **non**: esempi 1, 7, 8 e 10.
- in una frase con '**non** + locuzione avverbiale che rafforza la ne-
    gazione': esempio 2.
- in frasi coordinate negate con **non**: esempio 9.

Enunciato affermativo:
- con la costruzione '**non**... **che**', dove si negano le alternative alla
    frase introdotta da **che** (valore esclusivo-restrittivo): esempi 4 e
    6. Le frasi 4 e 6 equivalgono rispettivamente a:
4)a Ogni borgo in Italia formicola di arguti e sentenziosi strate-
    ghi del pallone o del guantone.
6)a Ogni vino aveva il suo '64.
- con la costruzione '**non**... **se non**', analoga alla precedente:
    esempio 5. La frase equivale a:
5)a Forse le cose col vino sono finite catastroficamente perché c'è
    stato di mezzo il 1964.

Effetto di "quasi-negazione" con **se non**: se, solo per concessione
all'ascoltatore o al lettore, il parlante italiano vuole negare un
aspetto o ridurre il grado di intensità semantica di un elemento
della frase, può applicare questa strategia linguistica: accanto al
termine scelto come piú adeguato viene espresso anche il termine
piú "forte", negato con **se non**. Nel testo è l'esempio 3, con aggettivi.
Esempi con altri costituenti sintattici:
i) Vorrei, se non dormire, (almeno) riposarmi un po'.
ii) Vorrei passare il pomeriggio, se non dormendo, (almeno) ri-
    posandomi.
[se potessi, dormirei volentieri]
iii) Gianni è, se non un imbroglione, (almeno) un gran furbo.
[in fondo credo proprio che sia un imbroglione]
iv) Per le quattro vorrei arrivare, se non fino a Parigi, (almeno) fi-
    no a Strasburgo.
[sarebbe bello per le quattro essere già a Parigi]
v) Questa legge è, se non politicamente, (per lo meno) economi-
    camente sbagliata.
[in fondo credo che sia sbagliata anche politicamente]

Il Padrino

LETTURA ANALITICA SEMANTICA *

- [i berretti] **dei** ladruncoli
- [i molli feltri] **dei** killers
- [gli impermeabili] **delle** spie
- [un libro] è **delle** dimensioni
- [dimensioni] **dei** *Promessi Sposi*
- **di** libri grossi [...] ne esiste solo [uno]
- [non ultima menda] **del** *Padrino*
- [quella] **di** non essere *I Promessi Sposi*
- [un lettore] **di** professione
- [il piacere...] **di** natura modesta, **di** qualità semplice, **di** intensità mediocre
- [un lettore] **di** professione
- [i nomi] **delle** strade
- [un gioco] **da** ragazzi
- [quello] **di** non venire arrestati
- [si ricava] **dal** rifiuto
- [dal rifiuto] **di** vedere il film *Il Padrino*
- [la trama] **delle** voluttà
- [le prime] **del** film
- [decine] **di** migliaia **di** spettatori
- [sposi] **di** primipare
- [una formà] **di** [...] letizia
- [letizia] **della** "solitudine efficiente"
- [tra l'una e le tre] **del** pomeriggio
- [uno] **dei** massimi piaceri
- [piaceri] **della** civiltà contemporanea
- [l'astuzia] **di** essere altrove
- [nulla] **della** storia
- [la storia] **del** *Padrino*
- [ho dedotto] **da** casuali osservazioni
- [osservazioni] **di** conoscenti
- [si tratta] **di** una storia **di** mafia
- [una storia] **di** mafia
- [dimissioni] **di** sindaci
- [l'attenzione] **degli** indagatori e **dei** giornalisti
- [le cose] **di** Sicilia
- [un film] **di** fantapolitica

- [siciliani] **da** romanzo
- [americani] **da** burla
- **da** un lato
- [cucina] **del** ricatto e **dell'**omicidio
- **dall'**altro
- [più patetici] **degli** italiani
- [la pesca] **del** salmone
- [l'idea] **dell'**italiano
- [l'italiano] **dei** film americani
- [amante] **della** famiglia
- [senso] **del** pudore
- [senso del pudore] **degli** uomini
- [gli uomini] **del** coltello e **del** mitra
- **da** noi
- [si alimenta] **dell'**amore
- [obiettivo] **di** illuminare...
- [la nobiltà] **del** crimine
- [sensi] **di** colpa
- [timorosi] **delle** leggi
- [rispettosi] **dei** semafori
- [ignari] **di** armi
- [armi] **da** fuoco
- [film] **di** gangster
- [sovraccar˙ ˑ] **di** tritolo
- [tritolo] α.   ɪa qualità
- [il raffreddor˷ ˑi un figlioletto
- [la vita] **del** fᵢᵧ.
- [le migliaia] **di** spe_tatori
- [spettatori] **del** *Padrino*
- [una "banda] **dei** papà"
- [un padre] **di** famiglia
- [sviando] **dai** loro compiti naturali
- [Si tratta] **di** una confusione professionale.

N.B.
Nel caso di:
- un'Italia **del tutto** fittizia
- in modo **del tutto** gratuito e diffamatorio
- **di fatti** poco dopo esplodeva con tutta la banca
si tratta di locuzioni avverbiali.
Nel caso di:

- **lontano da** una rissa
- **al di sopra di** un certo tasso

si tratta di preposizioni composte.

LA STORIA
di Elsa Morante (1974)

"Mussolini e Hitler"

LETTURA ANALITICA MORFOSINTATTICA *
Participio presente: ricadente - seguenti - rispondente - vivente - vivente.

Participio passato: ingrandite - incorniciate - accumulate - predestinato - beatificati - umiliata - impestato - degradata - compresa - agglutinato - protetta - seguíta - aggiogato.

IL SISTEMA PERIODICO
di Primo Levi (1975)

"Ferro"

LETTURA ANALITICA SEMANTICA-PRAGMATICA*
- era generoso, sottile, tenace e coraggioso, perfino con una punta di spavalderia, ma possedeva una qualità elusiva e selvatica [...]
- del suo involucro di ritegno
- del suo mondo interiore, che [...] si sentiva folto e fertile
- Era fatto come i gatti, con cui si convive per decenni senza che mai vi consentano di penetrare la loro sacra pelle.
- passava le estati a fare il pastore [...] non per retorica arcadica né per stramberia, ma con felicità, per amore della terra e dell'erba, e per abbondanza di cuore.
- Aveva un curioso talento mimico
- Mi insegnava di piante e di bestie, ma della sua famiglia parlava poco.
- Erano gente semplice

- il ragazzo era sveglio
- lui aveva accettato con serietà piemontese, ma senza entusiasmo.
- tirando al massimo risultato col minimo sforzo
- Aveva scelto Chimica perché [...] era un mestiere di cose che si vedono e si toccano, un guadagnapane meno faticoso che fare il falegname o il contadino.

CENTURIA
di Giorgio Manganelli (1979)

Ottantacinque

LETTURA ANALITICA SEMANTICA **
- non [...] dal dubbio [...], ma dalla assoluta certezza.
- non già la felicità, ma il rapporto con qualcosa di centrale.
- sebbene, ripensati ora, i sogni sembrino senza senso, nel momento in cui li sognava erano centrali
- apparire e scomparire
- che nella notte allucinata fosse il significato, che il mondo in cui rientra ogni mattina sia semplicemente l'assenza di senso.
- L'assenza di senso è coerente e prevedibile, e la sensatezza è enigmatica e scostante.
- Dove non si capisce si è prossimi al centro, dove si capisce si è all'estrema periferia, si è fuori.
- non sa che cosa e come pregare, però sa che cosa intende con preghiera
- nella coerenza del giorno l'incoerenza dell'allucinazione sensata.

LA SICILIA COME METAFORA
di Leonardo Sciascia (1979)

"Anima romana, anima araba"

LETTURA ANALITICA LESSICALE-SEMANTICA **
Le espressioni modificate (rafforzate o indebolite) sono riportate in carattere normale, le espressioni che rafforzano o indeboliscono

compaiono in carattere grassetto. Con "D" viene indicata la funzione di indebolimento, con "F" quella di rafforzamento.

- **una specie di** "giuridicismo" (D)
- **effettivamente** viene applicato (F)
- **si ha la sensazione che** parli della Sicilia odierna (D)
- l'abbiano modificata **poco o niente** (D)
- **nell'insieme** timidi (D)
- **dando l'impressione di** una realtà umana immobile (D)
- immobile nonostante le invasioni, [...]: **sia pure** [con caratteri specifici] (D)
- dritt**issimo** (F)
- "**latino latino**" [raddoppiamento] (F)
- improntare **davvero** di sé (F)
- **Tuttavia** (D) [retroattivo: indebolisce tutto quanto enunciato nel discorso precedente]
- **nonostante le invasioni subite,** sono stati del tutto impermeabili alle invasioni straniere (F)
- **del tutto** impermeabili (F)
- **autentica** identità sicula (F)
- **sempre** a contatto di movimenti [...] realistici (F)
- **di solito** esterni (D)
- **che possiamo chiamare** realistici (D)
- si ritrova **persino** in quella specie di scuola fotografica (F)
- **talvolta** misconosciuti (D)
- **soprattutto** all'estero (F)
- non [hanno] **mai** [contato] (F)
-    hanno mai contato **molto** (D)
- era giunto **persino** a immaginare (F)
- non [v'era] **nessuna** [persona colta] (F)
- indurre **davvero** a credere (F)
- **assai** più [popolare] (F)
- a essere maliziosi sono... (F) [costruzione con frase scissa]
- non [lo è] **per niente** (F)
- **proprio** a causa della sua stoltezza (F)
- **dopo tutto** indenne (D)
- non appartiene, **come si potrebbe credere,** al mondo contadino (F)
- **uno di quei** miserabili (F) [anziché: "un miserabile"]
- **Del tutto** inconscio (F)
- **una sorta di** aura sacra (D)

- semplic**issimo** (F)
- quel **preciso** [istante] (F)
- siete stato voi [...] che... (F) [costruzione con frase scissa]
- una... **precisa** (F)
- irresponsabile **com'è** (F)
- non [partecipa] **affatto** (F)
- **pur sempre** (F) **completamente** (F) solo
- **appunto** (F) dalla nostra anima araba
- **comunque sia** (D) [indebolisce la forza delle due ipotesi immediatamente precedenti]
- non [si dice] **mai** (F)
- **solo** al presente (F)
- **profondamente** radicata (F)
- **completamente** se stessi (F)
- [essere ...] **solo** (F) personaggi
- non [è] **mai** (F)
- **sempre** (F) senza di voi
- **soltanto** (F) in un ambiente estraneo
- vi ignorano **totalmente** (F)
- **ogni** affermazione (F)
- l'intimità **stessa** (F)
- La **vera** solitudine (F)
- non [ha] **ormai** (D)
- un **solo** (F)
- **fatalmente** d'accordo (F)
- non [si pensa] **affatto** (F)
- lo [si accetta] **qual è** (F).

DICERIA DELL'UNTORE
di Gesualdo Bufalino (1981)

"La storia dei tre ladroni"

LETTURA ANALITICA LESSICALE-SINTATTICA **

A) anche se - che - mentre - che - come - che - chi - che - che -che - chi - se - mentre - che - al punto che - che - che - finché - prima che - mentre - che - cosa - se - come - quasi - mentre - che - che -

che - perché - che - che - per cui - chi - che - perché[1] - che - che - che - che - se - se - come - che.

[1] In questo caso la frase principale non viene espressa apertamente. Essa viene tuttavia ricostruita contestualmente ("[Ti dico questo] perché..."), come somma di diverse argomentazioni espresse nelle frasi precedenti. Si tratta di una comune strategia della conversazione.

B) Gli elementi della frase principale da cui eventualmente dipende la presenza e la scelta della preposizione sono dati tra parentesi. Con "_" si indica l'assenza di preposizione davanti all'infinito.

- (tornava) a propormi
- per scoraggiarlo
- (scoraggiarlo) dal proseguire
- senza badarci
- per contentarlo
- (dovranno) _ [...] indossare
- (saprà) _ [...] indovinare
- (può) _ salvarsi
- (possa) _ [...] dedurre
- (sta a te) _ dirmi
- (posso) _ sperare
- (pretendesse) di essere
- (ci eravamo sorpresi) [...] a guardarci
- (stetti) a chiedergli conto
- (chiedergli conto) di avere schivato
- (parve) _ assopirsi
- senza riuscirci
- (mi sforzavo) di sciogliere
- (giunsi) a ghermire
- (tornassero) a rintanarsi
- dopo aver tribolato
- (venne) a porsi
- (garantisce) di trovare
- (viene) da chiedersi
- (sa) di servire
- (l'azzardo [...] è) di puntare
- (aiuta) a salvarsi
- (supponi) di essere rimasto

- (prova) a chiederti
- (cominciai) a intravedere
- (avrebbe capito) d'avere
- (avrebbe capito) di non poterlo avere
- (poterlo) __ avere
- (puoi) __ rivestirti.

N.B. - In "**scoraggiarlo dal proseguire**" si ha uno dei rari casi di verbo che richiede **dal** prima del verbo all'infinito che segue. Altri esempi sono 'rifuggire' e 'aborrire'.
In **dal vedermi riflesso** si ha un esempio di infinitiva con valore causale, a cui generalmente è preferita la costruzione 'al + infinito', con valore temporale-causale.

NARRATE, UOMINI, LA VOSTRA STORIA
di Alberto Savinio (1984)

Nostradamo: "La Felicità"

LETTURA ANALITICA
MORFOSINTATTICA-SEMANTICA *
- dove **passava Nostradamo**
- ai **suoi** piedi, **gli** baciava le mani, **lo** chiamava "**salvatore**"
- **Nostradamo**
- **lo** colmavano di doni
- il **suo** ritratto
- **Nostradamo chiamò** intorno a **sé** gli orfani e le vedove
- in **lui**
- **egli è fornito**
- è dunque **un falsario?**
- **ha scoperto** la pietra filosofale?
- anche a **lui**
- dietro la mula **del salvatore**
- il "**dottore**", **vestito** di robone
- non **ha** la prestanza [...]
- a **suo** modo, **Nostradamo** non **manca** di fascino
- le **sue** virtù
- del **suo** animo

- nell'animo **del "dottore"**
- **questi, che ha affrontato** la peste nera senza **batter ciglio, sente** [...]
- serrar**gli** lo stomaco
- scioglier**gli** le ginocchia
- nel fondo di **lui**
- **gli** potrà essere chiarito
- **Nostradamo serra** i talloni
- **lancia** la povera bestia [...]
- Che cosa **ha visto Nostradamo?**
- **Nostradamo sente** alle spalle il fiato dei **suoi** inneggiatori.
- **lo** morde
- di **vedere**
- non **ha potuto** se non **intravedere**
- davanti a **lui**
- davanti a **Nostradamo**
- **lui** solo vede
- "**Nostradamo,**" ella dice "la **tua** ora è giunta. [...]"
- " [...] **Dammi** la mano e **cerchiamo** di far**ci** compagnia".
- **Nostradamo** non **si è ancora determinato**
- " [...] **continuavo a scappare!**" **pensa** dentro di **sé Nostradamo, ispirato suo** malgrado [...]
- **gli** si va manifestando.

Nostradamo: *"Morbus propheticus"*

LETTURA ANALITICA SINTATTICA **
A) - se ne tornava
   - intristirsi
   - consumarsi
   - si annerì
   - si sparse
   - si risucchiò
   - si ricostituì
   - si scurisce
   - si gonfia
   - si apre
   - si trova
   - si accentuano
   - (si) moltiplicano

- convertirsi (in mercurio)
- si purifica
- si conclude
- si compiono
- si consuma
- si muovono
- sciogliersi
- si gode
- si è incontrata
- si aprivano
- abituarsi
- si esercitasse
- si stringe
- si voltò (in desiderio)
- si contrasse
- si sentì (l'occhio)
- spogliarsi
- riempirsi
- (non) si alterò
- (non) si velò
- s'inginocchiò
- si affacciava
- si faceva piccolo piccolo.

a) <u>Riflessivo</u>: si purifica - si contrasse - spogliarsi - riempirsi - si faceva piccolo piccolo.

b) <u>Affisso di verbi ergativi</u> : intristirsi - consumarsi - si annerí - si sparse - si ricostituì - si scurisce - si gonfia - si apre - si trova - si accentuano - (si) moltiplicano - convertirsi (in mercurio) - si conclude - si compiono - si consuma - si muovono - sciogliersi - si aprivano - abituarsi - si esercitasse - si stringe - si voltò (in desiderio) - (non) si alterò - (non) si velò.

N.B. - Si riportano i verbi "convertirsi" e "voltarsi" con il complemento retto da **in**, poiché questi verbi con altre preposizioni assumono significato diverso: rispettivamente, "convertirsi a" = "passare a" (un'ideologia o una religione diversa) e "voltarsi" = "girarsi".

c) <u>Riflessivo inerente</u> : s'inginocchiò - si affacciava.

d) <u>Reciproco</u>: si è incontrata (col suo amoroso).

e) <u>Benefattivo/malefattivo</u>: se ne tornava - si risucchiò - si gode.

f) Oggetto indiretto <u>riflessivo</u> con valore di <u>possessivo</u>:
   - si sentì (l'occhio).

N.B. - Si riporta il complemento oggetto **l'occhio** per differenziare il **si** di appartenenza dal **si** riflessivo del verbo "sentirsi".

B) Sono i verbi di cambiamento di stato, nel gruppo dei verbi ergativi:

intristirsi - consumarsi - si annerì - si ricostituì - si scurisce - si gonfia - si accentuano - (si) moltiplicano - convertirsi (in mercurio) - si consuma - sciogliersi - abituarsi - si stringe - si voltò (in desiderio) - (non) si alterò - (non) si velò.

NARRATORI DELLE PIANURE
di Gianni Celati (1985)

L'isola in mezzo all'Atlantico

LETTURA ANALITICA MORFOSINTATTICA **
I numeri indicano la progressione delle frasi relative nel racconto: p.es., 2) è la seconda frase relativa che compare, 4) è la quarta, etc.

a) <u>Frasi relative restrittive:</u>
2) (qualcuno) che abitava su un'isola in mezzo all'Atlantico
3) (lingua) che il radioamatore italiano capiva poco
4) (il luogo) in cui abitava
7) (di ciò) che vedeva dalla sua finestra
13) (d'un uomo) con cui parlava da mesi
14) (un piccolo apparecchio) con cui poteva localizzare i suoi contatti radio
15) (la lunga strada) che faceva un percorso circolare attorno al promontorio coperto d'erica
16) (un punto) in cui la costa era mangiata dal mare
18) (la vecchia casa in pietra grigia) che aveva appena finito di rendere abitabile
20) (sul promontorio coperto d'erica,) dove un giorno Archie aveva visto le ossa e il vello d'una pecora aggredita da uno sparviero
21) (sul promontorio coperto d'erica,) dove altre volte aveva visto le capre selvatiche [...]
22) (le capre selvatiche, [...]) che abitano quel promontorio

23) (una vasta spiaggia sopraelevata sulla costa orientale,) che l'anno prima era per metà crollata in mare

24) (l'argomento) che stava loro a cuore

25) (allora,) quando il padrone di casa ha saputo [...]

27) (a ciò) che gli stava attorno

28) (di ciò) che vedeva in quegli infami quartieri della periferia di Glasgow

31) (ciò) che gli stava attorno

34) (quello) che aveva permesso ad Archie di andarsene per cinque anni.

b) Frasi relative appositive:

1) (un radioamatore di Gallarate [...],) il quale s'era messo in contatto con qualcuno [...]

5) (del cielo) che spesso era sereno benché piovesse

6) (della pioggia) che su quell'isola scendeva orizzontalmente per via del vento

8) (dalla sua fidanzata,) che sapeva l'inglese meglio di lui

9) (tra prati) dove pecore e vacche pascolavano senza recinti

10) (fino a un piccolo altipiano) che sbarrava l'orizzonte

11) (d'un faro) che, secondo Archie, era il punto più lontano ad ovest del continente, in mezzo all'Atlantico

12) (da Archie,) il quale invece gli parlava ogni volta delle sue passeggiate

17) (in un piccolo promontorio erboso,) sul quale doveva sorgere la casa di Archie

19) (una duna piena di tunnel) che sembrava una metropoli sotterranea

26) (un poliziotto di Glasgow,) che una notte aveva sparato a un ragazzo [...]

29) (per cinque anni, a vivere con sua moglie da qualche parte;) dopo di che sarebbe tornato [...]

30) (cinque anni,) durante i quali egli aveva imparato [...]

32) (il loro padrone di casa) che sapeva tutta quella storia

33) (il loro padrone di casa) [che] si chiamava anche lui Archie.

N.B. - La frase "come di solito avviene", che si trova tra la 8) e la 9), potrebbe essere considerata una relativa indipendente, ma anche un'ellissi della comparativa "[così] come di solito avviene".

La frase "(la vedesse là fuori), che si stendeva concava...", che compare tra la 9) e la 10), non è da considerarsi una relativa: questa costruzione con il **che** si trova solo con pochi verbi (**vedere, trovare, incontrare, sorprendere, cogliere,** etc.) ed è limitata al soggetto (per esempio la frase "La vede là fuori, che fotografano i turisti" non è accettabile).

A differenza del caso della frase 25), in "Quando sono sbarcati hanno subito ritrovato la lunga strada [...]", che si trova subito prima della frase 15), non si ha un caso di realtiva. Nota che qui **quando** non significa "nel momento/periodo in cui", ma "dopo che".

Idee d'un narratore sul lieto fine

LETTURA ANALITICA MORFOSINTATTICA **

A) è tornato - ha deciso - accettava - si recava - è accaduto - s'è innamorata - veniva alla luce - era requisito - appariva - decideva - devastavano - bastonavano - continuava - ha chiuso - s'è ritirato - è stato ricoverato - restava - sapeva - veniva ritrovato - veniva assegnata - ha creduto.

Il tempo verbale generalmente usato in letteratura in simili contesti è il "passato remoto" (esempi: **tornò, decise, accettò,** etc.).

B) L'effetto stilistico ottenuto con l'uso del passato prossimo al posto del passato remoto è quello di conferire maggior immediatezza ed attualità al predicato.

L'uso dell'imperfetto al posto del passato remoto ("imperfetto narrativo") conferisce invece al processo considerato un carattere di indeterminatezza temporale, creando un effetto di sospensione e di tensione emotiva. Tale uso si riscontra spesso nello stile tipico della cronaca, di cui la frase seguente può essere un esempio: "Il bandito entrava nella banca con la pistola spianata, costringeva il cassiere a consegnargli il contenuto della cassaforte e si dava alla fuga."

PICCOLI EQUIVOCI SENZA IMPORTANZA
di Antonio Tabucchi (1985)

Cinema

LETTURA ANALITICA MORFOSINTATTICA **
- stringendosi nelle spalle
- scendere
- a sgranchirci un po' le gambe
- seguita dalle altre
- passando accanto a Elsa
- a distrarli
- passando davanti ai soldati
- guardandosi intorno
- nell'attirare l'attenzione [1]
- facendo un'aria infantile
- muovendo la testa
- senza toglierle gli occhi di dosso
- a suggerirglielo
- di risolvere una situazione
- come risolvere altrimenti
- fino a scoprire le spalle
- dondolare la borsetta
- strizzando gli occhi
- muovendo le gambe a passo di marcia
- senza spostarsi
- usandolo come perno
- guardando attentamente la strada sottostante
- seguita dalle ragazze
- salendo
- baciandola
- stare [2]
- a piangere come una bambina

[1] In questo caso l'infinito presenta ambiguità tra la funzione di verbo (compare con un complemento oggetto, "l'attenzione") e di nome (compare con l'articolo).

[2] Qui l'infinito fa parte di un unico complesso verbale, "lasciar stare".

- a guardare le ragazze
- per cercare [di vedere cosa stesse succedendo]
- di vedere [cosa stesse succedendo]
- vedere bene
- apparentemente immerso nella lettura del giornale
- cercando [di mostrare indifferenza]
- di mostrare indifferenza
- essere un pezzo grosso
- per vedere
- trascinando la bandierina per terra
- guardandosi le scarpe
- a sedersi
- aumentando l'andatura
- reggergli accanto
- per imboccare lo scambio
- a camminare lentamente verso la macchina da presa
- pausando la sua andatura
- venire un infarto
- morire
- aspettando istruzioni
- per fermare la scena
- per significare [che avrebbe tagliato].

N.B. - Nel caso di "stesse succedendo", "sta dicendo", "si sta muovendo", "stesse muovendo" il gerundio non ha funzione autonoma, ma è parte integrante della costruzione progressiva "*stare* + gerundio".

IL FIGLIO IN PROVETTA
di Dario Fo e Franca Rame (1988)

LETTURA ANALITICA PRAGMATICA *
I numeri indicano l'ordine di progressione nel testo.
<u>Contrastare:</u>
1) **Ma capisci,**
2) **No, per favore, non tirare fuori ancora che** [...]
3) Ma ti capisco, anch'io all'inizio [...] **ma poi** [...]
4) **Come** hai superato?!
5) **No, se mai** [...] **io**

6) **Mica** sei tu che [...]
8) Sí, d'accordo, ma [...]
9) è il cibo dell'affetto **che conta**
11) [Sí,] **ma** [...]
12) **No, errore,** [...]
13) **E' scientificamente provato che** [...]
14) **Senti, per favore, non accomunare** nostro figlio ad un animale!
15) **Non hai mai notato che** i cani dopo un po' assomigliano ai loro padroni?
17) **No, per carità...** è **che** ragiono.
18) **Non** è **solo** la ragione, è **anche** il sentimento...
19) **E** [se nascesse coi capelli rossi]...
20) **Ma che vuol dire?**
24) **Cosa hai detto?** Mulatto?!
25) **Eh no, scusa...**
26) **Ma** sí, [...] è **scientifico,** è **cosí.**
27) **No, dico...**
28) **Ma** [...] **sei tu che parli cosí?!** Tu che ti batti per l'eguaglianza razziale...
29) **Che c'entra adesso** il fatto di razza...
30) **Già...** ma **non** come eventuali padri di nostro figlio.
31) **Dimmi pure che sono un piccolo sentimentale, ma** [...]
32) **non dirmi che sei tu che parli cosí...**
34) **ma** è **piú forte di me...**

<u>Acconsentire:</u>
 7) **Sí, d'accordo**
10) **Sí**
16) **Sí,** è **vero**
19) **Oh sí...**
21) **Ah, sí,** è **vero**
22) **a parte che hai ragione**
23) **Sí, sí, mi hai convinta.**
33) **Sí, hai ragione...**

BAOL
di Stefano Benni (1990)

"La guerra Shama"

LETTURA ANALITICA MORFOSINTATTICA *

A) (era) diviso - scesa - (avesse) tranciato - (era) seduta - posata - imbalsamato - messo (di profilo) - (si sarebbe) accorto - (era) caduta - (ha) raggiunto - (è) morto - (aveva) distrutto - (aveva) reso - (avrebbe) immaginato - (avete) trovato - (si è) ucciso - (ha) invertito - esercitato - immigrati - (ho) cominciato - (sono) stati.

B) defunto - aggrovigliata - depresso - preferita - stupito.

GLI SFIORATI
di Sandro Veronesi (1990)

Corso Vittorio

LETTURA ANALITICA SEMANTICA *
<u>Mutevolezza</u>:
- e muta continuamente d'aspetto.
- Nulla più di questo viale muta d'aspetto, a Roma, tra un'ora e l'altra della giornata.
- È cangiante
- si muova, strisci, s'inarchi
- un paesaggio mutevole.
<u>Aspetti</u>:
- Ora è il palcoscenico attrezzato per la scena di una rapina al Banco di Roma
- ora è un lungomare assolato, con Sant'Andrea della Valle che diventa un Casinò e l'Oratorio dei Filippini un pattinaggio.
- E voilà, è diventato un parcheggio
- si fa pista melmosa dell'Africa Centrale, piena di camionette e di ambulanze che scagliano baffi di fango sugli indigeni.
- Il corridoio di un Castello

- la Galleria del Vento
- i Campi Elisi
- il Giro d'Italia
- una lunga nuvola d'asfalto
- un rettifilo della pista Polystil
- era più dritto, o più lungo, o più in salita.
- le suddette etnìe sarebbero già state inglobate, rese invisibili oppure scacciate nei vicoli da una compatta flottiglia di automobili grandi e piccole [...]
- lo scenario di Corso Vittorio si sarebbe fatto rutilante e indecifrabile
- era rarefatto e disperato come il presepe di un povero.
- Traversarlo equivaleva a consegnarsi alle minoranze.

Sottofondi

LETTURA LESSICALE-SEMANTICA **

basilare	fondamentale	(pag. 218, linea 13-14)
controversia	contenzioso	(" 219, " 8)
discreto	moderato	(" 218, " 25)
giovanili	verdi	(" 218, " 26)
mangiata	strippata	(" 218, " 7)
mannequin	indossatrice	(" 218, " 22)
mobilia	arredi	(" 218, " 21)
moderazione, misura, temperanza	ritegno	(" 219, " 9)
parlottìo	brusio	(" 218, " 10)
pasticci	intrugli	(" 219, " 6)
pitture	dipinti	(" 218, " 20)
preferendo	optando per	(" 219, " 10)
puro	mero	(" 218, " 17)
ricordava	rievocava	(" 219, " 11)
risaltando	spiccando	(" 218, " 30)
rivelava	tradiva	(" 219, " 2)
segno, indizio	sintomo	(" 219, " 14)
sgradevolmente contrastante	stridente	(" 219, " 1)
sottili	esili	(" 219, " 5)
trascurabile	irrilevante	(" 218, " 8)
venivano prima di	precedevano	(" 218, " 12).

SOLUZIONI DEGLI ESERCIZI

IL SEGRETO DI LUCA
di Ignazio Silone (1956)

"Il sindaco"

«Vi riceverò subito» disse il sindaco alla delegazione dei reduci che sostava nel corridoio davanti alla porta del suo ufficio. «Ne ho appena per un paio di minuti, abbiate pazienza.» «Prima il carabiniere, poi noi?» protestò uno del gruppo.

Il sindaco si sforzò di sorridere ai reduci col suo faccione pallido e sudato, poi richiuse la porta dietro di sé e tornò al suo scrittoio. Accanto a esso era rimasto seduto il maresciallo dei carabinieri, anche lui accaldato e sfatto dalla canicola.

«Avete udito?» disse il sindaco. «Non è ancora un mese che ho questa carica e già non ne posso piú.»

«Servire il popolo stanca» ammise il maresciallo con una punta d'ironia. «Cosa vogliono?»

«Partire, emigrare» borbottò il sindaco.

Dalla finiestra spalancata arrivavano vampate di calura come dalla bocca d'un forno.

«Non si potrebbe chiudere?» supplicò il maresciallo.

«Non entrerebbe piú aria» disse il sindaco. «Se volete, vi faccio venire una gazzosa.»

«Oh, voi la chiamate aria» disse il maresciallo.

Malgrado la giovane età e l'aitante corporatura, anche il sindaco appariva stanchissimo, addirittura avvilito. «Scusate» disse, e si tolse la giacca e la cravatta che buttò sulla macchina da scrivere. La camicia stretta, inzuppata di sudore e trasparente, gli avvolgeva il torace grassoccio come carta oleata. L'impressione era animalesca e il maresciallo non nascose una smorfia di nausea.

QUER PASTICCIACCIO BRUTTO DE VIA MERULANA
di Carlo Emilio Gadda (1957)

"Don Ciccio Ingravallo"

ESERCIZIO MORFOSINTATTICO E SEMANTICO ***
Con "possibile" e "impossibile" si indica in seguito la possibilità
o l'impossibilità di un possessivo. In carattere grassetto sono riportate le espressioni del testo originale, in tondo i possessivi aggiunti.

- **della persona**: impossibile: "persona" è generico.
- **dalla metà della fronte**: impossibile: dopo il pronome "gli" si raddoppierebbe l'indicazione del possessore.
- a **riparargli i due bernoccoli metafisici**: impossibile: dopo il pronome "gli" si raddoppierebbe l'indicazione del possessore.
- Possibile: **dal** nostro **bel sole d'Italia**: "nostro" conferirebbe orgoglio all'espressione.
- **con una o due macchioline d'olio sul bavero**: impossibile: sarebbe
un raddoppiamento: il bavero, attributo unico di una persona, non
può essere riferito che al soggetto.
- Possibile: **quasi un ricordo della** sua **collina molisana**: "sua" conferirebbe all'espressione un tono nostalgico.
- **Una certa praticaccia del mondo, del nostro mondo detto «latino»**: l'omissione di "nostro" è sintatticamente possibile.
- **La sua padrona di casa**: l'omissione del possessivo "sua" è sintatticamente possibile: anche se generalmente non si ha più di un padrone di casa, il raddoppiamento non è agrammaticale come nel caso degli oggetti detti "inalienabili" (parti del corpo o anche del ve-
stiario che si indossa al momento).
- **il tormentato contesto del di lui tempo**: possessivo necessario (altrimenti "il tempo" rimarrebbe generico). La forma "di lui", che
oggi suona lettararia, vuole evitare la possibile ambiguità di "suo"
= della padrona di casa/del dottor Ingravallo.
- Possibile: **Era, per lei, lo/il suo «statale distintissimo» lungamente sognato**: "il suo" darebbe con una forte connotazione affettiva.
- **sulla inserzione del *Messaggero***: impossibile: "inserzione sul *Messaggero*" è generico.
- Sintatticamente possibile: **con quella** sua **esca della «bella assolata
affittasi»**: in realtà, una tale inserzione è molto comune e non sarebbe giustificato presentarla come un'idea peculiare della signora
Antonini.

- e non ostante la perentoria intimazione in chiusura: vedi l'esempio di sopra.

- lo portavano tutti in parma de mano: impossibile: come indica l'assenza di articolo, qui si tratta di un'espressione fissa (come "a piedi", "a mano", "colpo d'occhio", etc.).

- non dico perché fosse mio marito: nell'uso non generico i nomi di parentela richiedono sempre l'indicazione del possessore di prima e seconda persona ("mia moglie", "i vostri figli", etc.). Con valore possessivo si può usare in questi casi anche il solo articolo determinativo:

  a) per il possessore di prima persona con alcuni nomi di parentela ("mamma", "papà", "babbo", "nonna", "nonno", "nonni", "zio", "zia", "zii", "suocero", "suocera");

  b) se il contesto linguistico fornisce sufficienti informazioni sul possessore (per esempio, raccontando di un dialogo tra due coniugi: "E il marito ha detto: ...".).

- Nella sua saggezza e nella sua povertà molisana: possessivo necessario: "saggezza" rimarrebbe generico. Una variante sarebbe: "Nella sua saggezza e povertà molisana", dove "sua" verrebbe riferito contemporaneamente ai due nomi.

- Possibile: sotto la giungla nera di quella sua parrucca: ma rafforzerebbe la distanza emozionale della descrizione, portando l'ironia a scherno.

- nella sua saggezza: vedi i penultimi esempi.

- codesto suo sonno e silenzio: vedi il penultimo esempio. Qui, in presenza di "codesto", sarebbe impossibile ripetere il possessivo davanti a "silenzio".

- quei rapidi enunciati: impossibile: raddoppierebbe la specificazione che segue "che facevano sulla sua bocca [...]".

- sulla sua bocca: possessivo obbligatorio, altrimenti si avrebbe un'interpretazione generica.

- Possibile: dalla loro enunciazione.

- gli sfuggiva preferentemente di bocca: impossibile, per due ragioni:

  a) "sfuggire di bocca" è un'espressione fissa (come "a piedi", "a mano", "colpo d'occhio", etc.);

  b) dopo il pronome "gli" si raddoppierebbe l'indicazione del possessore.

- quasi contro sua voglia: l'espressione "contro voglia" è possibile, è anzi generalmente preferita senza il possessivo, come espressione fissa.

343

- **riformare in noi il senso della categoria di causa**: impossibile: dopo l'espressione "in noi" si raddoppierebbe l'indicazione del possessore.
- Possibile: **una sua fissazione, quasi.**
- **che gli evaporava dalle labbra carnose**: impossibile: dopo il pronome "gli" si raddoppierebbe l'indicazione del possessore.
- Possibile: **la sonnolenza del** suo **sguardo.**
- **il quasi-ghigno, tra amaro e scettico**: impossibile: si raddoppierebbe la specificazione che segue con la frase "a cui per «vecchia» abitudine soleva atteggiare [...]".
- Possibile: **a cui per** sua **«vecchia» abitudine soleva atteggiare [...].**
- **soleva atteggiare la metà inferiore della faccia**: impossibile: "sua" sarebbe un raddoppiamento: "la faccia", attributo inalienabile di una persona, non può essere riferito qui che al soggetto del verbo "atteggiare".
- Possibili: **sotto quel sonno della** sua **fronte e delle** sue **palpebre e quel nero pìceo della** sua **parrucca**: qui gli oggetti inalienabili, che compaiono modificati, ammetterebbero un possessivo (confronta: "Portava una spilla sul suo bel vestito di cachemire."). Ma l'autore, emozionalmente sempre vicino ad Ingravallo, non sente la necessità del possessivo.
- **Così, proprio così, avveniva dei «suoi» delitti**: sintatticamente possibile: omettere il possessivo significherebbe tuttavia perdere un'informazione sull'attaccamento di Ingravallo alla professione.

NARRATORI DELLE PIANURE
di Gianni Celati (1985)

L'isola in mezzo all'Atlantico

(*continuazione*)
Sono passati otto mesi. I due fidanzati hanno finito il liceo e sono andati a fare un viaggio. Hanno raggiunto Glasgow e di lì, con un trenino, la piccola città di Oban sulla costa occidentale scozzese. Da Oban un battello li ha portati sull'isola di Archie.

Quando sono sbarcati hanno subito ritrovato la lunga strada che faceva un percorso circolare attorno al promontorio coperto d'erica. Riconoscevano quasi tutto e riuscivano ad orientarsi come se ci fossero già stati. Riconoscevano un punto in cui la costa era mangiata dal mare, e le rocce ignee sparivano con l'alta marea. Al di sopra di quel punto il terreno s'innalzava in un piccolo promontorio erboso, sul quale doveva sorgere la casa di Archie.

C'era infatti un cottage, e dietro il cottage una vecchia casa in pietra grigia con porta molto bassa. Nel cottage ci abitava un uomo biondo con una moglie bionda. Non sapendo come affrontare il discorso su Archie, i fidanzati hanno chiesto se lì c'erano case da affittare, e l'uomo biondo ha offerto loro la vecchia casa in pietra grigia che aveva appena finito di rendere abitabile.

Si installavano dunque in quella casa i fidanzati; e, giorno dopo giorno, vagando per l'isola ritrovavano i punti descritti da Archie. Ritrovavano la città dei conigli selvatici, una duna piena di tunnel che sembrava una metropoli sotterranea. Ritrovavano il sentiero lastricato sul promontorio coperto d'erica, dove un giorno Archie aveva visto le ossa e il vello d'una pecora aggredita da uno sparviero e dove altre volte aveva visto le capre selvatiche, alte un metro e mezzo, che abitano quel promontorio. Ritrovavano una vasta spiaggia sopraelevata sulla costa orientale, che l'anno prima era per metà crollata in mare.

Alla sera andavano a guardare la televisione nel cottage dei coniugi biondi. Lei si chiamava Susan e lui si chiamava Archie.

Parlando parlando con Susan e Archie sono riusciti finalmente ad affrontare l'argomento che stava loro a cuore. E allora, quando il padrone di casa ha saputo che il ragazzo era quel corrispondente lontano, gli ha raccontato la storia di Archie.

Archie era un poliziotto di Glasgow, che una notte aveva sparato a un ragazzo colpendolo al cuore. Era stato un incidente, ma Archie si considerava colpevole di sciatteria nei propri gesti, per poca attenzione a ciò che gli stava attorno, per disprezzo di ciò che vedeva in quegli infami quartieri della periferia di Glasgow.

Quella notte era stato sorpreso sul fatto da un altro poliziotto, suo amico. Archie s'era riconosciuto colpevole, ma aveva anche detto all'amico di non essere pronto ad affrontare il carcere. Gli aveva chiesto di lasciarlo andare per cinque anni, a vivere con sua moglie da qualche parte; dopo di che sarebbe tornato a farsi arrestare. L'amico aveva acconsentito.

Così l'uomo era venuto ad abitare su quell'isola. Erano trascorsi cinque anni, durante i quali egli aveva imparato a osservare ciò che gli stava attorno per rendere attenti i propri gesti e pensieri, ed era tornato a Glasgow a farsi arrestare.

I fidanzati a questo punto erano confusi: chi era Archie? E chi era il loro padrone di casa che sapeva tutta quella storia e si chiamava anche lui Archie?

Non subito, solo qualche sera dopo, il loro padrone di casa ha spiegato che lui era l'altro poliziotto, quello che aveva permesso ad Archie di andarsene per cinque anni. Dopo quell'episodio, e dopo l'arresto di Archie, non aveva più voluto fare il poliziotto e s'era messo in pensione, venendo ad abitare nel cottage di Archie. Per una coincidenza, si chiamava anche lui Archie. L'inverno successivo i fidanzati di Gallarate ricevevano una lettera. Il loro padrone di casa li informava che Archie era stato assolto e stava per tornare sull'isola. I suoi superiori gli avevano impedito di dichiararsi colpevole, e quell'omicidio era stato considerato un semplice incidente sul lavoro, come tanti altri omicidi senza importanza in quei quartieri di Glasgow.

Adesso i due amici, Archie e Archie, si sarebbero messi ad allevare pecore. Se i fidanzati capitavano da quelle parti, sarebbero stati sempre i benvenuti.

L'isola in mezzo all'Atlantico

ESERCIZIO MORFOSINTATTICO **
A) Nelle frasi relative restrittive una sostituzione è:
2) impossibile
3) impossibile
4) possibile: (il luogo) nel quale/dove abitava
7) impossibile
13) possibile: (d'un uomo) con il quale parlava da mesi
14) possibile: (un piccolo apparecchio) con il quale poteva localizzare i suoi contatti radio
15) impossibile
16) possibile: (un punto) nel quale/dove la costa era mangiata dal mare
18) impossibile
20) possibile: (sul promontorio coperto d'erica,) su cui/sul quale un giorno Archie aveva visto le ossa [...]
21) possibile: (sul promontorio coperto d'erica,) su cui/sul quale altre volte aveva visto le capre selvatiche [...]
22) impossibile
23) impossibile

24) impossibile
25) possibile: (**allora,**) nel momento in cui **il padrone di casa ha saputo [...]**
27) impossibile
28) impossibile
31) impossibile
34) impossibile
Nelle frasi relative appositive una sostituzione è:
1) possibile: (**un radioamatore di Gallarate [...]**,) che **s'era messo in contatto [...]**
5) possibile, ad un livello stilistico più elevato: (**del cielo**) il quale **spesso era sereno benché piovesse**
6) possibile, ad un livello stilistico più elevato: (**della pioggia**) la quale **su quell'isola scendeva orizzontalmente per via del vento**
8) possibile: (**dalla sua fidanzata,**) la quale **sapeva l'inglese meglio di lui**
9) possibile: (**tra prati**) sui quali/su cui **pecore e vacche pascolavano senza recinti.**
10) possibile, ad un livello stilistico più elevato: (**fino a un piccolo altipiano**) il quale **sbarrava l'orizzonte**
11) possibile, ad un livello stilistico più elevato: (**d'un faro**) il quale, **secondo Archie, era il punto più lontano ad ovest del continente, in mezzo all'Atlantico**
12) possibile: (**da Archie,**) che **invece gli parlava ogni volta delle sue passeggiate**
17) possibile: (**in un piccolo promontorio erboso,**) su cui/dove **doveva sorgere la casa di Archie**
19) possibile, ad un livello stilistico più alto: (**una duna piena di tunnel**) la quale **sembrava una metropoli sotterranea**
26) possibile, ad un livello stilistico più alto: (**un poliziotto di Glasgow,**) il quale **una notte aveva sparato a un ragazzo [...]**
29) impossibile
30) molto marginale, ai limiti dell'accettabi^{···} (**cinque anni,**) durante cui **egli aveva imparato [...]**
32) possibile: (**il loro padrone di casa**) il quale **sapeva tutta quella storia**
33) possibile solo ripetere l'elemento relativo che è già presente nella frase coordinata precedente: (**il loro padrone di casa che sapeva tutta quella storia e**) che **si chiamava ánche lui Archie.**

C) Riassumendo i criteri della distribuzione degli elementi introduttivi delle frasi relative del racconto, si può dire che:
- nel caso dell'antecedente "neutro" ciò, preceduto o meno da preposizione, il che relativo non può essere sostituito da "articolo + quale" o da cui (esempi 7, 27, 28, 31);
- preceduti da una preposizione, "articolo + quale" e cui sono generalmente intercambiabili; che non appare in questi casi (esempi 4, 13, 14, 16, 17). Specificamente:
- con alcune preposizioni (durante nell'esempio 30), ma anche "invece (di)", "tranne", "fuori (di)", "di là da", "come", "eccetto") cui risulta incompatibile;
- quando che designa un'intera frase (esempio 29) non può mai essere sostituito da "articolo + quale" o da cui, anche se è preceduto da una preposizione;
- dove può essere sostituito da "preposizione locativa (su, in, etc.) + articolo + quale/cui" (esempi 4, 9, 16, 17, 20, 21);
- quando può essere sostituito dalla locuzione nel momento in cui (esempio 25);
- nelle frasi restrittive il che relativo, che compare con funzione di soggetto o di oggetto, non può essere sostituito da "articolo + quale" o da cui (esempi 2, 3, 15, 18, 22, 23, 24, 34);
- nelle frasi appositive il che relativo, che compare con funzione di soggetto o di oggetto, può essere sostituito da art. + quale, creando un effetto di maggior elevatezza stilistica. Questo che non può mai venire sostituito da cui (esempi 1, 5, 6, 8, 10, 11, 12, 19, 26, 32, 33).

Idee d'un narratore sul lieto fine

ESERCIZIO MORFOLOGICO **
- tornò - decise - accettò - si recò - accadde - s'innamorò - venne alla luce - fu/venne requisito - apparve - decise - devastarono - bastonarono - continuò - chiuse - si ritirò - fu/venne ricoverato - restò - seppe - venne ritrovato - venne assegnata - credette/credé.

GLI SFIORATI
di Sandro Veronesi (1990)

I Carontini

ESERCIZIO LESSICALE-SEMANTICO **
Nella colonna di sinistra sono riportate le espressioni del testo originale; seguono le parafrasi dei significati propri e di quelli figurati.

tetre - oscure e squallide; astiose e scostanti
filtri - depuratori meccanici; strumenti di differenziazione e chiarificazione
seppelliti - messi sotto terra; isolati, esclusi
nobiltà - condizione sociale privilegiata; superiorità
la spola - il tubetto con filo per tessere o cucire; chi si muove avanti e indietro
traghettandole - trasportandole con un'imbarcazione da una sponda all'altra; introducendole
inestinguibile - che non si può spegnere; persistente
battute - colpi; interventi parlati di un interlocutore
strologando - sforzandosi di spiegare o di capire; provocando forzatamente
smarriti - perduti; addolorati e turbati
dannazione - perdizione; perdita di personalità
attecchire - prosperare (detto di un vegetale trapiantato); diventare stabili e diffusi
veste - abito; funzione
trottare - passo accelerato di un quadrupede; camminare rapidamente.

INDICI ANALITICI

INDICE DEGLI AUTORI

I numeri si riferiscono alle pagine in cui iniziano i brani dei rispettivi autori.

TESTI DI PROSA
IN PROGRESSIONE DI COMPLESSITÀ

*

CARLO LEVI
Cristo si è fermato a Eboli (1945)
 "Infrastrutture"
 "Destino"
 "Morale sessuale"
 "Doppie nature"

EDUARDO DE FILIPPO
Le bugie con le gambe lunghe (1947)
 "Il matrimonio ideale"

MARIO TOBINO
Le libere donne di Magliano (1953)
 "Tono"
 "Sorelle"
 "La logica dei deliri"
 "Speranza"

CARLO LEVI
Le parole sono pietre (1955)
 "Il pittore di realtà"

PIER PAOLO PASOLINI
Ragazzi di vita (1955)
 "Pomeriggi a Monteverde"
 "Notte brava"

EDUARDO DE FILIPPO
Sabato, domenica e lunedí (1959)
 "Antonio, il nonno"

DARIO FO & FRANCA RAME
Il figlio in provetta (1988)

STEFANO BENNI
Baol (1990)
"Una tranquilla notte di Regime"

SANDRO VERONESI
Gli sfiorati (1990)
Sottofondi
I Carontini

✳ ✳

ITALO CALVINO
Il visconte dimezzato (1952)
"I turchi"

IGNAZIO SILONE
Il segreto di Luca (1956)
"Riunione"

CARLO EMILIO GADDA
Quer pasticciaccio brutto de via Merulana (1957)
"Don Ciccio Ingravallo"
"Fascino di maresciallo"

ELSA MORANTE
L'isola di Arturo (1957)
Donne

ITALO CALVINO
Gli amori difficili (1958)
L'avventura di due sposi

LEONARDO SCIASCIA
Il giorno della civetta (1961)
"La mafia non esiste"

GIORGIO BASSANI
Il giardino dei Finzi-Contini (1962)
"La sinagoga"

"Il professor Ermanno"

DARIO FO & FRANCA RAME
La casellante (1962)

PAOLO VOLPONI
La macchina mondiale (1965)
   "Concetti"
   "Ambiguità, meschinità"

PIER PAOLO PASOLINI
Teorema (1968)
   Altri dati

IGNAZIO SILONE
L'avventura di un povero cristiano (1968)
   Quel che rimane

GIORGIO MANGANELLI
Lunario dell'orfano sannita (1973)
   Neointenditori

ELSA MORANTE
La Storia (1974)
   "Mussolini e Hitler"

PIER PAOLO PASOLINI
Scritti corsari (1975)
   Sviluppo e progresso

GIORGIO MANGANELLI
Centuria (1979)
   Ottantacinque

LEONARDO SCIASCIA
La Sicilia come metafora (1979)
   "Anima romana, anima araba"

GESUALDO BUFALINO
Diceria dell'untore (1981)
   "La storia dei tre ladroni"

ALBERTO SAVINIO
Narrate, uomini, la vostra storia (1984)
Nostradamo: "Morbus propheticus"

STEFANO BENNI
Baol (1990)
"La guerra Shama"

SANDRO VERONESI
Gli sfiorati (1990)
Corso Vittorio

* * *

PRIMO LEVI
Se questo è un uomo (1947)
I sommersi e i salvati

ITALO CALVINO
Il visconte dimezzato (1952)
"Riunificazione"

GIORGIO BASSANI
Il giardino dei Finzi-Contini (1962)
"Il tennis"
"Dopocena di Pasqua dai Finzi-Contini"

GIUSEPPE BERTO
Il male oscuro (1964)
"L'analisi"
"Il divano"
"Pubblico"

GIORGIO MANGANELLI
Lunario dell'orfano sannita (1973)
Il Padrino

ALBERTO SAVINIO
Narrate, uomini, la vostra storia (1984)
Nostradamo: "Il vizio"

annotazioni

annotazioni

annotazioni

annotazioni

annotazioni

annotazioni

L'Italiano per stranieri

Amato • *Mondo italiano*
testi autentici sulla realtà sociale e culturale italiana

Avitabile • *Italian for the English-speaking*

Battaglia • *Grammatica italiana per stranieri*

Battaglia • *Gramática italiana para estudiantes de habla española*

Battaglia • *Leggiamo e conversiamo*
letture italiane con esercizi per la conversazione

Battaglia e Varsi • *Parole e immagini*
corso elementare di lingua italiana per principianti

Bettoni e Vicentini • *Imparare dal vivo* **
lezioni di italiano - livello avanzato
manuale per l'allievo
chiavi per gli esercizi

Buttaroni • *Letteratura al naturale*
autori italiani contemporanei
con attività di analisi linguistica

Cherubini • *L'italiano per gli affari*
Corso comunicativo di lingua e cultura aziendale

Diadori • *Senza parole*
100 gesti degli italiani

Gruppo META • *Uno*
corso comunicativo di italiano per stranieri - primo livello
libro dello studente
libro degli esercizi e sintesi di grammatica
guida per l'insegnante
3 audiocassette

Humphris, Luzi Catizone, Urbani • *Comunicare meglio*
corso di italiano - livello intermedio
manuale per l'allievo
manuale per l'insegnante
4 audiocassette

Marmini e Vicentini • *Imparare dal vivo**
lezioni di italiano - livello intermedio
manuale per l'allievo
chiavi per gli esercizi

Marmini e Vicentini • *Ascoltare dal vivo*
manuale di ascolto - livello intermedio
quaderno dello studente
libro dell'insegnante
3 audiocassette

Radicchi e Mezzedimi • *Corso di lingua italiana*
livello elementare
manuale per l'allievo
1 audiocassetta

Radicchi • *Corso di lingua italiana*
livello intermedio

Radicchi • *In Italia*
modi di dire ed espressioni idiomatiche

Totaro e Zanardi • *Quintetto italiano*
approccio tematico multimediale - livello avanzato
libro dello studente
quaderno degli esercizi
2 audiocassette
1 videocassetta

Urbani • *Senta, scusi...*
programma di comprensione auditiva con spunti di produzione libera orale
manuale di lavoro
1 audiocassetta

Urbani • *Le forme del verbo italiano*

Verri Menzel • *La bottega dell'italiano*
antologia di scrittori italiani del Novecento

Vicentini e Zanardi • *Tanto per parlare*
materiale per la conversazione - livello medio avanzato
libro dello studente
libro dell'insegnante

Bonacci editore

Finito di stampare nel mese di agosto 1992
presso EBS - Editoriale Bortolazzi-STEI
S. Giovanni Lupatoto - Verona